DU MÊME AUTEUR

Aux Éditions Gallimard

Poésie :

LE CŒUR VÉHÉMENT, 1968.

RUPTURES, 1970.

MAINTENANT LES SOLEILS, 1972.

MORALE PROVISOIRE, 1978.

HISTOIRE CONTEMPORAINE, 1982.

Chez d'autres éditeurs

Poésie :

LE CŒUR DE L'OLIVIER (Éd. Armand Henneuse, 1957).

L'ATELIER (Éd. Guy Chambelland, 1961).

LE POINT VÉLIQUE (Éd. Guy Chambelland, 1965).

D'UN PAYS LOINTAIN (Éd. Shichosha, Tōkyō, 1965).

ASILE EXIL (Éd. de la Différence, 1987) prix Mallarmé.

POUVOIR DE L'OMBRE (Éd. de la Différence, 1989).

RUINES-MÈRES, (Le Cherche-Midi Éditeur, 1998).

Divers :

TÔKYÔ (Éd. Champ-Vallon, 1986), essai.

LA NOUVELLE-ORLÉANS (Éd. Champ-Vallon, 1992), essai.

REGARDS D'ENCRE (Écrivains japonais 1966-1986) (Éd. de la Différence, 1995), critique.

IMAÏ (Éd. de la Différence, 1990), monographie.

« TÔKYÔ », THÉÂTRE DE LA HUCHETTE 1988, théâtre.

Pour Mary Bowden

cette traversée

d'UN ÉTÉ MÉMORABLE

et d'un temps où

l'Angleterre nous faisait

chaud au cœur

En très cordiale sympathie,

et les hommages de

Jean Pérol

JEAN PÉROL

UN ÉTÉ
MÉMORABLE

roman

GALLIMARD

Non, l'homme ne peut pas se fier à l'homme.

STENDHAL

Et la vie a tourné sur ses talons de paille
Avez-vous vu ces yeux Ce sont des yeux d'enfant

ARAGON

CHAPITRE I

Les dernières plumes d'acier sergent-major des retardataires crachaient, sur les pages à carreaux des cahiers d'exercices, leurs dernières gouttes d'encre violette. Il était quatre heures passées puisque le directeur, monsieur Marquy, après avoir remis les carnets de notes de cette fin de mois, venait juste de sortir. Le poêle finissait de s'éteindre. Il faisait chaud dans la classe au bord du givre des vitres.

Engourdis par un calme d'hiver venu de la cour enneigée, les élèves achevaient de recopier leurs exercices corrigés. L'instituteur, un rouquin râblé aux cheveux frisés, regardait ses élèves. Ce serait bientôt la sortie des cours, le départ dans un bruit de galoches et de sabots.

« Ça y est, vous avez fini ? » Les cris : « Oui ! Pas encore ! Bientôt ! Attendez m'sieur ! » se recouvrirent, s'entremêlèrent et le jeune instituteur donna trois coups de règle sur son bureau, à plat, sans taper trop fort. « Ça ne fait rien. Posez vos plumes. Bon, maintenant, vous allez m'écouter. » Le silence gagna les rangées. L'instituteur s'était levé.

Il décrocha sa canadienne du portemanteau et l'enfila dans un crissement de cuir usé. « Voilà. Maintenant — je veux dire : tout de suite — je vais partir. » Lorsqu'il a commencé de parler, il a rangé ses livres en les alignant en petites piles soigneusement mises au carré. Il cherche ses mots. « Mais pas uniquement pour ce soir. Non... » Intrigués, les élèves, âgés d'une dizaine d'années, et qui le suivaient des yeux, se regardèrent entre eux. « Non : pour demain, et pour tous les autres jours. Nous n'allons plus nous revoir. Je ne vous ferai plus la classe, voilà... Je ne serai plus votre maître d'école. Je suis obligé de partir. »

Un silence absolu dura bien deux petites secondes, suivi du premier claquement du premier pourquoi. Puis ce fut aussitôt un crépitement de questions enchevêtrées : « Mais pourquoi ? » « Où vous allez ? » « Pourquoi vous partez ? » « Qui va nous faire la classe ? » Dans l'excitation, les plus cancres commencèrent à oser gueuler : « Chouette ! Chouette ! » et claquèrent, les fermant sans les ménager, leurs cahiers de souffrances. Quelques-uns de ceux-ci tombèrent des pupitres. Un premier cahier, en un bruit d'ailes de papier battantes, parcourut dans l'air plusieurs rangées. Deux ou trois autres suivirent. « Du calme, écoutez-moi ! Écoutez-moi, parce que je ne dois pas parler trop fort. » Il avait noué son écharpe de laine autour du cou, ses joues rondes étaient déjà plus rouges, ce qui lui donnait encore un air plus familier aux yeux des enfants. Il se mettait à leur ressembler.

Il regarda une nouvelle fois vers la porte, puis son regard revint à eux. Cette petite allure de complot, cette presque annonce d'un secret partagé bloquèrent toutes les têtes. Il sortit d'une poche de sa canadienne un imprimé qu'il déplia, fit claquer, et agita légèrement devant eux en le tenant au bout de ses doigts, tout en les prenant à témoin.

« Bon. Vous avez entendu parler des réquisitions pour le service du travail obligatoire ? pour le STO ? » Les enfants avaient. « Vous avez entendu parler du maquis ? » — Aussi. Le maréchal Pétain, en photo dans un grand cadre contre le mur central, semblait ne rien entendre, ni ces mots, ni les frémissements de la classe, rien. De son doux regard bleu, il dominait la France. Képi, moustache blanche, étoiles, et avec en dessous la banderole : « Le sauveur du pays. » Les enfants, devant leur instituteur déjà s'en allant, écoutaient, lancé tout haut pour la première fois dans la chaleur de la classe, le mot « maquis ». « Vous comprenez, je ne veux pas partir pour l'Allemagne. Pas question. Ni travailler pour les Allemands. Alors, voilà : je vais prendre le maquis. » C'était pour cela que demain il ne serait pas là, ni après-demain, ni plus tard, car la guerre c'était si long. Il espère quand même qu'il les reverra. « Mais, a-t-il ajouté avec un sourire un peu triste, où serons-nous tous dans trois ou quatre ans ? » Trois ou quatre ans dépassaient en effet leur dix ans d'un inconnu sans bornes.

Les yeux soudain un peu plus brillants, il a mis son chapeau à la hâte. « Non, ne bougez pas ! Je pars le premier. Cinq minutes en avance. Mais je tenais à vous annoncer moi-même ma décision et à vous dire adieu. Je vous aimais bien, vous savez. Allez, sortez normalement dans cinq minutes, à la sonnerie, d'accord ? » Il s'était avancé devant la porte, en chapeau, canadienne de cuir serrée à la taille, presque déjà maquisard dans sa forêt glacée. Les joues rouges comme eux, les yeux fiévreux et mouillés. Il les regarda encore une fois, et la porte se referma.

Stupeur. Qui fit place très vite à l'excitation, et au brouhaha. Un élève se leva, monta sur son banc. C'était le plus grand, Ballut, le plus tête brûlée de la classe, le costaud des préaux. Il simula, en blouse noire, les genoux nus au-dessus de ses grosses chaussettes, un type qui arrose à l'entour à la mitraillette : « Ta-ta-ta-ta-ta ! » Un autre, planqué derrière un pupitre, fit semblant de lui répliquer. Des tirs imaginaires se mirent à se croiser.

Un élève, sans doute blessé plus grièvement, s'abattit sur son pupitre en criant : « Vive la France ! À bas les chleus ! » Un autre lança, froid, terrible : « C'est la faute à Pétain, si t'es mort », que compléta encore un : « C'est la faute à Pétain si l'instit est parti. » Fusa alors, révolutionnaire, sacrilège, gamin et enivré par l'audace de sa profération : « À bas Pétain ! » La grande bringue de Ballut reprit le dessus et la parole : « On va tous pisser sur ce salaud ! »

Un pupitre fut poussé. Le petit chef grimpa dessus, détacha le cadre. La photo du maréchal se balança, tangua et tomba à terre près du poêle. Le meneur sauta du pupitre sur le portrait. Il atterrit pieds joints, avec ses galoches aux solides semelles de bois, dans un bruit de verre brisé. Ce fut la curée. Ils firent sauter les lamelles de verre pour arriver jusqu'à la moustache et atteindre la chair de la photo. Le Ballut des grands jours, toujours lui, sortit le premier son pistolet de chair : « Silence, je pisse ! » Après une légère attente causée par tant de regards braqués sur sa braguette ouverte, il s'exécuta. De l'urine ruisselante serpenta vers la base du poêle, coula sur la tôle de protection chauffée, se mit à fumer et à répandre son odeur.

« À mon tour, à moi ! » Un deuxième volontaire avait déjà dégainé. C'est pourquoi Jeannot, aux grands yeux de velours, le timide sans mots, et qui aimait tant son instit qui, chaque semaine, venait spécialement chez lui pour lui donner des leçons de rattrapage afin de combler ses nombreuses années d'absence à l'école, lui non plus n'y tint plus. Il se déboutonna, et par amour pour son maître parti, gagné par l'excitation et l'exemple, rejoignit le cercle des vengeurs qui s'était formé autour du portrait à terre. Solidaire, il sortit à son tour sa quiquette d'enfant mâle et de guerre, et, épaule contre épaule, appliqué, regardant bien dans les yeux le maréchal de France, en chœur, et de tout son corps et son cœur, sur le portrait du grand chef de l'État, pissa. Délices. Alors que tous ensemble ils compissaient ainsi le sauveur de la France, l'un d'eux se mit à réciter, avec des grimaces, ces vers qu'il leur avait bien fallu apprendre au début de l'année :

> *Suivons-le ! Il est là, dressé sur la grand'route*
> *Coiffé du képi rouge aux trois couronnes d'or ;*
> *De sa haute stature il domine le doute,*
> *De sa voix paternelle il nous rassure encor.*
> *Suivons-le ! par tous les chemins ! coûte que coûte !*

Un rigolo, poète un peu plus que les autres, lui coupa la parole en braillant : « Pissons sur lui ! par tous nos trous ! coûte que coûte ! » Un autre, poussé par l'excitation jusqu'au sacrilège, entonna, sexe en avant entre ses doigts, l'hymne qu'on leur avait fait apprendre et chanter au garde-à-vous devant le monument aux morts pour les fêtes nationales. Aussitôt s'éleva, parmi les jets d'urine giclant sur la photo, un *Maréchal nous voilà* enfin sincère de leur part parce que jailli cette fois de leur enfantine hystérie. Dans cette iconoclastie ruisselante, la sonnerie retentit. Les premiers pisseurs partirent comme des fous, les autres se rembraguettèrent comme des diables. Les derniers à ramasser leurs affaires, pris de peur devant la mare, répandirent au-dessus des poignées de cendres froides, tirées du seau près du feu, pour éponger le tout. Resta sur le sol l'officiel portrait, brisé, compissé, maculé, au regard vide de vieil épagneul.

Maintenant, en se retournant depuis la porte laissée ouverte, Jeannot voit une dernière fois ce mélange d'éclats de verre, de flaques d'urine, de cendres noires agglomérées et coulantes. Entre les traînées et les brisures, dans l'odeur âcre des vengeances, il aperçoit encore un bout de képi, quelques poils de moustache, une étoile froissée. Alors il part en courant, traverse la cour, passe le plus loin possible de monsieur Marquy qui était sorti et se tenait à l'angle du portail, et dévale, genoux au ventre, la longue descente qui le mène chez lui. En bas, à la fontaine-lavoir, devant le petit cinéma où bat au vent une affiche déchirée du *Juif Süss* qu'il était allé voir avec ses parents et auquel il n'avait rien compris, les dernières vaches de la petite ville ont été conduites, comme d'habitude, pour s'abreuver avant leur retour à l'étable. Quelques-unes urinent sur le pavé. Ça fumait comme sur le maréchal.

Peu après, entrant dans sa maison tel un torrent en crue, il fonça vers sa mère qui vaquait dans la cuisine. Jetant au passage son cartable dans le recoin où il travaillait chaque soir « à la clarté des lampes », sous ces hauts rayonnages qui lui formaient niche et abri, il courut vers elle, impératif : « Maman, maman, notre maître a pris le maquis ! » Puis dans un second souffle, sûr de son effet : « Et on a pissé sur le maréchal ! » La vraie guerre allait commencer.

CHAPITRE II

Cette guerre, il y avait déjà un peu plus de trois ans que dans la toute petite enfance de Jeannot, un beau jour, elle s'était annoncée. Un jour beau, justement, d'un bel été chaque matin renouvelé. Dans une confusion de soirs soyeux, de matins roses sur la Saône, au parfum de roses thé, de lilas gonflés, d'hortensias assoiffés, d'herbes chaudes surplombées de fruits mûrs. Reculer de plus de trois ans, c'est pour lui reculer dans le flou des ombres. Sa mère, pourquoi pleurait-elle ? Et ce soldat (pas son père en tout cas), pourquoi l'embrassait-il si longuement dans la chambre ? (Sur la chaise, un calot de soldat posé, où le soleil brille sur un nombre d'or.) Puis, sous l'homme, le visage de sa mère, soudain levé et dégagé, si rose profond lorsqu'elle aperçoit, immobile à la porte, son enfant qui les regarde.

Un autre jour, un dimanche où sa mère était partie travailler à l'usine, leur voisine, une émigrée russe, alors qu'ils étaient descendus dans le jardin ramasser des fraises, lui apprenait à se jeter à plat ventre entre les rangées de fraisiers pour se protéger des avions. « Un, deux, trois, avion » : il se jetait. Un, deux, trois : il se rejetait. Un, deux, trois, il ne se relevait plus. Il regardait par en dessous les feuilles velues transpercées de lumière la partie blanc et vert des grosses fraises, si rouges du côté soleil. Il les arrachait, les mangeait avec les grumeaux de terre qui y adhéraient encore ; tout en demeurant bien collé au sol, à cause de ces

16

avions qui allaient arriver du côté de la dame russe, qui, elle, debout dans le soleil, rattachait ses nattes de cheveux jaunes et gris sur sa grosse tête ronde. Le soir elle lui expliquait la guerre : méchante, très méchante ; et qu'il avait mangé trop de fraises. Le lendemain, boutons d'urticaire et vomissements, vertige dans un monde qui se mettait à tanguer à lui en faire perdre son nom. Un nom pourtant à ne pas perdre, apparemment. Un soir, dans la grande ville où sa mère travaillait dans cette vaste usine, que tout le monde appelait la Rodiaceta, comme on aurait dit la Carmencita, et à la fin de la première alerte, juste au sortir de l'abri (où il jouait à la poupée avec la fille d'un ingénieur, dans une odeur de ciment frais, à la lueur d'une grande bougie blanche qui tremblait dans l'abri et qui donnait à leurs visages des regards et des traits de têtes pâles de musée), sa mère avait décidé : « On va faire graver ton nom. » À grand-père aussi, là-bas au village, on avait gravé son nom, sur le monument. « Maman, je ne suis pas mort ! » avait-il lancé. Elle lui expliqua : « Pas sur une tombe. Sur un bracelet, à cause de la guerre. » La guerre. À l'ombre des platanes, sur les quais, un vieux monsieur en casquette lui grava sur une plaquette d'acier son nom, son prénom, sa date de naissance, et où il habitait. Le vieux graveur parlait avec sa mère d'une autre guerre, avec des tas de morts. Après celle-là, des noms, sur les monuments, sûr qu'on en avait gravé. Puisqu'on faisait graver le sien, Jeannot en avait conclu qu'il allait quand même bientôt disparaître. Déjà il s'habitue à n'être que celui qui sera disparu. À son poignet, on referme le bracelet. Il le regarde briller, il est très fier et un peu triste, il est quelqu'un qui peut disparaître, on l'avait écrit sur du fer. Une fois, alors que sa mère et lui étaient dans la rue, un avion, dans un fracas de tonnerre inattendu, était venu lancer son ombre et quelques bombes sur les ponts. Ils s'étaient jetés à plat ventre. Sur le trottoir, aucune fraise. Que de la poussière, qui s'était collée autour de sa bouche et lui était entrée dans les dents, et qu'il avait recrachée.

La poussière. La longue file des camions en était couverte. Sa mère l'avait assis, là, sur le chaud parapet de pierre. « Tu ne bouges pas, tu restes là, je vais aller aider, tu vois, où il y a des soldats blessés : je te reprends après. » Il ne bouge pas. Il est l'immobilité regardante. La vision innocente face au tourment des blessures. Par les bâches ouvertes on voit, à l'arrière, des corps, des pansements rougis, des bras, des jambes, des visages en sang. On entend des plaintes ; des hommes, des femmes courent (il entr'aperçoit parmi elles, par instants, sa mère). On porte des boissons, on redresse des blessés pour les aider à boire, des médecins refont des pansements, des blessés geignent, des soldats vont et viennent, casqués ou nu-tête, salis, à la fois neufs et déchirés. Crient des blessés blancs, des blessés noirs, avec des pansements de la même couleur rougis. Les moteurs des camions tournent, ça sent l'essence et l'huile chaude sous la haute voûte des platanes où passent de temps en temps, mobiles et soudain transperçants, des éclairs de soleil. Des pans fugitifs de ciel bleu apparaissent, sans nuage, d'un ciel bleu victorieux. Au-dessous de sa voûte étincelante, une défaite éparpille ses hommes sombres. Ce désordre de souffrance et de folie lui fait peur. Sa mère revient pour voir s'il ne bouge pas, « Ne bouge pas, surtout ne bouge pas ». La sueur colle ses cheveux sur son front et ses joues. Ses yeux sont rougis, avec sur son visage des chemins de larmes, scintillant comme sur les fraises du jardin les traces de bave des escargots. Elle pleure mais retourne à la file immobilisée des camions, porte à boire, aide aux pansements. Lorsqu'elle revient vers lui, cette fois sa robe jaune pâle est maculée de taches de sang. Le ciel est limpide et figé. Des camions continuent d'arriver, tandis que d'autres, brinquebalant, avec leur chargement de corps, de soldats qui s'agrippent, se remettent en route du côté où l'eau du fleuve s'écoule, vers ce soleil intense qui se couche, vers les ponts, vers leur point de fuite, vers le sud. Et puis vient le soir, dans les cris des martinets sur une eau si tranquille. Et monte cette rumeur plus forte, qui fait que sa mère l'entraîne : « Les Allemands, les Allemands vont arriver ! Viens, il nous faut partir. » Il marche derrière sa mère fragile à la longue robe jaune ensanglantée, et qui le tire par la main. Tout entière livrée à ses pensées, il le sent bien, et qui pleure, en silence, tout en marchant, tandis qu'ils traversent le pont sur une Saône noir et or qu'hirondelles et martinets frôlent avec des cris stridents comme des sifflements de balles, ou des cris brefs de soldats blessés. De blessés enfuis dans leurs camions vers la nuit, du côté où le soleil s'est couché.

Puis le lendemain, lui semble-t-il, juste un peu avant midi, des mitrailleuses rauques, fracassant le silence des quais, ont tiré vers le ciel. Pointées vers le soleil depuis les tourelles des tanks, des mitrailleuses se sont mis à lâcher leurs rafales, tirées par de drôles de soldats, qui n'ont pas la même couleur que les blessés d'hier. Des soldats sûrs d'eux, qui rient très fort, et lancent des cris tendus sur des mots violents et inconnus. Sa mère l'a entraîné vers une entrée proche, dans le noir couloir d'une vieille maison. De là, elle surveille ces soldats entre les planches disjointes de la porte qu'elle a refermée sur la ruelle qui donne sur le quai. Sa mère le tient serré contre elle, elle lui a mis sa tête contre son ventre, et ses mains sur la tête. Elle tremble dans la pénombre du couloir. Lui, pendant qu'elle surveille ce qui se passe à l'extérieur, tourne son bracelet, le regarde dans la pénombre. Son nom, né le, il compte. Il a passé ses huits ans ; et passé en très peu de temps dans le temps des peurs, des avions, des fraises, des pansements, des mitrailleuses, des pleurs de sa mère, et de ces soldats étrangers venus envahir les rues d'ici. C'est beaucoup, cet ébranlement lui fait peur, il se met à pleurer. « Ne pleure pas, ne pleure pas. N'aie pas peur. » Sa mère lui dit à l'oreille dans le couloir : « Nous n'allons pas rester dans cette ville. Nous allons partir. Où c'est beaucoup plus tranquille. Ne pleure pas. Tu vas voir. Dans quelques jours. » Dehors, les soldats allemands tirent dans le ciel bleu de juillet, toujours riant comme des vainqueurs heureux et un peu ivres. « Je les hais », dit sa mère qui regarde à nouveau à travers la porte. Puis elle recommence : « Sois grand. Ne pleure pas. Tu es un vrai petit homme, non ? N'aie pas peur. On va partir. Tu vas voir. » Elle tremble, mais maintenant il semble au petit Jean que le tremblement n'est plus le même. Un rayon de soleil, passant par une fente de la porte, éclaire dans l'ombre les grands yeux bleus assombris de sa mère en train de regarder dans la rue. Des yeux durcis, qui brillent intensément, d'un bleu changé, plus sombre et plus froid.

Quelques semaines plus tard ils sont partis. Pas les Allemands. Non, lui, sa mère et le soldat. Depuis l'auto, il voit, il regarde. L'auto, plutôt vieille et poussive, archaïque et carrée, peine dans la dernière partie des grands lacets d'une longue côte. Sa mère s'est tournée vers lui. Il voyage, agenouillé sur la banquette arrière, pour mieux regarder les montagnes, et cette plaine, en bas, avec ces villages et ces champs. Premier vrai voyage. Beau le monde neuf qui s'étend aux pieds d'un enfant qu'une auto emporte. Sa mère lui sourit, à demi tournée vers lui. Elle est assise à côté du soldat de la chambre, qui conduit, et qui sera, elle lui a dit, comme son « nouveau papa ». Avec ses lunettes, sans calot, il a l'air distingué et plutôt gentil. Il a des sourires qui l'éclairent et plissent très fort la peau grumeleuse et grise de ses joues et du coin de ses yeux. Arrêt. L'auto chauffe. Vapeur. Pendant que ça refroidit, ils regardent tous les trois, assis sur une longue pierre, la France qui semble si tranquille, en bas, dans la plaine ensoleillée de septembre. « Vous verrez, là-haut, dans cette petite ville de Miyonnas, nous serons bien, tout va bien se passer », dit le soldat (qui ne l'est plus) en les prenant tous les deux par les épaules. Un fleuve au loin scintille dans la grande plaine, vert-bleu, dans une campagne indifférente, ignorante. Cette rivière rejoint sans doute le fleuve et sa vallée vers le sud, par où disparurent les vaincus de l'été. Des vignes, sur les premiers flancs, alignent, dans une terre de rocaille, leurs rangées rouge et jaune de ceps. Quelques toits fument. « Quelle paix ! » dit sa mère, la tête appuyée contre le soldat qui ne l'est plus. Ils ne savent pas que la guerre monte aussi dans les montagnes.

CHAPITRE III

Il pousse la porte du café. Il a l'habitude maintenant. Il est devenu depuis de longs mois le copain de Riri et de Paco. Il court vers le comptoir, entre ces tables où il y a beaucoup de messieurs qui fument, qui parlent, à cette heure de sortie des classes, dans ce centre de la « Grande-Rue ». Sur le carrelage de la salle, il y a de la sciure qui patine parfois sous les pieds. On peut même s'amuser à y glisser. Il glisse.

La maman de Riri est au comptoir. La maman de Riri est tout comme une actrice qu'il a vue sur les affiches du cinéma, sur la place du lavoir et des ateliers. Elle a plein de cheveux bruns bouclés autour de la tête, avec beaucoup de rouge sur les lèvres de sa grande bouche, qu'on voit s'ouvrir quand elle souffle la fumée de sa cigarette ou quand elle rit. Avec, aussi, du noir épais sur ses cils retournés et ses sourcils allongés au crayon. Et puis on voit souvent dans son corsage plus qu'entrouvert bouger ses deux nénés. Elle a le cou dodu, court, les épaules carrées qui balancent sous sa chevelure quand elle marche. Elle sent bon le « sent-bon ». « De Paris », lui a précisé son copain Riri, ce qui rendait l'odeur encore plus magique, Paris n'ayant à leurs yeux aucune réalité, n'étant pour eux qu'un vide obscur au plus lointain, un mot, un nom bizarre. Dans le café, un peu partout, ça sent comme elle. Comme elle, Nisette, et sa sœur, Léa, qui sent bon aussi, et qui est la maman de Paco.

Nisette et Léa sont parmi les plus belles femmes de la ville. Elles vivent au milieu des hommes. Elles sont toujours ensemble, ont des sourires et des moues qui paraissent narguer les autres. Elles parlent bas entre elles, un rouge à lèvres épais ensanglante leurs rires, et elles ont souvent l'air de comploter. Parfois, sans que Jeannot puisse comprendre pourquoi, leurs yeux, le temps d'un éclair, sont traversés de lueurs dures. Lorsqu'elles se déplacent entre les tables, les hommes qui fument se taisent à leur passage parfumé.

« Riri et Paco sont là ? » demande Jeannot tout essoufflé de sa course. Il a bien sifflé plusieurs fois dans la rue de derrière leur appel convenu, leur : « Titata, titata, titati tatitata. » Mais rien, ils n'ont pas répondu. À désespérer des appels secrets. À la fin, las de les attendre, il a fait le tour du pâté de maisons pour aller les demander dans le café où souvent ses copains le font passer.

Ce café, il n'est pas comme les autres cafés. Il est un peu plus sombre, mais en même temps un peu plus éclairé avec de petites lumières. Des rideaux de voilage sur les grandes vitres cachent mieux de la rue que dans les autres cafés. C'est le Café des Passagers, où chaque voyageur inconnu paraît plus mystérieux, de passage. Le comptoir au fond, on dirait du cuir, avec de chaque côté des appliques, et derrière, du doré et des bouteilles de toutes les couleurs. Dans le café de ses copains, il fait plus chaud, plus retiré, plus défendu qu'ailleurs. Lorqu'on pousse la porte, ça sent davantage le parfum et la cigarette, parce que, malgré les restrictions, les hommes semblent y fumer plus qu'ailleurs et que les femmes, plus qu'ailleurs, y semblent étranges. Il y a remarqué aussi beaucoup plus de jeunes messieurs bien habillés, avec des costumes, des cravates, des souliers qui brillent, ce qui est finalement assez rare à Miyonnas.

La maman de Riri fait le tour du comptoir, se penche pour l'embrasser. Vague de parfum venu du corsage entrouvert. Elle le prend par les épaules. Les longs ongles de ses mains sont peints en rouge foncé. « Tu veux les voir ? Vas-y, va les rejoindre, ils sont dans la salle du fond. » Trois larges marches à monter, et, comme en retrait, un peu décalée et plus isolée, une deuxième salle s'ouvre, presque privée. Les mêmes éclairages indirects. Des banquettes grenat, des tringles de cuivre, des miroirs piqués. Des tables vides, sauf les deux du fond, vers la porte du couloir de la cuisine et de l'appartement qui donne, à l'arrière, sur une petite rue en pente. À l'une de ces tables, un groupe d'hommes. À son entrée, ils s'arrêtent de parler, et le regardent. Ils sont presque tous habillés en noir, ou en bleu marine sombre, sauf deux ou trois, dont le nouveau papa de Riri, puisque sa maman, Nisette, a elle aussi changé de mari.

À l'école, plusieurs fois, on a chuchoté le mot « divorcé » derrière eux. La rumeur est montée. Après, ce furent parfois des poursuites : « Oh les divorcés-eu ! Oh les divorcés-eu ! » Cet étrange mot, à des enfants par des enfants lancé, en a regroupé trois : lui, Paco et Riri. Oh les divorcés-eu ! Ils étaient au pluriel. Cette liaison les avait encore un peu plus rapprochés. Car le papa divorcé de Paco, l'ancien mari de Léa, était celui qui était devenu le nouveau père de Jeannot. C'était le conducteur de l'auto, le soldat au calot sur la chaise de la chambre de Lyon. Riri, le cousin de Paco, avait vu, lui, son ancien père devenir le mari de la maîtresse d'école qui avait un matin remplacé l'instituteur alsacien parti pour le maquis. Puisque la vie était ainsi d'une complication labyrinthique fatale, ils se regroupèrent bientôt pour cause de situation encore mal admise par la petite ville. Jeannot, à suivre ses deux nouveaux amis, d'un foyer à l'autre, d'un coin de la ville à l'autre, d'un chemin de mûres à un pré à chèvres, d'un torrent à un ruisseau, avait, en leur compagnie, perdu ses craintes de petit citadin timide, d'ancien gosse de ville enfermé en chambre. Il avait appris avec eux à connaître Miyonnas, modeste ville étirée le long d'un des premiers contreforts jurassiens.

Dans cette vallée qu'il avait ainsi peu à peu découverte, industrie et agriculture se mêlaient toujours. S'il y avait de petites usines, il y avait aussi, encore, des vaches. Et lorsqu'elles rejoignaient leurs prés à pâturer, les vaches fientaient encore leurs bouses le long des trottoirs. Les paysans des alentours travaillaient à la pièce, le soir, dans leur ferme, pour des compléments. D'un coup de bicyclette, les artisans, de leur côté, allaient acheter en direct du lait, un peu de beurre, quelques légumes ou quelques œufs à deux fermes qui demeuraient fichées dans la ville. Après les immobiles et tristes banlieues ouvrières de Lyon, Jeannot, assis entre les deux roues à rayons d'une remorque fixée au support de selle de la pétrolette de son nouveau père, trouvait très excitante la quête hebdomadaire des victuailles du dimanche, par tous ces chemins d'une campagne proche. Senteurs et fête, même si souvent la quête dans les fermes environnantes n'était guère fructueuse. Quelquefois, bizarrement, c'était son nouveau père qui portait des paquets dans quelques-unes de ces fermes. Les palabres de marchandage habituelles lui semblaient y durer un peu plus longtemps qu'ailleurs.

Le grand-père maternel de Riri et de Paco possédait, lui, un minuscule atelier d'artisan sur les limites campagnardes de la ville, dans un vaste jardin non clôturé. Il était aussi propriétaire de quatre chèvres qu'il leur envoyait garder dans les premiers pâturages communaux parsemés de buis et de noisetiers. Tout cela, la découverte, les visites, les balades, les petites aides de polissage dans l'odeur de celluloïd, la garde des chèvres, les persécutions et les protections d'école, avait créé des liens dans leur petit groupe. Entre eux, ils ne parlaient jamais ni de leurs mères ni de leurs pères. Chaque soir ils rentraient dans un « chez moi » qui, au fond, aurait pu être celui de l'autre. Sauf pour Jeannot. Car le sien, de père, le vrai, il n'en était plus question, sauf quand on parlait d'alcoolique, de coups, et de « delirium tremens », mots impressionnants que dans la famille on prononçait comme dans une gêne, en baissant la voix. Ce père avait été avalé par un autre horizon qui, parfois, portait un nom de saint sur une vieille carte postale envoyée, où l'on pouvait apercevoir un tramway dans une rue. Entre les rails du tram, sur la rue pavée, marchaient des messieurs à casquette ou à canotier en paille avec un ruban noir. Jeannot trouvait qu'ils ressemblaient à ses grands-pères auvergnats et ardéchois oubliés, vus sur d'autres photos, qu'il n'avait jamais connus, et que les Allemands, en 14-18, avaient tués quelque part « dans la boue des tranchées », comme on disait.

Dans la salle du fond, Paco et Riri sont là, assis à une autre table, les cahiers de devoirs fermés à côté d'eux. Ils sont en train d'enfourner un copieux goûter : deux grandes tartines de beurre, avec, parsemé dessus, du vrai chocolat râpé. Le nouveau papa de Riri vient de quitter la table où il parlait avec les hommes en noir. Il s'approche de la table des gosses où Jeannot s'est appuyé pour discuter avec ses copains, tout en surveillant d'un œil envieux les incroyables tartines en train de disparaître. Le nouveau papa de Riri est un mystère. Ils ne savent pas, ni les uns ni les autres, ce qu'il fait exactement. Il n'a même pas l'air de tenir le café. Les papas des autres, ils sont ouvriers, coiffeurs, commerçants, plombiers. Lui, il est simplement toujours au café. À part ça, il n'est ni très grand ni petit. Il a un drôle de nom en *i*, comme ceux des Corses ou des Italiens. Il est assez mince, un peu olivâtre, le costume serré, un gilet avec de petits boutons, et de grands souliers de cuir qui grincent quand il marche. Il est brun, une barbe presque bleue bien rasée qui luit, des cheveux noirs fixés à la gomina. Ils brillent. (Pourtant, l'été dernier, ses cheveux étaient vraiment rasés ; « à zéro », qu'il avait dit. « Pour faire du bien », avait-il ajouté, rigolant et se frottant le crâne : « Ça les fait repousser. » Alors eux aussi, tous les trois, ils s'étaient fait raser « la boule à zéro » par le coiffeur, pour que leurs cheveux ne tombent pas comme ceux des vieux. Sa mère, à cette vision, avait poussé des cris : « Voilà mon fils avec une tête de repris de justice ! ») Aujourd'hui, les cheveux de monsieur Raoul, ils luisent, gominés, plaqués, avec une raie au milieu.

Raoul – c'est son prénom, plus facile à prononcer que son nom — est debout devant leur table, la cigarette plantée au coin des lèvres. « Alors Jeannot, une tartine de beurre au chocolat, ça te dit ? Tu dois pas en voir souvent chez toi, peut-être ? non ? » C'est vrai, pas de chocolat à la maison, ou si peu. Sa mère lui fait des tartines de « sucre de raisin », espèce de drôle de confiture collante au goût acide, écœurant et assez indéfinissable, la seule qu'elle trouve à la petite épicerie du coin. Jeannot répond donc oui. Alors monsieur Raoul dit à Riri : « Va demander à la bonne une tartine pour Jeannot. » Monsieur Raoul s'assied. « Une bonne tartine de beurre avec du chocolat, ça fait du bien, ça. T'as l'air un peu pâlot, non ? Toujours les effets des brouillards de Lyon ? »

La tartine est arrivée. Jeannot se jette dessus, tout en blaguant avec ses copains. Raoul les regarde, fixe un peu plus longuement le bénéficiaire de la tartine. « Ça va bien chez toi ? Ta mère va bien ? » Suit un petit tour des vagues nouvelles : le temps, les maîtres, l'école. « Alors, il paraît comme ça que tu as pissé avec les autres sur la photo du maréchal ? » Et, rapprochant son visage, brusquement moins souriant : « Tu sais que pour moins que ça, il y en a qui vont en taule ? Et même plus loin ? » Puis, tout à coup, et de nouveau rassurant : « Et le père de Paco, il bricole toujours dans ses postes de TSF ? » Son nouveau papa, le soir, tous rideaux tirés, y passe en effet des heures. Petites fumées grésillantes des soudures. Plissement du front et de ses yeux derrière les lunettes d'écaille, sur les mystères des fils, des condensateurs, des tubes de lampes bizarres.

Barbouillé de copeaux de chocolat, Jeannot est tout fier de répondre que oui, que son nouveau père en répare beaucoup, des TSF, qu'il a toujours le nez dans toutes sortes de boîtes, et qu'on entend aussi, en tournant les boutons, toutes sortes de musique. « Ah bon ? » dit Raoul en regardant sa cigarette qui s'achève maintenant au bout de ses doigts jaunis par la nicotine. « Ah bon ? mais je croyais que son magasin de postes était fermé depuis que c'est interdit d'en vendre, et qu'il ne s'occupait plus que du bazar et des vaisselles ? — C'est vrai, dit Jeannot, mais le soir, il répare les TSF pour faire plaisir à des voisins. Il y en a même qui ne sont pas d'ici et qui viennent lui demander. » Pendant qu'il parle, un des sourcils de monsieur Raoul se tient levé un peu plus haut que l'autre. Puis : « C'est quand même pas lui qui t'a dit de pisser sur le maréchal, non ? »

Riri en a marre, Paco aussi. Devoirs, tartines, tout est achevé depuis longtemps. « On y va ? — On y va ! » Ils se sauvent. Jeannot part en redisant merci. Monsieur Raoul se lève, tire sur son gilet, en fait tomber légèrement quelques cendres de cigarette, puis le salue de la main en lui faisant un clin d'œil. Alors, et comme prenant à partie les hommes en noir de l'autre table, il lance en souriant : « Par les temps qui courent, n'écoutez pas trop la musique anglaise chez vous, à la TSF ! »

Avant de pouvoir prendre à son tour la porte du fond où se bagarrent un bref instant les deux cousins, Jeannot a le temps de remarquer, sur une table, à côté de celle des types en noir, des paquets de cigarettes, des tablettes de chocolat, des boîtes de sucre en morceaux, des paquets de café et quelques bouteilles d'huile. À côté de ces marchandises, les grands bérets des types ont été posés plus ou moins en ordre. Ces bérets sont tous décorés d'un insigne comme sur le béret de chasseurs alpins qu'il avait vu sur la tête de son oncle. Des insignes argentés, qui sont presque comme un cor de chasse, plus simplifié. Comme un petit serpent... ou comme le petit fouet que son oncle ardéchois accrochait dans sa grange, avec sa lanière refermée croisée sur le manche. Dans la pénombre, les insignes, là, sur les larges bérets sombres, tout au fond de la salle retirée du café, brillent, neufs, fouets et serpents repliés dans leur cercle.

CHAPITRE IV

Le fer à souder et la nuit d'hiver. La rue au-dehors dans sa ouate fine. Le silence. Des bourrasques passagères dans le noir. La soudure, fondue par la pointe de fer électrique, grésillait à petits coups. Dans le soir avancé, son nouveau père travaillait derrière ce rideau de velours à dessins géométriques gris et noir, tiré sur toute la longueur de la pièce, en guise de séparation entre le salon et le petit magasin. À l'aide de longues pinces qu'il tenait au bout de ses doigts, sous l'abat-jour vert ébréché de sa lampe de travail, il raccordait de minuscules cylindres de toutes les couleurs à d'autres cylindres, d'autres contacts, d'autres fils. Il contrôlait des lampes à tubes, d'autres lampes comme de petits heaumes d'aluminium, et des culots de lampes dont le filament rougissait lentement en décroissant d'intensité comme une braise qui s'éteint.

Aux yeux de Jean, ce nouveau père, par ce travail à la fois visible et incompréhensible, touchait avec évidence au monde de la science et de la poésie. Accroché à côté de son établi pendait une affichette de publicité : « L'âme de votre récepteur radio : ZÉNITH. » Au premier plan, on voyait une lampe Zénith avec son culot à quatre fiches, et son tube de verre dressé. En transparence, derrière, comme retenue dans la lampe, passait, dansant, sautant, une femme au torse et au ventre nus, vêtue d'un simple petit jupon de voile, à la ceinture basse de lauriers. Cou droit, tête renversée, chevelure crantée, la bouche ouverte comme dans un cri ou dans un chant, les yeux au ciel, entraînant de son bras gauche, autour d'elle et derrière elle, un drapeau tricolore aux plis tordus et emmêlés. Son bras droit soulevé laissait voir ses seins ronds, dodus, aux petits bouts fins, qui brillaient dans les transparences du verre de la lampe. Le plus étrange de sa foulée, c'est qu'elle était lancée sur un cordage tendu, dans l'espace, et que les deux pointes délicates de ses pieds ne touchaient pas le cordage. Son bas-ventre aux cuisses écartées était à la hauteur des filaments rouges de la lampe, et le pied de sa jambe gauche allait bientôt toucher le gros nœud d'arrimage, qu'on apercevait sur le bord droit de l'affichette. Cette image intriguait beaucoup Jeannot : pour la femme nue, pour son expression extatique, pour sa gambade impossible dans l'air, et parce que c'était elle qui avait l'air d'allumer ce grand tube de lampe dressé vers son entrejambe. Ne se souvenait-il pas, justement, d'avoir entendu des gens, autour de lui, traiter des femmes d'« allumeuses » ? Elle était une allumeuse allumée. Un jour, il s'était dit à mi-voix, en regardant une fois de plus la bondissante dans la nuit : « Dans la lueur des lampes passent des femmes nues. » Il trouva cet assemblage de mots plus beau que l'image. Il pense que cela aurait sans doute plu à ce Victor Hugo des poèmes de l'école. Un jour qu'il avait été dire à son copain : « Dans la lueur des lampes passent des femmes nues », comme une confidence, son copain lui renvoya aussi sec : « Qu'est-ce que c'est, cette connerie ? » Il garde donc maintenant ses mots magiques pour lui. Mais il se dit que son nouveau père voyait peut-être, dans les petites braises rouges capricieuses des filaments des lampes, danser des femmes nues.

Son travail était d'autant plus mystérieux qu'il travaillait tard dans la soirée, voire la nuit, derrière ce rideau épais, tiré avec soin, qui le coupait de la vitrine vide de la boutique. Boutique aux rayons désormais dégarnis, mis à part quelques vieux postes ou pick-up usagés qui finissaient d'y vieillir. Boutique à la vitrine sans rideau de fer à abaisser le soir. Au-dehors, on devinait la neige, la rue, quelques rares passants.

Cette vitrine, à l'intérieur, formait comme une scène, une estrade, sous laquelle Jeannot pouvait se glisser et s'asseoir. Dans ce réduit sombre et glacial, sa mère lui rangeait sa luge. Une luge basse, plate, profilée – une « luge de course », disait-il –, un peu plus haute à l'avant qu'à l'arrière, qui faisait sa fierté dans les descentes proches qu'il dévalait à toute vitesse, couché à plat ventre. Mais là, sous la vitrine, dans la pénombre, pendant que dans le minuscule atelier sifflait un poste en train d'être tourmenté sur la table de travail, ou que surgissaient des bribes de musique, craquetaient des grésillements de soudure en train de fondre sous la pointe du fer à souder, Jeannot, lui, partait pour de longues fuites immobiles, des aventures secrètes, muettes et compliquées. La proche présence paternelle le rassurait. En même temps, il la tenait à distance, car il avançait dans la nuit, loin, dans le Grand Nord.

La bise terrible sifflait, gelait tout. Les chiens peinaient dans la neige soulevée. Et lui, traqué, fuyait les Sélénites, envahisseurs tombés de la Lune qui le terrorisaient. Le monde noir, froid, était plus que jamais menaçant. Il fallait fuir. Assis sur sa luge, sous la vitrine du magasin, immobile, marmonnant des bribes de récit, il filait sur la neige, dirigeant de sa voix les chiens. Entre eux et lui, entassés sur ce traîneau du Grand Nord, les objets emportés. Il recomposait dans le noir des débâcles imaginaires à peine oubliées. Bien sûr, il emmène avec lui sa femme, qu'il faut sauver. Et sa femme, qui est-ce, si ce n'est Josette ?

Josette qui, de l'autre côté du rideau de velours, vient d'entrouvrir la porte du salon pour dire : « Monsieur, j'ai fini. Je monte me coucher. Bonsoir Monsieur ! — Bonsoir Josette, à demain. » Elle qui, pourtant, dans sa tête d'enfant, était enveloppée de fourrure dans la grande plaine blanche, sur un traîneau qu'emportait l'équipage des chiens fidèles dans la tempête de neige déchaînée. Poursuivis férocement par les loups, et, de plus, par ces cauchemardesques Sélénites venus de la Lune pour écraser la Terre ! Courage Josette ! La plaine blanche s'étendait infinie, dans l'étroit caisson étouffant. La lune voilée montait haut sous le plancher bas de la vitrine. Le traîneau immobile filait dans le blizzard silencieux du réduit. Il emmenait Josette, loin de la cuisine, loin des seaux hygiéniques qu'il lui voyait, avec un peu de honte, vider dans le torrent qui passait près des maisons de leur quartier, loin de la soupente où elle dormait dans l'étroit lit de fer coincé au pied de rayonnages sur lesquels s'empilaient de vieux paquets et des cartons, jusqu'au plafond bas incliné. Josette était sa femme, elle s'habillait de fourrure blanche, elle faisait la cuisine dans les prés, et l'été, nue, comme la femme nue de la lampe Zénith, elle se lavait devant lui dans la rivière en le regardant dans les incandescences du soleil rouge de tous les couchants.

« J'aime mon père, ma mère, la France et le Bon Dieu, et puis les femmes, les femmes qui ont les yeux bleus », chantait dans la TSF un chanteur que sa mère disait fou : « Tiens, c'est le Fou chantant. » Parfait : Josette avait des yeux bleus, grands ; et, un dimanche après-midi en se promenant avec ses parents, alors qu'ils s'étaient arrêtés et qu'elle s'était assise à côté de lui pour regarder la vallée à leurs pieds, il l'avait vu : les montagnes y tombaient dedans.

Il entendit le pas de Josette s'éloigner dans le couloir. Un inhabituel couloir, dont un des côtés était une simple palissade de planches qui faisait séparation avec un magasin-atelier de pétrolettes et de vélos : quand le mécanicien réglait ses moteurs, une fumée bleue de mélange d'essence et d'huile l'envahissait et montait quelquefois jusqu'aux chambres de l'étage. On montait se coucher dans des odeurs de mécaniques ouvertes, et c'étaient souvent les premières pétarades des moteurs qui les réveillaient. En pensée, il vit Josette longer la palissade des pignons et des roues, puis monter l'escalier qui menait aux soupentes. Elle allait sûrement encore lire, se plonger dans ses livres. Car, le soir, malgré la fatigue, et souvent tout au long des après-midi, elle étudiait dans des livres qu'elle avait, en s'installant chez eux, amenés dans deux valises, ce qui avait fort impressionné. Un poste chuinta, siffla ; il entendit son nouveau père s'exclamer : « Cette fois ça va passer, je vais l'avoir ! » Il y eut ,une autre bataille de sifflements aigus et de crépitements qui se chevauchèrent.

Sous la vitrine, les chiens s'étaient arrêtés. Josette sur le traîneau s'était endormie, couverte de poussière de glace et de neige. Mais pour Jeannot aussi c'était l'heure de dormir, on le lui rappelait gentiment. Il sortit de dessous sa vitrine, alla embrasser celui qui lui avait demandé un jour de l'appeler Daddy. Daddy, parce qu'il était allé, avant la guerre, plusieurs fois en Angleterre. Comme il connaissait quelques mots d'anglais et qu'il fallait bien lui trouver un nom, Daddy avait fait l'affaire. De Daddy, ils avaient vite, tous les trois, glissé à Dad, plus court, et qui faisait si bien rime à Nade, diminutif affectueux que Dad avait donné à la mère de Jeannot, en déformant et raccourcissant Adèle, qu'il n'aimait pas. Dad lui avait expliqué qu'un jour il y aurait des images dans le poste. Il lui avait appris aussi qu'on pouvait, à son petit déjeuner (à lui, Jeannot, qui n'avait connu jusque-là que quelques morceaux de pain trempés dans du café au lait), manger du beurre et de la confiture sur du pain grillé ; oui, en même temps, l'un sur l'autre, comme chez les Anglais, qui étaient décidément, sur ce point comme sur bien d'autres, beaucoup plus civilisés que les Allemands. À Jeannot, ça lui semblait le comble de l'esprit audacieux, et une preuve absolue de la supériorité de Dad, cette annonce inouïe d'un futur avec des postes à images, et cette union sacrée du beurre et de la confiture sur des toasts.

Sur la table de travail, le cendrier était rempli de mégots. Le dernier d'entre eux, en train de se consumer sur le bord, fumait. Derrière les rayons que Dad avait déplacés sur l'établi, derrière un panneau tapissé de la même tapisserie gris-bleu du salon, et qu'il avait tiré, Jeannot aperçut comme une niche dans l'épaisseur du mur. C'était la première fois que Jeannot la voyait. Et, à l'intérieur, un poste qui lui sembla différent des autres. Quand il posa la question de savoir pourquoi, tous ces cadrans, ces aiguilles, ces boutons, Dad expliqua, après un moment d'hésitation, que c'était un secret qui lui permettrait, un jour, de montrer des images ; mais qu'il ne fallait surtout pas le dire, surtout ne pas en parler à ses copains, si Jeannot voulait que Daddy soit le premier à en vendre, des postes à images Où on verrait bouger, il l'avait appris dans des revues américaines qu'on ne trouvait plus maintenant en France. « Allez, allez, ce serait tellement long à t'expliquer, qu'il vaut mieux que tu ailles dormir. »

Ils s'embrassèrent au bord de la fumée de la cigarette qui s'élevait sous la lampe, du fer à souder qui fumaillait aussi, et du poste allumé qui se remit à cracher. Il fut si pressé d'aller dans son lit pour avoir un peu chaud après s'être totalement glacé dans l'immense Canada de son cagibi que, dans sa hâte, il oublia de fermer complètement la porte. Aussi, alors qu'il longeait, dans le couloir, la palissade des mécaniques (de l'autre côté étaient accrochés pignons, câbles, chambres à air, guidons, roues neuves et roues voilées), il entendit distinctement : « Pom ! pom ! pom ! pom ! », deux fois, et puis : « Ici Londres, les Français parlent aux Français. » Londres, où Dad avait fait ses voyages et découvert l'onctueuse union du beurre et de la confiture dans les parages du thé.

Quand Jeannot atteignit l'étage, il vit au début du couloir, sous la porte de la soupente où dormait Josette, un rayon de lumière. Il frappa, et entra pour lui dire bonsoir. À côté de son étroit lit de fer, sur un petit bureau près de la fenêtre, où l'on voyait, à l'extérieur, éclairée par la lampe, de la neige appuyée sur le bord des carreaux, Josette était en train de travailler. Une grande couverture entourait ses épaules d'où débordait son épaisse chevelure blonde crêpelée, éclairée à contre-jour par sa lampe de bureau. Quand elle se retourna, il ne vit pas les traits de son visage, mais seulement, comme un large soleil diffus derrière un voile de nuages, sa chevelure rayonnante et illuminée. Il l'embrassa en se serrant fort contre son corps. Il faisait chaud sous la couverture. Une bouffée s'en dégagea quand elle ouvrit ses bras pour lui saisir le visage et l'embrasser sur les joues. Dans la chambre, à côté, sa mère dormait doucement. À se blottir, les yeux fermés, contre Josette et sa chaleur dans ce petit grenier glacé, il eut l'impression de faire quelque chose de doux, de magnifique et de défendu. De très secret, comme une fuite nocturne vers d'autres neiges, celles-là plus chaudes que les neiges du Canada.

CHAPITRE V

Une fin d'après-midi de mars, parmi de précoces odeurs de printemps, et dans une clarté déjà déclinante, Jeannot était en train de rentrer chez lui. Il revenait du café de ses copains, qui sentait bon les parfums de Paris et l'odeur du chocolat disparu. La Grande-Rue où il marchait parut tout à coup plus animée que d'habitude. Semblant venir du côté du parc, des groupes d'hommes criaient, d'autres couraient, dévalant vers la petite place où étaient regroupés la poste et un commissariat de police, tapi, lui, dans son coin d'ombre. Jeannot, excité par la curiosité, suivit le mouvement.

La place était déjà couverte de jeunes gens qui hurlaient. Casquettes, blousons, bleus de travail s'y mêlaient. « Nous-ne-partirons-pas ! » scandaient-ils en chœur. « Pas-de-départ-pour-l'Allemagne ! » « Laval au poteau ! » « La milice en Allemagne ! » « La Légion en Russie ! » Certains agitaient au bout de leurs poings tendus une feuille de papier, un imprimé semblable à celui que l'instituteur leur avait montré le jour de son départ pour le maquis. Eux aussi, ils veulent tous partir pour le maquis ? se demanda Jeannot. Derrière les vitres du commissariat, quelques ombres noires passèrent, et deux ou trois képis de police. Une tête d'homme s'y colla même un instant pour mieux voir ce qui se passait à l'extérieur. Un manifestant se mit à crier : « Les flics-en-Allemagne ! » Le cri, repris, au début avec un peu de crainte, s'enfla très vite avec une vigueur de plus en plus rageuse.

La foule s'était fortement épaissie sur la place. De jeunes manifestants, poussés par le nombre, menaçaient déjà les quelques marches de l'escalier d'entrée du commissariat. Soudain, une vitre de ses fenêtres vola en éclats, fracassée par un projectile lancé depuis la foule. La porte du commissariat s'ouvrit. Deux agents de police en sortirent, pistolet au poing. Entre les deux, le commissaire qui venait d'apparaître, porte-voix à la bouche, donna l'ordre d'évacuer la place, et demanda aux manifestants de rentrer immédiatement chez eux. Il parlait d'intervention, de préfecture, de calme, de sanctions. Sa voix disparut, en quelques secondes, sous les sifflets et les cris. « Le commissaire-au-poteau ! », repris en chœur par toute la place, acheva de l'étouffer.

« Tiens, regarde ce que j'en fais de ta feuille de merde ! » lança une voix. Un jeune ouvrier en tenue de travail sortit son briquet. Il mit le feu à la feuille qu'il brandit un instant, en flammes, en direction des policiers. Les applaudissements saluèrent le geste, et le papier, lancé, finissant de se carboniser, voleta au-dessus des casquettes et des têtes. Une deuxième feuille, d'un autre endroit de la place, prit feu à son tour. Cette relève déclencha les cris et les rires. Quelqu'un cria : « Pas un seul ouvrier pour l'Allemagne ! » En quelques secondes, une dizaine de feuilles en torche illuminèrent les visages dans une nuit maintenant presque tombée. La foule, toujours plus hurlante et coléreuse, enserrait de plus en plus les abords du commissariat. L'homme au porte-voix s'adressa aux deux agents de police, puis disparut. Les deux agents firent des sommations. Pointant leur arme vers le ciel, ils tirèrent deux coups de feu. Jeannot trouva qu'ils avaient l'air de moins s'amuser que les Allemands sur les quais de la Saône, quand ils tiraient dans le ciel avec leurs mitrailleuses.

Ces deux coups de feu n'eurent pas le temps d'impressionner ceux qui hurlaient. Les premiers manifestants commencèrent à monter les marches, faisant refluer les deux agents qui cédèrent le terrain, et qui, dans leur fuite, et sous la poussée des manifestants, ne réussirent même pas à refermer la porte. On vit des policiers sortir par la dernière fenêtre donnant à l'angle de la rue principale, et disparaître, en courant, du côté des petites rues montant vers l'église. Les jeunes ouvriers, entrés dans la première pièce de l'entresol du commissariat, ouvrirent une fenêtre donnant sur la place et se mirent à y lancer pêle-mêle dossiers et classeurs. « Vous voulez les dossiers des STO ? Les voilà », cria l'un d'eux en s'adressant à ceux qui étaient restés au-dehors. « Mettez-les en tas, et foutez-y le feu », cria un autre. Les paperasses valsaient, tournoyaient, lancées avec force et ivresse, passant à toute vitesse par la fenêtre pour aller finir entre les pieds des manifestants. Quelques-uns, très rapidement, les rassemblèrent. Un grand portrait du maréchal, forcément, tombé lui aussi de l'entresol, se fracassa sur les pavés. « Faites de la place au maréchal Duconnaud », cria une voix. Une petite flamme s'éleva avec de la fumée. « Jetez toutes les feuilles de départ dans le feu ! » Des feuilles, froissées, en boule, furent lancées dans les flammes qui, prenant de l'ampleur, commencèrent à s'élancer et à danser dans la nuit. Elles éclairaient des visages illuminés par la furie et le bonheur.

Sur le bûcher, le portrait commençait à s'enflammer. Une flamme bleutée lécha les moustaches qui se mirent à jaunir. Sur toute la place se répandit une odeur de papier brûlé. Quelqu'un lança : « Il faut se tailler, les flics vont revenir avec les gendarmes et les gardes mobiles. » « Nouveau rassemblement devant le siège de la Légion ! » La débandade commença. Mais quelques-uns continuaient d'alimenter le feu ; certains vérifiaient même des papiers. Jeannot était resté, sur son chemin du retour, à l'angle de la place et de la Grande-Rue. Alors qu'il regardait, en silence et apeuré, se tordre dans la nuit les flammes de la première révolte qu'il ait jamais vues, il sentit une main saisir la sienne et le tirer. C'était Josette. « Allez, à la maison, c'est ta mère qui m'a envoyée, tu ne dois pas rester ici. » La nouvelle de l'attaque du commissariat était parvenue jusqu'au magasin de sa mère. Comme il allait presque chaque soir chez ses copains, et que la place était à mi-parcours sur le chemin du retour, elle avait expédié Josette pour aller le chercher et le ramener sain et sauf. Pendant que Josette l'entraînait, il se retourna pour voir les papiers qui brûlaient encore.

Les flammes projetaient des jeux de lumière orange sur la façade de la poste. Le maréchal, finissant de se consumer, devenait cendres. Les fenêtres du commissariat étaient demeurées battantes. On pouvait voir, dans leurs vitres, les reflets ondoyants des flammes ainsi que l'image des derniers manifestants éparpillés sur la place. Quelques-uns fouillaient toujours des papiers, en mettaient certains dans leurs poches, en lançaient d'autres dans le feu. Il aperçut aussi, éclairé un instant par les flammes, à peu près à la hauteur de l'endroit où il s'était tenu, mais de l'autre côté de la rue, dans l'ombre, immobile, attentif, monsieur Raoul. Jeannot reconnut le costume brun, les cheveux gominés dépassant du chapeau, le visage olivâtre, les yeux sombres. Il avait dû lui aussi venir de son café. Et lui aussi, sans rien dire, il regardait. Au-dessus de la place, les cendres blanches de la révolte finissaient doucement, par saccades légères, de retomber au gré des souffles de l'air chaud.

Jeannot, qui s'était arrêté un bref instant, courut pour rattraper Josette dont il avait lâché la main. Elle marchait devant lui, sur le trottoir, presque dansante comme les cendres dans leur chute. Son pull, serré à la taille par une ceinture de cuir, moulait ses hanches, qu'elle avait un peu larges et hautes. Il les regardait se balancer : sans savoir pourquoi, il repensa aux flammes, aux belles flammes des règlements de compte de la journée.

CHAPITRE VI

Depuis peu, à pas imperceptibles déjà perdus dans la neige des ans, il était entré dans ce temps où, sur les femmes, le regard des petits mâles, même très jeunes, commence à se poser autrement. Sa tante Yvonne lui avait fait franchir le premier seuil. Il ne pouvait déjà même plus se souvenir de son visage. Seul subsistait le souvenir de la présence de son corps, quand le matin, parfois, elle le faisait entrer dans les draps de son lit. Tante Yvonne ne travaillait pas. L'oncle Jean la traitait comme une étrange princesse. Parfumée, fragile, chevelure crantée, vêtue au sortir des nuits d'une chemise de soie ; dès le matin, sur tout, elle régnait déjà. Souvent, avant de partir travailler, son mari lui servait le petit déjeuner dans son lit, où elle grignotait ses biscottes, adossée à de hauts coussins roses. Ses bras nus odorants et fins, sortis chauds de la tiédeur de sa couche, s'élevaient soudain au-dessus de ses aisselles ouvertes, pour remettre une mèche en place ou s'étirer, tandis qu'elle saluait le jour avec de petits cris.

Jeannot, lorsque son père avait quitté la maison familiale, avait été placé par sa mère, pendant quelque temps, au hasard des bonnes volontés, chez des oncles ou des tantes des deux familles. Chez deux oncles, il avait découvert les trains : wagons et lanternes ici, plate-forme des locos là-bas. Chez un autre, les arbres et les jardins. Chez un troisième, les pierres explosant au soleil. Chez tante Yvonne, il avait découvert tante Yvonne. Et ce plaisir délicieux qu'il éprouvait à se frotter à ses tiédeurs, à ses parfums, à ses faiblesses, et à leur pouvoir. Elle lui disait en souriant et en tapotant sur le couvre-lit quand il ouvrait la porte de la chambre : « Tu viens, mon petit chéri ? », mots dont il ne comprendra que bien plus tard, à la fin de la guerre, la musique nostalgique et peut-être perverse, quand il apprendra d'une autre tante, crachant son venin de haine et de jalousie, alors qu'il avait demandé pourquoi tante Yvonne avait disparu, « que ce n'était pas surprenant de la part d'une salope pareille, que ton oncle avait sauvée du trottoir ! Et pas étonnant non plus qu'elle y soit retournée avec un maquereau de milicien, car mauvais sang ne saurait mentir ! » En attendant, son mauvais sang courait dans un corps si doux, sous une soie si lisse, dans des parfums qui semblaient, à Jeannot, un mélange d'élégance et de nuit si fort, que rien ne lui paraissait meilleur que de se glisser enfin contre sa tante lorsque les draps, ouverts, sur eux se refermaient. En le prenant et l'adossant devant elle, elle lui appuyait la tête contre un sein ferme et mouvant sous la soie, et lui demandait ce qu'il désirait. « Une petite tartine ? Un peu de cacao ? » Et elle le nourrissait avec des gestes doux, précis et parfumés. Il se laissait faire, savourait les bouchées, les gorgées, fermait les yeux. Puis, tout à coup énervé, se retournant, frottait son visage contre elle. « Allons, allons, du calme », riait-elle, en lui tirant en arrière les cheveux. Puis, au lieu de l'écarter, bien au contraire, le resserrait tout à coup contre elle, contre la tiède mouvance de ses seins roulant sous la soie. Il aurait voulu entrer plus profond, entrer dans sa peau, être disparu et à l'abri dans ce bonheur pour toujours. Chez tante Yvonne, il attendait donc plus que tout cette invite des matins, ce premier partage de l'intimité féminine. Il se mit alors à faire davantage attention aux femmes, et à les classer en : « comme la tatan Yvonne », ou : « pas comme la tatan Yvonne ».

Il n'avait jamais eu envie de se serrer plus intimement contre sa mère, de se frotter à elle, de se glisser plus près de sa nudité. Sa mère était de santé fragile. Toujours un peu malade, la poitrine plutôt avare, un corps plutôt trop gracile et ingrat. Elle semblait appartenir à l'univers des plaisirs toujours interdits, par pauvreté, par éducation. Elle était, comme tant de gens simples de son temps, de ce versant où « ça ne se fait pas », qui clôt beaucoup de discussions, de rêves et de soupirs. Elle était par son enfance, de ce versant des pauvres où l'on a vite appris à vivre sans histoire les ailes repliées. Au réveil, sa mère ne traînait pas au lit : les usines n'attendent pas midi pour ouvrir, pas davantage les boutiques, comme pas plus auparavant les travaux de la ferme. De bonne heure, il la voyait aller dans la cuisine avec sa robe de chambre fatiguée, vider les fourneaux de leurs cendres. Non, sa mère était à part pour lui, il n'avait jamais eu envie de s'enfouir en elle. Mais en tante Yvonne, si. Tante Yvonne disparue depuis peu, disait-on, sous d'autres cieux. Et maintenant, en Josette, oui, Josette qui avait surgi dans ces montagnes, et s'était installée un soir dans leur nouvelle vie.

Josette avait de longs cheveux blond foncé, épais, frisottant et moutonnant qui gonflaient autour de sa tête. Elle était assez grande, ou le paraissait. Elle était bonne, c'est-à-dire gentille, mais aussi bonne, qui devait tout faire. « C'est une bonne bonne », disait parfois sa mère à d'autres dames. Pourtant il sentait qu'elle était du même univers que celui de tante Yvonne la fragile, qui était, au contraire, précieuse, petite, et dorlotée. Josette avait de belles épaules rondes avec des taches de rousseur, des aisselles odorantes, un corsage sans faiblesse, bien plus rempli que celui des autres femmes. Quand elle lavait le carrelage de la cuisine ou du salon du rez-de-chaussée, qui jouxtait la boutique de radio fermée, sa robe, dégrafée au cou parce qu'elle avait chaud, laissait voir, pendant qu'elle frottait penchée sur les carreaux, l'attache de ses seins généreux suspendus. Et, lorsque, à genoux, le buste redressé, elle lui demandait de faire attention à ne pas marcher où elle venait de passer la serpillière, il surprenait, sous la toile de sa blouse tout à coup tendue sur ses formes, comme deux billes dures soulevées. Il y avait déjà pensé plus d'une fois, la nuit, ou le matin en se réveillant.

Il avait bien vu aussi qu'elle et l'instituteur — quand il venait chez lui pour les cours de rattrapage — se parlaient tous les deux longuement ; que Josette s'arrangeait toujours à se trouver là par hasard, à son arrivée. Il avait compris ce que laissait entendre cette voix de l'instituteur qui tout à coup changeait, et il s'était bien aperçu de cette joie rentrée qu'ils avaient à se regarder, à se parler. Mais Josette était si belle et mystérieuse que, malgré l'instituteur, ou à cause de lui, il aurait voulu se serrer contre elle aussi, dans son petit lit de fer, et même encore plus près qu'avec tante Yvonne.

Peut-être aussi faire davantage, déboutonner tous les boutons de sa blouse, en écarter les deux moitiés, et la voir nue comme les femmes qu'il avait vues chez son cousin. D'autant plus que Josette, elle aussi, devait partir, comme tante Yvonne. Ne lui avait-elle pas expliqué, qu'un jour, elle s'en irait, et qu'elle ne serait plus bonne ? Elle réussirait ses examens. Elle ne serait plus au service des gens. Elle serait comme un docteur : sage-femme. Elle s'occuperait de femmes, de bébés, de familles. Elle, elle n'avait jamais connu ses parents : elle avait été trouvée dans un hall de gare. C'est pour cela que l'Assistance, où elle avait grandi, l'avait placée chez eux pour gagner sa vie. Elle devait travailler. Mais elle étudiait, elle s'occuperait de bébés, elle les ferait naître (et Jeannot se demandait comment, lui qui avait cru naïvement sa mère lorsque celle-ci lui avait dit qu'elle avait une dilatation de l'estomac quand elle attendait ce bébé, sa sœur, pour expliquer son ventre chaque jour plus tendu). Ainsi, Josette, à tous les signes de la féminité, ajoutait encore celui de l'entraîner dans le grand mystère des naissances. Les cheveux, les seins, le lait. Le chaud, le savoir, les bébés. Le défendu mêlé à l'inconnu.

C'est pourquoi, au cours des vacances, il essayait de la surprendre, par des hasards bien calculés, en passant dans le couloir étroit de l'étage. C'était le moment où Josette, l'après-midi, lorsque le ménage était fini, la vaisselle faite, et les parents de Jeannot retournés à leur magasin de la Grande-Rue, se rendait, déjà en partie déshabillée, dans la dernière soupente, faire sa toilette quotidienne. Elle se lavait dans le petit cabinet de toilette qui servait à toute la famille, devant la même commode ancienne au dessus de marbre blanc, dans la même grande cuvette, et avec le même broc blanc émaillé, dans lequel il fallait monter, de la cuisine, l'eau chaude. Comme elle était seule dans la maison à cette heure-là, elle se rendait au cabinet de toilette vêtue de cette simple combinaison qui lui marquait la pointe des seins, la croupe et le bombé un peu haut de ses hanches. S'il sortait de sa chambre, d'où il la guettait, au bon moment — c'est-à-dire lorsqu'il l'entendait, elle, quitter la sienne —, ils étaient alors obligés de se croiser dans ce couloir où la place manquait. Parfois, dans cette gêne du croisement, elle s'arrêtait pour parler de quelque chose, lui demander s'il pouvait aller lui chercher une serviette, un gant, ou lui monter un autre broc d'eau. D'autres fois, bien sûr, hypocritement, il la heurtait en la croisant, et son visage, le temps d'un éclair, butait à sa poitrine ou à la rondeur de son ventre. De l'avoir vue en combinaison, de l'avoir de son corps touchée, il s'enfuyait alors en dégringolant dans l'escalier, pour s'arrêter un moment, les joues brûlantes, le cœur affolé, dans le couloir du bas et son léger nuage bleu stagnant de fumée d'échappement de pétrolette. Il aurait même voulu aller, là-haut, pouvoir l'épier par un trou de serrure ; mais ça, c'était impossible, parce que la porte était à simple loquet, avec un verrou intérieur, et que, tout simplement, cette porte eût-elle eu un trou de serrure, il n'aurait jamais osé le faire, même s'il en rêvait.

C'est à peu près à cette époque-là qu'il était entré dans le défendu. Il s'enfonçait chaque jour un peu plus dans l'inavouable depuis qu'aux dernières vacances d'été, chez son cousin, il avait vu des femmes nues. Et surtout celle-là, accrochée à un homme, et qui gémissait comme si elle avait eu mal. Est-ce que Josette aussi, un jour, allait gémir ? Avec son instituteur ? Avec un maquisard ? Les maquisards étaient très forts. Les maquisards étaient partout. Dans les forêts, disait-on, où ils formaient des

« foyers de réfractaires ». Ce qui sonnait bizarrement à ses oreilles d'enfant, car le grand poêle de leur salon, lui avait dit Josette, chauffait bien parce qu'il était un foyer de bonnes briques réfractaires. Et la preuve qu'ils étaient partout, les maquisards, c'est qu'il en avait même vu un dans la cabine d'essayage de sa tante Henriette, la mère de son cousin.

Sa tante Henriette, elle, n'avait rien de la tante Yvonne. Brune, ronde, avec une ombre de moustache, elle avait l'œil gauche qui louchait légèrement ; elle était corsetière. Elle avait ouvert une boutique dans une petite ville des abords de Lyon, sur les flancs d'une première montagne tournée vers le sud, où son oncle Henri, tailleur de pierre, possédait une carrière. De lui, il gardait surtout souvenir d'heureux casse-croûte sur les pierres chaudes, au soleil, près de la source qui passait sur le bord de la carrière : du pain, du saucisson coupé avec son couteau entre ses mains rugueuses, de ses yeux bleus très clairs, des rides profondes dans ses joues tanées et saupoudrées de poussière blanche. Et de ses rires sonores qu'il avait lorsque Jeannot expliquait, pendant qu'ils mangeaient tous les deux sur un cageot renversé, que sa grand-mère paternelle lui avait indiqué comment il fallait manger sans faire de bruit, ni avec sa bouche, ni avec les verres, ni avec la fourchette ou la cuillère. Et lui riait : « Ah ça ne m'étonne pas, chez ta grand-mère, c'est des bourgeois, des pétainistes, des bouffe-Dreyfus, des suppôts de curés ! Bois donc un coup et t'occupe pas si ton verre fait du bruit ! » Sa grand-mère l'avait bien prévenu : « Ton oncle Henri, c'est un communiste, un enragé. Le rouge de Moscou lui a mangé le bleu et le blanc. Et, de plus, il est très mal élevé. » Mais Jeannot regardait les yeux très clairs, si clairs dans le soleil, de son oncle Henri, et la vie, avec lui, devenait plus simple, qui était partout ailleurs si compliquée.

Son cousin, le fils de l'oncle Henri, avait trois bonnes années de plus que lui et approchait de ses quatorze ans. L'autorité que cela confère à cet âge-là faisait qu'en tout Jeannot ne pouvait qu'acquiescer lorsque son cousin avait parlé. Le cousin était plus âgé, plus fort, et sur son terrain, roi de ses domaines. Jeannot ne pouvait qu'obéir et le suivre. Un jour, alors que son cousin faisait semblant de s'amuser (parce que, costaud, en pleine santé, lui qui avait déjà des poils et ses premiers boutons, il montrait surtout qu'il était en train de s'ennuyer) et que Jeannot venait de lancer dans la conversation traînante le souvenir de ses doux matins chez sa tante Yvonne, son cousin lui assena : « Vouais, vouais, ta tante, d'accord, mais des femmes toutes nues, t'en as jamais vu j'suis sûr ! D'ailleurs aujourd'hui, tiens, dit-il en regardant vers la maison de tante Henriette et en surveillant les alentours du jardinet, moi j'ai envie de voir un peu des nénés et du persil frisé. Allez, arrive, des femmes à poil, tu vas voir, je vais t'en montrer, comme ça tu sauras au moins ce que c'est. » Comme d'habitude avec son cousin, Jeannot ne put que suivre et s'exécuter. Ce qu'il fit pourtant dans un mélange de gêne, de curiosité et d'envie de se sauver.

Ils entrèrent dans un couloir étroit, sombre, qui reliait le jardinet de la maison de l'oncle Henri à la rue principale de la petite ville, couloir qui servait d'accès personnel au jardinet et à l'arrière de la maison, et où ne passait quasiment personne, l'entrée de la boutique faisant fonction d'entrée normale principale. À peu près au milieu du couloir se trouvait un recoin enfoncé, encore plus sombre, en décrochage, avec, au fond, une porte condamnée. Son cousin lui chuchota de ne pas faire de bruit. Ils s'approchèrent de la porte en retenant leur souffle. Son cousin, dans l'obscurité, glissa ses doigts sur un des panneaux de la porte comme cherchant une trace par son effleurement puis, avec une extrême lenteur et d'habiles précautions, tira, du bout de ses ongles et de la pointe de son Opinel, un petit nœud de bois qu'il rangea soigneusement dans son béret posé à terre. Enfin il colla avec mille précautions son œil à la minime ouverture libérée. Au bout d'un bref instant, il agita de côté et derrière lui sa main, comme pour proférer un « ouh la la » silencieux à l'usage de son minus de cousin. « Ah la vache ! » soupira-t-il. Et comme à regret, dans un souci d'éduquer et de tenir ses promesses, il lui céda la place. « Elle a d'ces nichons ! Des vrais zeppelins ! s'exclama-t-il dans un souffle culturel aéronautique. Ça c'est de la femme ! » Alors Jeannot colla son œil à l'infime chas de lumière pour connaître enfin ce qu'on lui disait être, des femmes, la nue vérité.

CHAPITRE VII

Pour en avoir, elle en avait. Jamais Jeannot n'aurait pu imaginer que des choses comme ça puissent pousser sur le devant des femmes. Dans une demi-torsion, le buste bombé, elle vérifiait dans la glace du salon d'essayage l'arrière de la gaine qu'elle avait enfilée. Ses seins faisaient face au petit orifice par lequel Jeannot l'épiait. Tellement puissants, pesants, et éclatants, qu'il en recula, comme si l'une des tétines sur leur soucoupe brune allait lui rentrer dans l'œil. Son cousin lui appuya aussitôt la tête et lui souffla dans le cou : « Reluque encore, couillon, des comme ça, t'en vois pas souvent, c'est la mère Risset, celle qu'a les plus gros ! » La mère Risset, d'une maturité bien fleurie, avec des formes à soutenir, contenir, et à mater, se tenait maintenant debout dans la cabine. Elle vérifiait entre ses doigts, devant elle, le soutien-gorge qu'elle avait commandé sur mesure à tante Henriette. Elle se pencha en avant pour faire pendre ses mamelles et les emboîter dans les bonnets qu'elle leur présentait. Elle accrocha les agrafes du dos, ajusta ses seins plus ou moins en place, vérifia le profil, et surtout si le tout tenait bien, qu'elle soupesa, avec un certain air de contentement. Après quelques coups d'œil, elle décrocha son soutien-gorge dont les brides lâchèrent dans un claquement d'élastique.

« Ouh la la ! » mima à son tour Jeannot, dans son dos, de sa main silencieuse. Ses seins puissants, au-devant d'elle, s'écartaient. Son cousin le poussa : « Allez, suffit, à moi ! » chuchotait-il.

En lui cédant la place, Jeannot ressent comme un pincement rapide et chaud dans le bas-ventre. Le cousin, tout à son nouveau guet, s'appuie d'une main à la porte ; et de l'autre, qu'il a libre, se met à se frotter sur le devant de sa culotte. « Ah merde ! souffle-t-il de dépit peu après, elle se rhabille, elle va repasser au magasin. »

Jeannot était estomaqué. Son cousin lui en bouchait un coin. Ses pouvoirs le plongeaient dans un étonnement admiratif. Ainsi, en regardant simplement par ce petit trou dans le cabinet d'essayage de sa mère corsetière, il savait comment, sous leurs habits, étaient, en vrai de vrai, presque toutes les femmes du pays. Un tel savoir, un tel pouvoir sur son bled le laissait pantelant. Cela lui coupait les jambes, lui fendait le monde, la vie, ouvrait des perspectives insondables. Ainsi il y a des femmes dans la rue, dans des files pour attendre leur ration de pain avec des tickets, avec les bonjour madame et puis la pluie, les patatis du beau temps, les patatas des nouvelles de la guerre, et puis des femmes nues dans les cabinets d'essayage ! Son cousin avait vraiment de la chance d'avoir une mère corsetière ! Toutes les femmes avaient besoin de gaines, de soutiens-gorge, de corsets. C'était trop de veine : son cousin n'avait qu'à les attendre, derrière sa porte, comme un boucher, ou un laitier, attend ses clientes. D'autant plus que, du gros bourg, sa mère était la seule corsetière. Régnant dans son magasin, et sur ce petit atelier où s'entassaient des coupons de soie et de satin, de pâles tissus à gaines, rosés ou bleutés, avec de minuscules fleurs brodées, des galons, des dentelles, des bobines de fil aux couleurs tendres, des baleines de corsets plates et blanches. Il suffisait à tante Henriette, elle aussi, derrière sa vitrine, d'attendre ses clientes et leurs formes. Et, à son salopard de cousin, derrière sa porte, de monter la garde à son poste.

Justement, dans l'obscurité, son cousin a décidé aujourd'hui d'attendre un peu plus : « Il y en aura bien encore une qui va venir pour un essayage », suggère-t-il. Mis en éveil par sa première vision de femme nue, Jeannot se retasse, plus petit dans la pénombre, et lui aussi attend.

Peu après, ils entendirent tinter la sonnette d'entrée du magasin. Tante Henriette (que de mauvaises langues blagueuses de la famille appelaient en riant « la vise-de-biais », à cause de son œil gauche qui divaguait) commença de parler avec une cliente. Cela dura un certain moment. La pièce d'essayage, qui avait été éteinte après le départ de la cliente précédente, se ralluma. Le chas dans le panneau de la porte s'illumina, et un très fin rayon de lumière se dessina dans l'obscurité. Comme au cinéma, pensa Jeannot. Son cousin, qui songeait sans doute à tout autre chose, lui murmura d'une voix étouffée : « Chut, la séance va commencer. — Tu me laisseras voir ? » s'enquit Jeannot, quelque peu inquiet d'être privé déjà de si neuves révélations. « T'occupe ! » Ils entendirent encore parler, près de la porte, sa tante et sa cliente. La tante disait de ne pas se faire de souci. Elle fermera la porte d'accès qui mène à cette pièce. Elle ajouta, enjouée : « Prenez votre temps. » Et puis : « C'est comme ça ! c'est la guerre, il faut bien s'aider un peu. » L'autre remerciait.

Derrière leur porte, dans leur recoin de couloir qui mène au jardinet, son cousin et lui se tiennent totalement immobiles, osant à peine souffler, raidis de peur et d'excitation.

Sa mère une fois éloignée, le cousin se décide à replaquer son œil. Il se retourne aussitôt vers Jeannot, yeux agrandis et bouche bée, puis expire d'un trait avec des grimaces : « C'est la France ! l'institutrice ! » De la paume de la main, il se donne des coups étouffés sur le côté du front. « Oh vaindieu ! l'instituttrriice ! » (Le *trice* se prolonge, appuyé bien que sourd, en sifflement étouffé.) Mais quand même, le cousin recolle son œil. Jeannot, lui, commence à flotter dans l'impensable : même d'une ville et d'une école qui ne sont pas les siennes, voir bientôt une institutrice, même inconnue, se déshabiller devant lui, l'entraîne à grands pas vers le défendu absolu et les catastrophes certaines.

Planqué derrière le cousin, il fait par prudence redépasser sa tête du recoin pour surveiller dans son inquiétude les sorties du couloir. Car le couloir s'allonge, entre la porte du jardinet et celle de la rue, toujours aussi sombre et abandonné.

« Mais qu'est-ce qu'elle fout ? Qu'est-ce qu'elle attend pour se dépoiler ? » murmure le cousin. Autoritaire il ordonne : « Tu la surveilles. Quand elle sera à poil, tu me le dis. »

En effet, la « France » avait l'air d'hésiter. Elle avait quitté ses souliers à semelles de bois, sa veste, son chapeau. Elle était dans l'attente, énervée, sur sa chaise. Elle se releva, se regarda dans la glace, déboutonna quelques boutons de son corsage, se rassit, se tourna vers la porte, regarda sa montre à son poignet, puis prit un soutien-gorge neuf qu'elle avait dû emporter du magasin dans la cabine. Elle en regarda avec attention les brides, les coutures, les renforts, et le garda un moment, pendant et balançant au bout de ses doigts. Elle se releva, eut l'air d'hésiter, et sous la lumière un peu jaune de l'ampoule, dégrafa en entier son corsage, qu'elle ôta.

Elle tournait le dos. Jeannot vit ses mains mates qui défirent sous les omoplates les attaches du soutien-gorge, ses épaules un peu maigres, ses cheveux relevés et lissés sur la nuque, les ombres des vertèbres à la base du cou, son dos fragile. Jeannot garda le silence. Il ne tenait pas à prévenir tout de suite son cousin, et à être obligé alors de lui céder la place. « Toujours rien ? demanda ce dernier. — Toujours rien, souffla Jeannot. — Ma mère doit lui finir son truc », susurra le cousin.

Pendant ce temps, dans la cabine d'essayage, vers la grande glace, l'institutrice vient de se retourner.

Ses seins sont cachés par ses mains ; elle les pétrit légèrement, les frotte, en dessous aussi, comme pour effacer des marques. Puis elle prend le nouveau soutien-gorge, et se contemple dans le miroir. Ce n'est pas la mère Risset, songe aussitôt Jeannot, déjà comparatif. La « France » avait en effet les seins plutôt petits, très détachés, plutôt pointus. Ils paraissaient tendus et durs. Ils se terminaient surtout par des bouts très longs, très dressés. Comme les casques à pointe de l'autre guerre, pense Jeannot. Tiens, non, comme les petits morceaux de bois de réglisse qu'il achetait à l'épicerie en sortant de l'école à Miyonnas. Ou bien comme ces derniers petits cigares, ramenés autrefois d'Angleterre, que fumait encore parfois Daddy. Des bouts de sein comme des cigares, se dit-il dans sa tête. C'était tellement incroyable, tellement insupportable, ça donnait tellement envie d'y coller ses lèvres, que Jeannot, battant en retraite, avertit enfin son cousin et lui céda la place. Il avait besoin de reprendre son souffle, d'accommoder ses visions.

« Ah ! » commenta le cousin, après quelques instants pendant lesquels Jeannot était demeuré plus ou moins abasourdi dans le noir. « Elle a mis un porte-nénés, mais elle a fait tomber la jupe ! » Ce fut alors qu'un bruit de pas leur parvint. Ils retinrent leur respiration. Le cousin quitta son guet. Non, ça ne venait pas du couloir où ils se trouvaient. Cela venait de la maison, de l'appartement de l'oncle, et du couloir qui allait de la cuisine, sur l'arrière, à la boutique donnant sur la rue, et sur lequel s'ouvrait la pièce d'essayage. Ils entendirent frapper quelques coups à la porte de la petite pièce. « C'est moi », dit une voix d'homme. Le verrou de fermeture fut tiré par l'institutrice. Ils entendirent des paroles confuses, des bruits d'embrassements, des froissements de vêtements. Puis l'homme qui disait : « N'oublie pas, je pose cette valise là, c'est pour la remettre. — N'aie aucun souci, lui répondit France, je n'oublierai pas, ça sera fait. » Ils entendirent de nouveau des soupirs, des glissements d'habits posés. D'autorité le cousin recolla son œil. Même sa respiration s'était arrêtée.

« Ah ça, alors... exhala le cousin. — Quoi ? osa souffler Jeannot en le tirant par la culotte. — C'est le Paul, le bon ami de la maîtresse, vint lui glisser dans le creux de l'oreille le cousin qui s'était retourné. C'est un réfractaire, y a au moins six mois qu'il a foutu le camp au maquis ! Il est tellement amoureux, qu'il a dû revenir la voir. »

Ces brèves explications données, il reprend son guet. Cette fois, avec les deux mains appuyées contre la porte. Silence. Un bref gémissement, un bruit de ceinture qui tape sur les barreaux de la chaise. Ça doit dépasser tous les mots, car le cousin en a totalement perdu sa langue et ses mouvements. Il se retourne enfin, fait des grimaces, imite avec sa bouche et ses bras des baisers et des étreintes, lève les yeux au ciel en tirant la langue, prend Jeannot par les épaules, et le pousse doucement mais fermement contre la porte.

Sur la chaise l'homme est assis, nu. Son pantalon, tombé, gît froissé sous ses pieds. La femme est à califourchon sur lui, cuisses écartées et relevées, les bras en arrière, bombant le torse de tous ses petits seins à longues cornes d'escargot. Les mains appuyées en arrière sur les genoux de l'homme, elle se soulève à légers coups ; et redescend, et recommence. L'homme la caresse, lui serre les seins, les embrasse, en étire encore les pointes de ses lèvres serrées. Le visage de France a l'air à la fois de souffrir et d'être heureux ; elle secoue la tête, elle ouvre et ferme les yeux, ouvre et ferme la bouche.

France se soulevait et se ressoulevait. Jeannot entraperçut ce qui était sorti du ventre de l'homme, ce bâton, cette colonne, qui s'enfonçait en elle et les reliait. Jamais Jeannot n'aurait pu penser non plus qu'une aussi petite chose que sa quiquette puisse autant grandir.

Des larmes ont coulé sur les joues de l'institutrice, qui prend brusquement la tête de l'homme entre ses bras, et la serre tendrement contre elle. Lui disant, dans ses cheveux, qu'elle l'aime, qu'elle l'aime, qu'il ne faut pas qu'il meure. Mais déjà l'homme, la tenant par les hanches, la ressoulevait, et la renfonçait sur lui en se cambrant pour s'élever davantage. La tête de la femme de nouveau se penche en arrière. Elle a les yeux renversés, levés au plafond, la bouche ouverte et noire. Elle ressemble à une tête de martyr d'une des sculptures de cette cathédrale où Jeannot va à la messe le dimanche à Lyon, avec sa grand-mère. Et il eut peur, ne voulut plus regarder, et s'arracha à sa vision : « Je ne veux plus voir », dit-il.

Cette fois il esquiva son cousin et s'enfuit en silence dans le couloir, vers la rue, vers la porte qu'il ouvrit en grand, vers le soleil. Il alla s'asseoir un peu plus loin, sur un banc de la petite place du kiosque qui se trouvait à quelques pas de chez sa tante. Il regardait ses pieds, le soleil, et derrière lui, justement des femmes qui passaient dans la rue. Quelques minutes plus tard son cousin le rejoignit. Qui commença en gloussant à lui dire qu'il avait vraiment manqué le plus beau. «J'aime pas ça, j'aime pas ton maquisard, lui cracha Jeannot. C'est un salaud, un con, continua-t-il, d'ailleurs, sa bonne amie, il lui fait mal, il l'a fait pleurer.» Son cousin bondit : «T'es nouille, ou quoi ? mon maquisard, le Paul, il a pas fait pleurer la France, patate ! Il la faisait jouir. Il l'a foutue, quoi ! »

Dans la lumière les mots éclatèrent. Jouir ? Foutue ? Il avait donc vu un vrai maquisard faire jouir la France. Ne sachant qu'en penser (Pétain sauvait la France, le maquisard en faisait jouir une autre), il décida de se taire. Pourtant, au cours de l'après-midi, les mots revinrent en silence dans sa tête : jouir, jouir, la France. Et des images fugitives de ventre, de seins. Et la vision de leurs visages. Les hommes, et son cousin, appelaient ça jouir, appelaient ça foutre.

Quand il était de passage chez son oncle Henri, il dormait sur un petit lit de fer peint en blanc, dans un recoin de la cuisine, sous une descente d'escalier coffrée, fermée par un rideau, que sa tante tirait après qu'il fut couché. Ce soir-là, le soir de cette dure et trouble journée de révélations, il n'arrivait pas à s'endormir. Il se retourna longtemps dans son lit. Il entendit sa tante remettre de l'ordre dans la cuisine, ranger chaque chose (d'habitude il s'endormait parmi ces bruits légers d'objets remis en place par sa tante méticuleuse, jusqu'à ce que ne demeurât plus que le bruit cadencé du balancier de l'horloge, dans la cuisine apaisée). Mais ce soir, après les excitations trop fortes de la journée, cette impression d'être entré pour la première fois dans un domaine dont il ne pourrait jamais parler, sur lequel il ne pourrait plus poser, à sa mère, à sa grand-mère ou à ses tantes, aucune question, l'empêchait de dormir. La contrée dans laquelle il était entré était maintenant séparée des femmes.

Il entendit son oncle et sa tante, installés autour de la table, parler de leur journée et, à un détour de la conversation, du maquisard et de France. Sa tante expliquait que France était venue au magasin cet après-midi. Elle lui avait prêté pour une petite heure la cabine d'essayage, vu que son appartement de fonction à l'école devait être sans doute surveillé, et qu'elle ne savait plus où rencontrer son fiancé, et comme lui aussi était de passage aujourd'hui... L'oncle Henri acquiesça, lui dit qu'elle avait bien fait, parla de tourtereaux et s'exclama deux ou trois fois : « Ah l'amour ! l'amour ! » Puis, plus sérieux : « Paul a dû apporter pour moi quelque chose. Je dois le livrer demain en montant à la carrière. — Oui, je l'ai déjà rangé dans l'atelier, au même endroit que les autres fois », répondit très normalement tante Henriette. L'oncle précisa, un peu moqueur : « Aujourd'hui, il a apporté des petits pains », information qu'il fait suivre d'un gloussement, comme s'il avait dit une plaisanterie. « Des petits pains ? » demanda la tante d'une voix étonnée. L'oncle rigola. Puis, baissant la voix, comme malgré lui : « Pas des petits pains pour manger, très chère madame, des petits pains qui font boum !... » Jean ne comprit pas. Ce mystère s'ajoutait aux autres. Il commençait à céder au sommeil.

Les seins massifs de la mère Risset ressurgissaient du noir, et ceux très aigus de l'institutrice, et son visage, et la mauve colonne humide jaillie du ventre de Paul, qui faisait sans doute boum ! en elle comme les pains de la valise, et comme le cœur qui fait boum ! dans la chanson du Fou chantant que lui chantait si souvent sa mère. Dans la noire incohérence des choses, tout le poursuivait. Heureusement, en lui, noire aussi, la nuit descendit. Et tout ce qui ne pourrait jamais se dire s'en alla, pour sa paix, se dissoudre à son tour dans l'obscène obscur de la face cachée du monde.

CHAPITRE VIII

Le « pépé » Belgrot, comme on l'appelait, avait de grosses moustaches. Blanches et tombantes. Des moustaches de poilu. Il avait fait Verdun. La moitié de ses phrases et de ses jugements commençait toujours par : moi-qui-ai-fait-Verdun. Certains des copains de Jeannot l'appelaient même, en un mot mâché : « Mwakéféverdun ». Dans leurs jeux, ils allaient jusqu'à le transformer en un roi nègre de la lointaine Afrique qui voulait tuer Tarzan et sa femme. Leur enfance changeait un petit Blanc en grand Noir. Par liberté imaginative, et sans doute aussi parce que Mwakéféverdun leur faisait un peu peur. Il tenait un café à côté du petit bazar des parents de Jeannot, leur magasin de la Grande-Rue.

Il était ramassé, avait de courtes jambes rondes, un ventre rond, une tête ronde et, sur sa tête à grosses moustaches blanches, un large béret bleu marine qu'il plissait sur le devant. Au sous-sol, qui s'ouvrait de plain-pied par deux larges portes en arceaux sur deux jeux de boules à l'abandon, il possédait trois ou quatre grandes caves qui faisaient face à celle des parents de Jeannot. Il y œuvrait le matin, dans la fraîcheur, roulant ou soufrant ses tonneaux à vin, lavant et rinçant ses bouteilles. En bretelles tendues sur son ventre distendu, il passait, grommelant et rouspétant. L'après-midi et le soir, aidé par son fils et sa belle-fille, il régnait dans son café, Le Français. C'était le plus beau de la petite ville de Miyonnas, situé près du cinéma, du groupe d'ateliers d'artisans indépendants et du lavoir-abreuvoir de la fontaine, où buvaient et pissaient, deux fois par jour, les troupeaux de vaches à leur retour des champs.

Derrière la caisse de son comptoir, non pas au centre mais dans l'angle, était accroché sur le mur le portrait du maréchal qu'encadrait, autour de la photo, un galon de franciques tricolores. Jeannot avait entendu dire, chez ses parents, et chez des parents de ses amis, que pépé Belgrot « était de la Légion », de la « Légion des anciens combattants ». Il avait « fait Verdun », et il était « légionnaire ». Même s'il ne sentait pas le sable chaud comme dans la chanson, mais plutôt le pinard des tranchées, cela lui donnait le droit, sans doute, au moins dans son esprit, de parler toujours fort. Aussi gueulait-il, en bretelles, dans ses caves, en remuant des tonneaux. Cela faisait beaucoup pour Jeannot, et forçait son respect tout en nourrissant sa méfiance.

Un jour où Jeannot traversait le sous-sol des caves pour aller rejoindre quelques copains, enfants d'un travailleur grec qui habitait dans le pâté de maisons voisin, le pépé Belgrot l'avait arrêté en lui saisissant l'oreille. Lui remuant la tête, il lui avait touché deux mots du compissage à l'école du portrait du maréchal. Jeannot voyait au-dessus de lui le béret, les moustaches, les yeux globuleux sous les broussailleux sourcils grisonnants, pendant que les questions pleuvaient. « Alors, qu'est-ce que c'est que ça ? Qu'est-ce qui s'est passé, hein, à l'école ? Pourquoi vous avez fait ça ? Est-ce que c'est pas honteux ? Ça va pas ? Les jeunes, vous n'êtes plus que des petits morveux ! Moi qu'ai fait Verdun, je te le dis : sans le maréchal, la France serait foutue (elle l'était, pensait Jeannot, elle l'était, mais par le maquisard !) Est-ce que vous allez vous mettre ça dans le crâne ? » Il se le mettait, car dans la douleur l'oreille s'allongeait. Le pépé Belgrot l'avait enfin lâché, lui annonçant qu'à partir de maintenant, ils les auraient tous à l'œil, les tordus de sa classe, et qu'ils avaient intérêt à ne plus jamais recommencer. Jeannot s'était enfui, et calculait, depuis, ses trajectoires de déplacement afin de ne pas recroiser la route d'un ancien combattant toujours aussi combatif. Il se sentait bien trop petit, lui qui l'était déjà presque naturellement, pour oser affronter un « légionnaire » moustachu qui roulait en bretelles des tonneaux dans les caves.

Le reste de l'année scolaire s'était passé à peu près calmement. Jeannot avait vaguement su, comme tous ses copains, que, de zone libre, leur région s'était un beau jour retrouvée zone occupée, et que les Allemands s'étaient installés à Lyon et dans les principales villes du département. Dans leur petite ville et la proche région, ils n'en avaient encore jamais vu, des Fritz, Fridolins, Verts-de-gris et Doryphores divers dont on lui rebattait les oreilles. Quant au souvenir de ceux qu'il avait aperçus sur le quai de la Saône à Vaise, il devenait vague à en déjà disparaître. À vrai dire, depuis que le directeur de l'école, monsieur Marquy, était venu un soir à la maison convaincre ses parents de ne pas orienter leur fils vers le certificat d'études mais, au contraire, de lui faire poursuivre des études secondaires au lycée de la préfecture (ce qui impliquait qu'il se mette à préparer dans sa classe le concours d'entrée en sixième), Jeannot n'avait plus rien affronté de vraiment terrible. Si ce n'est, de la part du directeur, les frictions de sa gomme, à rebrousse-poil, dans les cheveux rasés des tempes ou de la nuque, ou les coups de règle sur le bout des doigts, ou les coups de porte-monnaie rempli de pièces sur le derrière du crâne, sans doute pour tenter d'y ouvrir des voies, des fêlures, par où devaient enfin arriver à s'infiltrer, et pour toujours, les règles de l'arithmétique et les règles de trois, le français et la grammaire étant de loin ce qui lui occasionnait le moins de tourments et de dégâts. La vie s'était donc écoulée dans un bruit de plumes crachant leur encre, de pages de livres studieusement tournées, car il aimait les deux : l'encre et les livres de classe, dont il s'était senti éloigné trop longtemps. Il s'arrangeait même à échapper aux jeux de ses copains, à leurs appels, après la classe, préférant la retraite de sa cachette du salon et la présence odorante de Josette, qu'il serait allé chercher au ciel (ou tout au moins jusqu'au ciel de sa soupente), « s'il avait vu derrière lui la grande République montrant du doigt les cieux », comme disait son cher Victor Hugo des soldats de l'An II, qu'à l'école, sur l'estrade, il adorait réciter.

Enfin, un jour d'été, tout fut fini, il avait été reçu. Il avait subi l'examen dans une salle grise de la grande école des filles, sous l'œil d'un maréchal qui avait l'air de le surveiller tout particulièrement. Son nom s'était trouvé inscrit sur la courte liste des heureux élus affichée sur le panneau de la cour de l'école. Toutefois, malheureusement, cette inscription n'était pas qu'un signe de victoire. Elle désignait aussi, du même coup, ceux qui, à la rentrée, au 1er octobre des feuilles mortes et des fumées dans les plaines, quitteraient Miyonnas pour l'internat, et seraient enfermés derrière les barreaux du rugueux lycée de la préfecture.

Sous la joie avait donc percé sans tarder l'angoisse, car Jeannot avait déjà connu l'expérience d'une douloureuse et terrible année d'internat dans une école religieuse. Elle ne lui laissait que des souvenirs de froid et d'abandon dans les dortoirs, de cabinets, la nuit, impossibles à trouver sous la sinistre lumière d'une rachitique veilleuse bleue, d'abbés noirs et féroces, de réfectoire où toute nourriture lui était chapardée, et de promenades interminables et cruelles dans la neige, à en crevasser ses genoux nus d'engelures jusqu'au sang. C'était son oncle Henri, le communiste, qui l'en avait arraché. Alors que Jeannot, malade, en sueur, tremblait de fièvre depuis plusieurs jours dans son lit, seul et sans soin dans le dortoir, son oncle, venu le voir, l'avait emporté roulé dans une couverture. Il avait poussé sous les voûtes de pierre du collège, tout en l'emportant, de magnifiques et retentissants « putains de saloperies de nonnes ! Putains de saloperies de corbeaux ! », qui avaient ouvert devant eux toutes les portes sans discussion. Et il n'était plus jamais retourné dans cet enfer pavé de fausses lois et d'hypocrites attentions.

C'est pourquoi si son nom découvert sur la liste, dans cette cour de l'école où il était venu accompagné, pour la circonstance, de sa mère et de Dad, lui avait fait d'abord sauter le cœur et lancé dans le sang un peu du feu de la fierté, il lui avait, quelques secondes après, fait passer tout aussi vite dans tout le corps un instinctif frisson de froid.

Pendant que sa mère le complimentait tout en sortant de l'école, elle devina cette tristesse, et sa raison, à l'étrange silence de son fils. « Tu verras, lui dit-elle en se penchant pour l'embrasser, ce ne sera pas comme l'autre fois. Tu reviendras à la maison tous les quinze jours. Et puis nous irons souvent te voir. Il y aura même deux ou trois copains de ton école qui seront avec toi dans le même lycée. » N'empêche, la forêt sera loin, les copains d'ici, sa sœur, la maison, Dad et Nade. Et Josette. Il n'avait plus envie de se réjouir, mais plutôt de pleurer. Dad, pour tenter de le consoler aussi, vint en renfort : « Allez, nous allons arroser ton succès au Français ! On va tous aller au café, hein, tu es un homme maintenant, puisque tu vas entrer au lycée ! Je n'y suis jamais allé, moi, au lycée, ni ta mère ! Tu vois bien que déjà tu nous dépasses ! » Ils prirent Jeannot chacun par une main, descendirent la côte des écoles, passèrent devant le monument aux morts, et quelques instants plus tard, entrèrent en plaisantant dans le grand café de Miyonnas.

La porte et les fenêtres étaient restées grandes ouvertes. C'était l'été, c'était juillet. Les martinets noirs filaient et criaient au-dessus du miroir ruisselant du lavoir. Il faisait chaud. Le café, plein, bourdonnait de rires, de conversations, d'interjections. À l'heure de l'apéritif du soir, et par une si belle fin d'après-midi, beaucoup de clients demeuraient installés aux tables, aussi bien à l'intérieur que sur la petite terrasse du trottoir. Jeannot et ses parents, après avoir grimpé les trois marches de pierre et franchi l'entrée, cherchèrent du regard une place libre. Le pépé Belgrot, qui venait de servir des clients, son plateau sous le bras et la serviette sur l'épaule, les apercevant, vint vers eux, et les plaça. Dad annonça la nouvelle : « Il a réussi le concours d'entrée au lycée. On vient fêter ça — Ça sera ? » Le pépé Belgrot, tout en répétant le nom des consommations choisies, fixait Jeannot de derrière ses moustaches. Jeannot baissa les yeux, regarda le bout de ses sandales de mince cuir teinté (qui laissait en rouge sur ses chaussinettes blanches les traces des lanières), sandalettes à semelles de bois articulées, et qu'il s'amusait à faire plier, pour éviter le regard du « légionnaire ». Les consommations arrivèrent. Le pépé Belgrot avait mis la TSF, la radio du maréchal, car c'était l'heure des informations.

Derrière le comptoir, il s'était campé, les bras croisés, pour écouter. C'était sa manière à lui d'imposer les choses. La bonne parole devait tomber de haut pour mieux toucher le bas monde. Il mit la radio plus fort, à cause du brouhaha inhabituel et des bruits extérieurs de l'été. Jeannot était tout à sa découverte, c'est-à-dire le nez sur sa grenadine dans laquelle Dad avait versé un doigt de son Pernod, vu la circonstance : son entrée dans les virilités futures, et son internat à venir dans les brouillards bressans. Sans qu'il comprît exactement pourquoi, il sentit le brouhaha décroître dans la salle, et se demanda quelle était la raison de ce silence qui, de table en table, s'était propagé si vite. Presque tout le monde avait le visage tourné vers la TSF. La radio, bouche des oracles, museau plat en muselière, sur son étagère du fond, dominait le comptoir. Vers elle, le pépé Belgrot aussi avait levé la tête, qu'il s'était mise à lentement branler avec un drôle d'air.

Jeannot ne sut pas exactement ce qui avait été annoncé. Déjà des voix s'élevaient, hésitantes d'abord puis reprenant bien vite toute leur puissance, après cette pause inattendue. Le pépé Belgrot avait coupé, avec une espèce de hâte coléreuse, le son de la TSF. Des types, à côté de leur table, se serraient les avant-bras, se tapaient sur l'épaule, brusquement excités et hilares, retenant des cris où passaient : « Cette fois, ça y est ! » À une autre table, proche de la leur, il y avait trois hommes, dont l'un avait des cheveux blancs, une forte corpulence, un visage marqué et rude, avec un fichu rouge noué autour du cou, enfoncé dans son bleu de travail. Son nom était Zunpo. Le gros Zunpo, le grand Zunpo, comme le nommaient les gens du pays en parlant de lui. « Salut Zunpo, ça boume ? » lui demandaient beaucoup d'hommes qui passaient devant sa table. Zunpo adressa un clin d'œil à Dad, et tous les deux se serrèrent fortement la main. Le pépé Belgrot arrivait vers eux alors qu'il se dirigeait vers la porte en demandant à un groupe qui l'encombrait, engagé dans une conversation tumultueuse, de bien vouloir dégager l'entrée. Dad en profita pour l'arrêter en chemin et lui passer une nouvelle commande. Quelque chose qui ressemblait à du plaisir, à du bonheur, faisait étinceler ses yeux derrière ses lunettes et multipliait ses rides au coin des pommettes. « Vous nous remettez ça ; et j'offre la tournée aux deux tables à côté de nous. Pour fêter la réussite du fiston. Et, pendant qu'on y est, pour le débarquement en Italie ! » ajouta-t-il dans une sorte de griserie qu'il semblait ne plus pouvoir contrôler.

Plusieurs clients à l'entour avaient entendu. Certains trinquèrent leurs verres : « Au débarquement ! » « À l'arrivée future des Américains ! » « À la fin de la guerre ! » « À la dérouillée des Boches ! » fusèrent, rapides, emmêlés, de différents endroits de la salle. Le pépé Belgrot, jambes rondes tendues et ventre en avant, toisa les tablées : « Stop. Suffit. Pas de ça ici, pas d'emmerdes chez moi, compris ? » Puis, semblant s'adresser en particulier à Dad et au gros Zunpo : « Si vous ne vous plaisez pas ici, dans la France du maréchal, moi qui ai fait Verdun, et jamais eu peur de combattre, je vous le dis tout net, moi, vous n'avez qu'à y aller, en Italie. » Puis encore, un ton en dessous, un peu penché et comme abrité d'un bouclier, derrière son plateau qu'il tenait contre son ventre : « Ou rejoindre les petits copains réfractaires dans les bois, hein, ça serait plus clair ? » et il tourna sur ses talons pour rejoindre son comptoir.

Son départ fut tout de suite arrêté par le bras du grand Zunpo qui se tendit en travers de son chemin : « Oh ! dis, Belgrot, ça veut dire quoi ton truc ? C'est du Darnand, ta musique ? : " Nous connaissons tous nos ennemis et nous n'oublierons personne ? " C'est ça que ça veut dire, ou je me trompe ? » Mwakéféverdun tenta de repousser l'avant-bras musclé et poilu qui sortait de la manche retroussée et formait barrière. « Ça veut rien dire, ou ça veut dire ce que tu veux. Ici, c'est moi le patron, et j'ai du boulot. Laisse-moi passer. » Zunpo le regarda un instant droit dans les yeux, avec un sourire esquissé immobile, et le laissa partir, repliant lentement son bras.

Lorsque le pépé Belgrot eut ramené la grande tournée commandée, Dad, après avoir réglé, leva son verre, bien que la mère de Jeannot eût essayé de le retenir en appuyant sur son avant-bras pour en freiner le mouvement, et tout le monde trinqua. Quand le verre de Dad rencontra celui de Zunpo, Zunpo, continuant son geste, leva le sien un peu plus haut, et d'une voix grave, retenue, mais encore trop perceptible, lança : « À la victoire ! » C'était la première fois que Jeannot entendait cette expression. « À la victoire ! » dit-il aussi d'une voix claire, et tout le monde rigola. Le pépé Belgrot, qui s'était déjà éloigné, se retourna, les regarda et haussa les épaules. Il rejoignit sa belle-fille à la caisse et se mit entre elle et le mur pour lui glisser quelques mots à l'oreille.

Son regard survolait les tables. La Légion surveillait la France. Avec ses moustaches et celles du portrait, il y avait deux paires de moustaches au-dessus du tiroir-caisse resté ouvert. Dans le grand miroir fixé au mur qui se trouvait juste derrière eux, on pouvait en apercevoir, à l'envers, le contenu. On voyait, à côté des billets et des pièces rangés, un petit cercueil noir avec, peinte dessus, une croix blanche.

CHAPITRE IX

La vieille pétrolette pétaradait bleu sous les hauts sapins verts.
Le bruit de son moteur deux-temps résonnait entre les grands
troncs de la forêt sombre, parmi les rochers, et jusqu'au bas de la
vallée du torrent. On grimpait une longue côte dans les taches
mouvantes de la lumière. Jeannot, assis sur une vieille couverture
pliée entre les ridelles basses de la remorque, appuyé contre la
valise rangée dans son dos, voyait devant lui celui de Dad, qui
conduisait la motocyclette. Sur les deux côtés de la modeste
remorque, Jeannot regardait tourner les roues que Dad avait
récupérées sur une autre pétrolette hors d'usage, et qui avaient
retrouvé, dans cette carriole, une seconde vie. Leurs rayons scintillaient par intermittence dans les taches d'un soleil d'été qui
transperçait les branches des sapins. Jeannot aimait plus que tout
ces randonnées dans le silence des montagnes, l'allure d'expédition qu'elles prenaient par cette crainte de ne peut-être pas arriver jusqu'au bout, lorsqu'il fallait s'arrêter pour nettoyer une
bougie exténuée qui perlait, regonfler un pneu qui flanchait. Et
pour cette allure de carlingue de Guynemer que prenait la
remorque dans son imagination lorsque sifflait le vent. Sur des
routes toujours vides, abandonnées, tout semblait hasardeux,
excitant, et d'un lointain bien au-delà des réelles distances. Le
plus court des trajets avait des allures de traversée d'Afrique. Le
monde prenait des dimensions et révélait des splendeurs qu'il

n'aurait jamais plus. Ce qui était encore mieux, c'était que Jeannot ne le savait pas. Et dans sa carriole tressautante, il fendait la fraîche et naïve magnificence du monde.

Au sortir de la forêt, après avoir franchi une crête de montagne, ils commencèrent la descente de l'autre versant, plus dégagé, qui menait doucement par degrés, de prairie en prairie, vers le village où ils se rendaient. Dad emmenait Jeannot, par ce matin de juillet qui s'ouvrait à la chaleur, chez une vieille dame que tout le monde appelait la « tante Imbert ». Dans sa grosse maison trapue, au toit bas d'ardoise, elle accueillait en pension, pendant les vacances, quelques enfants qui venaient s'y refaire une santé. En fait, qui venaient avant tout manger un peu plus, retrouver du beurre sur du pain, du fromage au goûter, boire du lait, manger des myrtilles, des fraises des bois, et ces reines-claudes éclatées, poisseuses de jus sucré, mangées à même les branches des pruniers du verger.

Ce qui leur permettait, avant la rentrée, de reprendre des couleurs et de compenser l'effet des restrictions qui, mois après mois, volaient leurs forces et les faisaient lentement pâlir. Jeannot était déjà venu ici l'été dernier. Un ancien château écroulé y cachait l'entrée de son souterrain au fond d'une grotte au flanc d'une falaise, un frêle viaduc franchissait une étroite vallée à une hauteur à donner le vertige, lorsqu'on passait la tête entre les barreaux de la rambarde pour regarder en bas cracher le torrent. En haut de la pente, une petite église de pierre se dressait, où le curé vous appuyait sur la tête pour vous faire, comme il faut, saluer le Seigneur. S'y trouvait aussi, dans un creux, une fromagerie où se fabriquaient des meules de gruyère. Le lait, qu'ils allaient chercher chaque soir, était ramené à la maison de la tante dans de vieux bidons d'aluminium cabossés qu'ils faisaient tourner à toute vitesse en grands cercles au bout de leur bras tendu en les retenant par l'anse. Il y avait aussi au pied de la maison de tante Imbert, chaque année, un gros tas de bois fendu qui les attendait et qu'il fallait, bûche par bûche, et étage par étage, monter dans l'immense grenier où les jours de lessive, sous la chaleur du toit, étaient étendus et mis à sécher les draps. Mais ce qui dominait, malgré tant de merveilles, c'étaient, dans la grande cuisine qui servait de salle commune après le repas, les omelettes, et leurs gros bouts de lard savoureux coupés dedans, le fromage frais, les fruits sucrés et parfumés, tout cela devant le grand sourire silencieux de la tante Imbert. Cette simple volupté de la béatitude du ventre, cette délectable et lourde sensation qu'ils éprouvaient de n'avoir plus faim les rassurait enfin sur le monde. Dans cette campagne retirée de tout, dans ce minuscule hameau et sa combe à l'écart, s'arrêtaient les étranges lois du jour, les tickets de rationnement et les combines. La vie dans le soleil redevenait comme hors du temps, et surtout hors de celui qui se trouvait être le leur, temps de misère et temps de guerre. Dad le lui disait parfois en riant : « Tu verras, demain sera de nouveau sans contrôle, ni dans la tête, ni dans l'assiette. »

L'assiette. Trouver quelque chose à mettre dedans. La complexité de la tâche les avait entraînés, durant toute l'année, dans des cascades d'actes bizarres. Un rayon de soleil, qui brusquement étincela sur un rayon de roue de la remorque emportée, lui fit repasser devant les yeux l'éclat de lumière, sous la lampe de la cuisine, sur ce tranchoir de boucher s'abattant dans les os et la viande de la carcasse du mouton, victime sanguinolente jetée sur l'autel de leurs ventres creux.

Un soir, très tard, alors que la nuit était déjà bien avancée, le mouton était entré vivant dans la cave, avec derrière lui un boucher, avec qui Dad avait traité l'affaire. Leur cave était une ancienne écurie à chevaux, parcourue au sol d'une rigole pourvue d'une bouche d'évacuation. Quelques jours après le partage du mouton, Jeannot aperçut comme du sang coagulé dans la rigole, près de cette bouche, en remplissant au fond de la cave le seau de charbon qu'il devait ramener à la maison. Jeannot comprit que c'était parce que le mouton avait été tué là, et qu'il en était ressorti carcasse sanglante roulée dans de grands linges blancs enfouis sous des sacs. Le boucher en avait gardé pour lui une part. Le reste, dans le silence clandestin de la nuit, avait été découpé en morceaux sur une planche à grands coups de tranchoir, et crissements de lames de couteaux s'acharnant sur les tendons et les os. Jamais Jeannot n'avait contemplé autant de viande rouge et flasque. Son mystère écœurant mis à jour le dégoûtait. Dad avait aussi réussi à trouver un grand sac de flageolets blancs. Josette et sa mère passèrent presque deux jours à cuisiner le tout dans une odeur envahissante de graisse de mouton, odeur qu'il valait mieux dissimuler et ne pas trop laisser se répandre dans le voisinage. La nourriture pour l'hiver, dans toute une batterie de bocaux, était pour l'essentiel assurée, mais elle les condamna à se nourrir, jusqu'à la nausée, de mouton aux flageolets. Le goût entêtant du mouton hantait son estomac et ses nuits. Il se mit à le détester. Rien qu'à le pressentir, son cœur se levait, saturé à jamais de mouton assassiné.

Après l'exécution du mouton, entra dans leur vie l'agonie de la chèvre. Le ventre de cet animal se tendit encore plus que celui de la mère de Jeannot. La chèvre était venue des confins des montagnes. Un paysan l'avait livrée dans sa charrette. Un matin, elle s'était trouvée à attendre, attachée à la tonnelle du jeu de boules, broutant les feuilles. C'était à cause des tickets. Ces $A+A+J^2$, ça ne faisait pas beaucoup de lait versé quand Jeannot tendait son bidon à la belle laitière brune, bien plus crémeuse que son lait, et qui règlementait la distribution derrière sa généreuse poitrine et ses hauts bidons. Dans son innocence et sa naïveté de citadin, Dad avait décidé d'avoir des bidons et des pis quasiment à domicile : dans sa cave. La cave avait bien, en d'autres temps, abrité des chevaux ! Pourquoi pas une chèvre ? « À la guerre comme à la guerre » fut répété une fois de plus... D'ailleurs Josette, qui avait déjà travaillé auparavant dans une ferme, ne savait-elle pas traire ? Quant à la nourrir, Jeannot fut chargé de la promener le long des talus du torrent qui traversait Miyonnas, voire de pousser avec elle jusqu'aux premiers prés communaux, et même, quelquefois, d'aller chercher de l'herbe à ramener dans cette remorque de la motocyclette où il se trouvait ce matin assis. Jeannot s'était donc retrouvé plus d'une fois à tirer derrière lui cette chèvre, presque toujours récalcitrante, dans les rues de Miyonnas, même s'il prenait grand soin d'emprunter les ruelles les moins fréquentées, espérant échapper autant qu'il le pouvait aux plaisanteries de leurs connaissances et surtout de ses copains.

Mais cette chèvre le rendait chèvre, et tout lui devenait supplice lors de ces sorties « pâturage ». Jeannot découvrait que l'herbe, surtout pour les chèvres, semble tellement plus verte là où il ne faut pas aller la brouter. La bique tirait sur sa corde, tentait de se sauver ou refusait d'avancer, toujours aussi imprévisible. Par son poids et sa vitalité, elle se révélait bien plus forte que lui et imposait toujours sa loi. Josette, finalement aussi peu paysanne que possible, avait une égale horreur, le soir, alors qu'elle venait de se laver et de se parfumer, aussi bien de la cave, des crottes, de l'urine, que des cornes, des poils et des gros pis tendus sur lesquels elle devait tirer à pleine main pour extraire quelques vagues giclées de lait crépitant dans la casserole. Tristement, bientôt, ce fut comme si la chèvre avait tout compris, avait trop compris. Elle se mit très vite à enfler, puis ne put, on ne voulut plus, marcher. Un matin, sur le sol de la cave, à côté du tas de charbon, ils la trouvèrent morte. Un vétérinaire vint diagnostiquer la « douve ». D'après lui, elle avait même cette maladie avant d'arriver ici, et le paysan qui leur avait vendu cette bête, et qui devait s'en douter, les avait roulés. Le cadavre de la chèvre disparut, Jeannot ne sut jamais ni où ni comment. Comme la petite chèvre de monsieur Seguin, elle avait bien combattu dans cette nuit du monde, et l'expérience s'arrêta là. La vraie laitière de la Grande-Rue avait finalement, quand elle se penchait au-dessus de ses bidons, bien plus de charmes évidents que la chèvre. Et le lait, malgré le rationnement (et quantité limitée pour quantité limitée), coulait plus normalement de sa louche d'aluminium que des pis caprins capricieux. Ces deux expériences leur laissèrent comme un drôle de goût d'échec et d'angoisse, face au poids de la réalité, à sa résistance opiniâtre, et à l'obscure fatalité des destinées, animales, humaines et professionnelles. Remplir son ventre se révélait d'une complexité qui les abattait. Le retour à la terre ne se décrétait pas comme sur une affiche du maréchal ! « Ah ! contrairement à ce que dit le poète, une main à charrue vaut bien plus qu'une main à plume, à notre époque ! » avait d'ailleurs dit en plaisantant monsieur Marquy, alors qu'on parlait ravitaillement.

À propos d'affiche, il en revit en esprit une autre. Elle avait été collée sur le mur d'entrée de l'école, et se rencontrait aussi à différents endroits de la ville. Il se souvenait assez bien de certains fragments de ce texte, car celui-ci avait servi de base à l'instituteur pour l'étude de quelques pluriels, et des subjonctifs à valeur de souhait, ou d'hypothèse incertaine. C'était même assez récent car il était allé de soi qu'il n'était pas question d'entrer en sixième au lycée sans que les futurs potaches ne fussent passés par un rodage déjà assez réussi du maniement du subjonctif. Toutefois, étrangement, ce qui fut perçu par les élèves dans le texte de l'affiche, ce fut, beaucoup plus que le maniement de ce mode, le maniement du marteau. Le maréchal, encore lui, avait appelé tous les Français à récupérer, et à lui apporter les métaux non ferreux pour sauver, encore plus que la France, ses pommes de terre et son vin. Le tutoiement de tragédie était de rigueur : « L'agriculture française sera ravagée par le doryphore et le mildiou, et tu n'auras ni pommes de terre, ni vin. » Cette apparition vichyssoise d'une théorie du ni-ni, et sa menace, frappait encore au ventre. « L'industrie française se meurt : 300 000 ouvriers seront bientôt réduits au chômage, dont les conséquences atteindraient 3 000 000 de Français. » Comme disait Dad : « Il n'y a qu'à laisser faire leurs chefs de cabinet et dans cinquante ans nous y arriverons bien, à passer de 300 000 à 3 000 000 ! » Comme Dad avait toujours raison, c'était sûr, ça ne manquerait pas d'arriver, on y arriverait. Cuivre, étain, plomb, nickel, il fallait à tout prix en trouver pour que « vive la France ! » et pour que « vivent les Français ! ». « Avec e-n-t. De " vivre ", subjonctif présent : vœu, souhait, désir, hypothèse ! — troisième personne du pluriel, car avant tout souhaitons, désirons, que " vivent les

Français " ! Compris, tas de bourriquards indécrottables ! » leur criait monsieur Marquy, qui sortait toujours de l'école vers cinq heures, parce que « la marquise aussi », lançait-il en riant de cette autre plaisanterie qui leur resta, elle aussi, à jamais impénétrable.

Pour sauver la France, ses cantates, ses patates et son picrate, et faire plaisir aux instituteurs qui civiquement transmettaient l'hypothétique souhait d'un gouvernement dépourvu de métaux, ils se décidèrent, ses copains et lui, à manier le marteau et la tenaille dans cette maison inhabitée, construite en arche au-dessus du torrent, et qui finissait de se détériorer, abandonnée, au fond des jardins et des deux jeux de boules. Ils en forcèrent les volets, arpentèrent les salles vides, et se mirent à en arracher tous les tuyaux de plomb, les loquets de bronze et de laiton, les robinets des éviers, et même le chapeau intérieur, en zinc, de la grande cheminée du salon. Jeannot, comme ses copains, rentrait chez lui chaque soir plus sale, couvert de poussière, de suie, de platras, mais fier du devoir accompli, et se sentant, par la commande, conforme à ce que la rumeur ambiante demandait à tous. Dans la vieille salle à manger aux tapisseries lacérées, leur trésor de guerre avait grossi. S'acharnant un jour sur une tuyauterie qui passait par un escalier, ils firent éclater une marche de bois qui formait caisson. Ils tombèrent sur une épée, glissée dans des protège-bouteilles en paillasse, roulée dans une toile, et cachée avec soin dans la marche. Une vraie épée du Moyen Âge, à la lourde poignée de bronze en croix, avec une large lame. À la vue d'un tel trésor, à la promesse qu'il semblait annoncer, leur frénésie de saccage ne connut plus de limites. À la fin du jour, l'escalier n'était plus qu'une ruine disloquée, mais qui n'avait rien pu livrer de plus. Un jour, ils entassèrent toutes ces dépouilles métalliques pesantes sur la remorque et se rendirent à la mairie comme des guerriers vainqueurs.

L'épée leur attira les félicitations du maire, et disparut avec rapidité dans un coin de son bureau. On leur donna quelque monnaie en règlement de leurs travaux de petits hercules des gouttières. Avec cet argent ils firent chez les deux sœurs épicières de la place des Écoles, qu'ils surnommaient les « mères Trois-Poils », une razzia de bonbons, de pochettes-surprises en papier, de rouleaux de réglisse noire, de barres de sucre de raisin, qu'ils allèrent dévorer en entier jusqu'à écœurement poisseux dans les gravats et la contemplation de leur champ de ruines.

Comme les gamins de toutes les époques, ils avaient obéi aux idées du jour, aux demandes de leurs différents maîtres. Les doigts et les dents collants de sucreries, ils savouraient leur bonheur, si béats de conformité que, pour un peu, ils se seraient sentis supérieurs et tendus d'intelligence. Leur aurait-on dit d'apporter n'importe quoi — par exemple des sacs de riz à la mairie pour des Martiens affamés, qu'ils l'eussent fait. Ils revinrent plusieurs fois au fil des jours contempler leurs ravages. Ils s'y sentaient bien comme dans des ruines. En ceci aussi, ils éprouvaient leur conformité : à leur mesure, dans leurs moyens, ils avaient étendu le champ des ruines et des saccages. Ils y avaient contribué. Ils y avaient participé pour de nobles raisons de lutte. Ils se sentaient adéquats. Plus semblables au monde. Eux aussi, comme les grands, se sentaient bariolés aux couleurs d'un monde qui avait les couleurs du carnage. Sur les enfants, la bêtise conforme a toujours eu des rapidités et des victoires de virus.

Au cours de cette année, ils eurent encore d'autres occasions d'adhérer au conformisme ambiant, sans pouvoir en tirer non plus des sentiments bien triomphants. Jeannot ne put s'empêcher de repenser, avec gêne, à ce dimanche où ils étaient allés faire acte de solidarité et de bon cœur. Il fallait aider les pauvres, avait dit le maréchal et, avec lui, comme en écho, l'école, la ville, et forcément, se faisant plus ou moins pousser, leurs parents.

En ce temps de disette et de pâtisserie contrôlée, les mères réunies (et la réunion de leurs combines et de leurs sacrifices déchirants pour se séparer d'œufs, de farine et de beurre, si difficiles à trouver) avaient fait naître ce miracle : un gâteau. Jeannot voulut à tout prix accompagner ses copains qui avaient été chargés, par leurs parents mieux nantis, d'aller offrir ce gâteau de rêve à des « pauvres » ; c'est-à-dire à ceux qui avaient été jugés sans doute plus exclus des joies du monde que d'autres, et qui avaient été choisis pour leur extrême misère. La France du maréchal ne devait-elle pas montrer sa générosité avec ses misérables et ses oubliés, oui ou non ? L'escouade des bénévoles du cœur et de la solidarité, maladie contagieuse de tout temps nationale, grimpa donc un dimanche les flancs de leur bourgade. Le plus fort, Riri, portait en avant le gâteau, posé sur un plateau et couvert d'une cloche. Riri le défendait. Tout en marchant, il le protégeait des doigts voletants des accompagnateurs qui, tout au long de cette livraison du saint sacrement de la gourmandise au nom des bons sentiments, auraient bien voulu goûter un peu de ce rouge mélange de sirop et de confiture qui suintait et débordait de dessous la cloche. Le gâteau n'aurait sans doute jamais réussi à atteindre indemne ces pauvres exemplaires auxquels il était destiné si Riri n'avait su manifester, comme à l'accoutumée, sa force et son autorité de chef. Bien que plus ou moins brinquebalé au cours de sa marche triomphale, le gâteau arriva, encore entier, jusqu'à une maison, plutôt un baraquement, qui se tenait sur un terrain nu et rocailleux, à la limite de la forêt. Une fumée s'élevait du toit bas. Des linges, sur des cordes tendues entre la maison et les premiers arbres, séchaient, secoués par le vent.

La forêt commençait à quelques mètres du baraquement. La famille qui s'y abritait, choisie par leurs parents comme le but de cette opération de solidarité locale et nationale, était une famille nombreuse bien connue, au moins de vue, par toute la ville. Les enfants multipliés et incomptables — parce que frôlant, voire dépassant la dizaine — erraient comme à l'abandon, toujours quelque part par petits paquets de trois ou quatre. C'étaient les Goubon. À Miyonnas cela voulait tout dire. Surtout ce regard dans leurs yeux venu d'un ailleurs muet, d'où ils avaient constamment l'air de vous contempler dans une sorte d'hébétude silencieuse, striée de morves et de cheveux collés. Ils donnaient toujours l'impression d'être sur une autre rive, dans une autre vie, de ne pas tout à fait appartenir à la vie commune. À l'école, dans la rue, ils étaient loin. La menace planait sans cesse sur les autres enfants de « finir comme un Goubon ». Tout à coup cette proximité de leur maison réelle, de leur clan étrange, fit brusquement taire Jeannot et ses copains. Ils se poussaient l'un l'autre, se chuchotant : « À toi, vas-y, tape à la porte. Vas-y tape ! »

Enfin le plus jeune et le plus déluré d'entre eux, Paco, se lança. À la porte, d'un bleu délavé et écaillé, il osa frapper. Ils se tenaient tous les quatre en retrait, derrière le gâteau mis en avant au bout des bras tendus de Riri. La porte s'ouvrit. La mère des Goubon apparut dans l'ouverture, sans âge et sans forme, dans une robe grise, sale et tachée, à laquelle elle finissait encore d'essuyer de grosses mains violettes. Elle les regarda, aussi lointaine que semblaient l'être ses enfants à l'école, comme éteinte. « Oui ? » questionna-t-elle d'une voix de toutes les lassitudes. Par le plateau encore un peu plus poussé en avant, à petits coups, par les bras de Riri, en direction de l'intérieur de la maison, elle comprit vaguement, malgré toutes ces bouches paralysées, qu'ils apportaient quelque chose. Elle les fit entrer. C'était un dimanche juste après le repas. Tous les Goubon étaient autour de la table, derrière des assiettes ébréchées et quelques minimes reliefs de nourriture. Ils regardaient sans un mot ces autres enfants, soudain surgis dans leur univers.

Ils les regardaient, immobiles, dans le plus profond des silences et une apparence de totale imbécillité. Leur paralysie n'avait d'égale que celle de Jeannot et de ses copains. Dans une brusque décision, le plateau fut déposé sur la table, la cloche et le papier ôtés et le gâteau, d'un rouge sanguinolent de viscère arraché, enfin révélé à cette tablée d'enfants figés par la stupeur. Le monde entier semblait avoir perdu l'usage de la parole. N'y tenant plus, Paco le fragile, celui qui déjà avait osé frapper, lança, maladroit, tout à trac, dans un souffle et dans un accès de nervosité : « Nous-venons-pour-aider-les-pauvres-et-vous-apporter-un-gâteau-pour-vous ! »

Dans les yeux délavés et multipliés des Goubon flotta encore davantage la stupeur, et l'effort pesant de comprendre ce qui pouvait bien arriver à ces quatre fous débarqués dans leur cuisine enfumée, là, au bord de leur table et de leurs assiettes vides. Aucun geste vers le gâteau, aucun signe de joie ou de plaisir, aucun sourire : l'hébétude, la foudre tombée dans le champ du mystère et de la honte. La honte, c'est elle qui monta sans savoir pourquoi, enflammée et rouge, brûlante et soudaine, dans les joues et les épaules de Jeannot, et sans doute aussi de ses copains. Comme vache immobile sous la pluie dans un pré, la mère de toutes les misères et des fatigues, la reine mère usée des procréations, les regardait, elle aussi frappée par l'irréel des choses, la parole ôtée. Jeannot et ses copains commencèrent leur retraite vers la porte restée ouverte, face à cette guirlande de regards braqués sur eux, et qui traçaient dans la pénombre de la cuisine la plus terrible des barrières. Ils saluèrent en lançant leurs au revoir, puis s'éclipsèrent au galop vers les cailloux, vers les champs, vers la lumière, laissant derrière eux cette caverne de l'incompréhensible, et le gâteau des charités et des douleurs à son sort. Ils sentirent longtemps dans leur dos la brûlure bleue de ces regards qu'ils avaient fuis.

Après avoir dévalé la pente caillouteuse du chemin, ils s'arrêtèrent pour reprendre leur souffle. Ils ne se disaient plus rien. Ils regardaient à leurs pieds Miyonnas dans sa vallée, les rues proches, les maisons des autres, celles du cœur de la ville. Dans leur dos, plus haut, la maison fumait et « leurs » pauvres, peut-être, avaient enfin osé planter un couteau dans le gâteau. Leur cœur battait dans le soleil froid du printemps, à la fois sous l'effet de la course et de cette honte voilée qu'ils n'arrivaient pas à comprendre puisqu'ils croyaient avoir bien fait.

Le dimanche ayant perdu si vite et son charme et son sens, ils entrèrent dans le vieux cimetière qui se trouvait sur leur route et se dirigèrent vers l'ossuaire, au fond, où étaient versés en vrac les ossements des vieilles tombes arrivées au terme de leur concession. Tentant de se passer leur malaise indéfinissable, ils se mirent à lancer des cailloux sur de vieux crânes qui, quelquefois, éclataient en craquant sous le choc violent des pierres. Ceux-là n'avaient plus de bons sentiments. Ceux-là n'avaient plus de problèmes de morale, de charité tordue. Ceux-là n'étaient plus séparés, pauvres, exclus ou honteux. Ils n'étaient plus rien. Le bruit des os brisés sous les jets de pierres, les excitant, se mit à les faire rire. On voyait la danse de scalp de leurs bras se découper sur le soleil rasant et glacé d'avril, pendant qu'ils lançaient de plus en plus vite leurs cailloux vengeurs. Une réverbération, venue de la plaque de marbre d'une tombe ou du mur de pierres blanches qui dominait l'ossuaire, tomba un instant à l'intérieur de la fosse, éclairant comme d'un coup de projecteur isolé un crâne aux orbites creuses, aux mâchoires édentées en équilibre sur des os plâtreux, de grands os croisés. La mort était vraiment au fond des choses, et la honte, et le ricanement.

Le moteur de pétrolette continuait de pétarader sous la voûte ombreuse des ailes épaisses des sapins. L'univers de la forêt se déroulait, la remorque enchaînait, derrière la pétrolette, les virages le long des rochers humides et moussus. De longs rideaux de lumière, tombés de haut, traversaient la forêt, avec des insectes et des nuages de pollen scintillant dans l'épaisseur des obliques rayons. Un moment l'attelage passa devant un transformateur construit sur le bord de la route. Sur la porte de fer, Jeannot eut le temps d'apercevoir la tête de mort noire dans son faisceau d'éclairs et de tibias croisés, qui lui rappela le cimetière.

La descente prolongée sur l'autre versant les fit sortir définitivement de l'emprise des sapins. Ils entraient dans la vallée dégagée, avec ses prés, ses bosquets de noisetiers, ses pruniers, ses noyers, et ses espaces de petites collines. Dans la lumière, indifférente, ruisselante, vide de sentiments.

Ils s'arrêtèrent au bord d'un pré en plein soleil pour se dégourdir les jambes. En contrebas, sur leur droite, Dad montra un point imaginaire vers le point de fuite de la vallée. « Tu vois, là-bas derrière ces montagnes, en descendant dans ces vallées, il y a

Fort-l'Écluse, près de la Suisse, vers la frontière, où j'étais soldat pendant la guerre. Je m'occupais de la radio. Tu sais que nous, dans ce fort de Fort-l'Écluse, nous n'avons même pas été vaincus ? » Il resta immobile, son regard fixant l'horizon du côté de Fort-l'Écluse, et se tut. Il hocha la tête et répéta doucement : « Même pas vaincus... » « Pourquoi pas vaincus ? » demanda Jeannot. Alors Dad lui expliqua que lorsque l'armistice, à la fin de la guerre, avait été signé, ils étaient toujours en train de se battre. Ce sont les généraux qui ont envoyé l'ordre de se rendre. Le fort était défendu par une majorité de soldats du département. Tout le monde en France avait connu la retraite, la défaite, mais pas eux. Ça lui faisait un peu drôle. Il n'avait jamais vraiment pu s'habituer à tout ce qui se passait maintenant autour d'eux, ajoutait-il rêveusement en regardant cette fuite descendante de vallées dans le soleil matinal, tout en tirant avec soin et attention la dernière bouffée d'une de ses ultimes cigarettes rationnées. La fumée disparut très vite, une évaporation soudaine dans cette lumineuse fraîcheur du ciel au-dessus des vallées. La campagne était belle, les champs de blé n'étaient pas encore fauchés. Les prairies gonflaient leur foin à couper, un milan tenait un vol immobile au-dessus d'un bosquet de fayards. Dans une heure à peine il serait midi. Comme ils devaient être rendus chez tante Imbert pour l'heure du repas, ils repartirent, et la pétrolette et sa remorque descendirent le long des virages du versant ensoleillé.

Dans l'après-midi, Jeannot retrouverait ses copains Paco et Riri. Eux, ils allaient arriver dans l'auto noire de monsieur Raoul. C'est ce qu'ils lui avaient confirmé hier quand Jeannot était allé au café de leurs parents pour s'assurer de leur heure d'arrivée. Au fond de la salle, d'ailleurs (et il avait trouvé cela un peu surprenant), il avait vu le pépé Belgrot, du Français, en train de discuter avec monsieur Raoul. Mwakéféverdun s'était tu lorsque Jeannot était passé devant lui avec ses copains. Il avait même évité son regard tout en tripotant son béret qu'il avait pour une fois quitté et tenait posé sur la table. C'était la première fois que Jeannot voyait un patron de café aller boire un verre dans un autre café, et cette présence, inattendue, lui resta gravée dans l'esprit. Rondouillard, tassé, le pépé Belgrot avait l'air accroché au velours de la banquette, comme une grosse boule poilue de gratte-dos sur la laine d'un pull.

Sur la couverture pliée dans le fond de la remorque, Jeannot remarqua une coccinelle qui s'était posée là, et s'accrochait, elle aussi, aux fils de la couverture. Elle se débattait contre le vent, écartait et refermait ses élytres. Cela lui fit penser aux doryphores qu'avec ses copains ils avaient brûlés au fond des boîtes de fer. Tous les trois, accroupis, cruels, ils les regardaient se débattre et mourir dans les flammes. Comme on appelait toujours les Allemands les « doryphores », leurs regards, au-dessus des boîtes, couvrant les flammes où grésillaient les insectes, s'apesantissaient d'on ne savait quoi. Ces bestioles, ils les avaient également traquées parmi les champs de la tante Imbert. Peut-être retourneraient-ils lutter contre ces dévoreurs rusés de feuilles de pommes de terre qui, eux aussi, menaçaient la France ?

À évoquer les ruses doryphoriennes de leur descendance, larves molles et avides rongeant les tubercules, il se demanda si le fils du type qui était aux colonies serait encore là cette année ? Ce dernier, pâli et jauni de fièvres mystérieuses, recevait de petites caissettes de bananes séchées qu'il stockait jalousement sous son lit. La nuit, les trois copains inséparables partaient en rampant sous les sommiers des lits de la grande chambre jusqu'à la couche du colonial du Sénégal. « Bamako ! Bamako ! Roi des nègres et du cacao ! » lui chantaient-ils cruellement à longueur d'été. Et là, comme des souris, ou de nouvelles larves doryphoriennes pour les bananes sénégalaises, ils s'empiffraient, sous son lit, des fruits poisseux de sa réserve. Il se demanda aussi si Lilette, la fillette moqueuse, de l'étage des filles, la si mignonne progéniture de la buraliste de Miyonnas, viendrait également. C'était sa préférée. Il lui offrait, pour la gagner, des fleurs, et des moitiés de bananes séchées volées durant la nuit. C'est parce qu'il se réveillait tôt le matin en pensant à elle qu'il entendait presque chaque jour, dans la première aube, derrière la maison, le bruit des sabots des vaches quand, sur la route, le paysan voisin les menait aux champs.

Dad se retourna : « Fiston, cette fois, on arrive ! » Il avait traversé le village et commencé à prendre la petite descente. En bas, on pouvait déjà voir la grosse maison jurassienne sévère, le verger à ses côtés, le cimetière proche, et un haut tas de bûches, fraîchement débitées et amoncelées devant la façade, qui, comme prévu, les attendait. Pour les vacances, pour le grenier, pour une nouvelle saison d'été. Et jusqu'à cette nouvelle vie de lycéen qu'il faudrait bien, au 1er octobre, jour magique de l'automne, commencer.

CHAPITRE X

Un matin, à Miyonnas, juste un peu avant midi, il entendit sur les pavés un bruit cadencé de souliers cloutés. Il attendait à la boulangerie son tour, avec ses tickets verts serrés dans la main, pour pouvoir acheter leurs trois cents grammes familiaux de pain quotidien, lorsque, du cœur de la ville, lui parvint le sourd martèlement des pas cadencés. Martèlement peu à peu plus métallique, de plus en plus puissant, unifié, qui se mit à résonner plus proche entre les façades des maisons. Avec, de plus en plus précis, ce bruit de clous crissant sur le granit des pavés. Quelqu'un, qui allait entrer, ouvrit en grand la porte et, tout en restant au-dehors, cria à l'intérieur avec l'accent un peu traînant du pays : « Vinzou ! Venez voir, c'est le maquis ! »

Jeannot fut le premier à se précipiter. Dehors, il était midi, qui sonnait au clocher. Le ciel voilé de ce 11 novembre était en train de se dégager et le soleil enfin perçait. Sur la perspective descendante de la Grande-Rue où régnait cette lumière gaie et froide des automnes de montagne, il les vit arriver, soldats en rangs surgissant du bas de la ville, leurs bérets bleu sombre comme ondulant au soleil dans le mouvement de leur marche, leurs épaules de cuir cloutées de lumière. Plusieurs personnes, accourues pour les apercevoir, s'étaient agglutinées sur le bord du trottoir. Jeannot, peu à peu poussé, dut descendre dans le caniveau. Au-dessus de lui des mains se mirent à applaudir. Il renversa en arrière la tête pour regarder un visage de femme qui le dominait, et qui souriait, tendu d'excitation et de plaisir. La femme l'avait saisi aux épaules et le secouait presque. Elle regardait sur la droite, penchée en avant, ce groupe d'hommes armés, montant de la ville, qui s'approchait. Elle prit Jeannot à témoin : « Ils sont beaux, hein, p'tit, nos terroristes ! » Elle avait mis beaucoup de tendresse dans le dernier mot de sa phrase.

« TE-RRO-RISTES ! », c'était justement ce que, dans les tribunes du stade, hurlaient en chœur les internes du lycée. Lycée où il lui avait bien fallu un beau jour pénétrer et disparaître. Séparé, tranché de la main maternelle, dans ce labyrinthe de hauts murs et de cours hostiles. La nuit, cette noire vastitude, cette enfilade sinistre de cours et de bâtiments s'emplissait d'un bruit de feuilles sèches chahutées par le vent. Dans leurs tourbillons, les feuilles mortes allaient s'entasser dans l'entrée des abris, longs boyaux de béton qui avaient été creusés et zigzaguaient sous les cours. Des bombardements avaient déjà eu lieu sur des usines des environs, surtout la nuit. Aussi avait-il fallu descendre plusieurs fois, à moitié réveillé, dans ces tunnels glacés où les potaches, excités par la situation, poussaient des cris stridents dans l'obscurité à peine traversée, de temps en temps, par les faisceaux des lampes de poche des surveillants. Mais même au cours de nuits plus calmes, recroquevillé dans son lit près de la fenêtre, Jeannot restait souvent de longues heures à écouter cette nuit du lycée, ne pouvant s'endormir, incapable de s'apaiser. Il se sentait trop infime, trop perdu dans cette immense caserne inquiétante où tout n'était que discipline, punitions, et règlements pour lui encore inconnus. Il entendait les galops nocturnes des feuilles mortes tourner par saccades rageuses entre les murs et parmi les troncs fantomatiques des platanes. C'est sur ce fond de bruit qu'il écoutait encore, assourdis, au-dessus de sa tête, et dans le silence du dortoir, ces chants allemands venus des étages supérieurs. Des soldats de la Wehrmacht y étaient cantonnés, ainsi que des soldatesses, toujours en uniformes gris, et que les élèves, à cause de cela, appelaient des « souris ». Ces femmes-soldats, les élèves pouvaient les voir circuler dans les cours de récréation et venir préparer, dans la journée, de la nourriture dans les grandes cuisines des réfectoires. Elles passaient, blondes et fières sous leur calot, avec des airs rieurs et triomphants le long de la murette de séparation de la cour des grands élèves de première et de philo, et des « élèves maîtres » de l'École Normale qu'exceptionnellement, depuis l'occupation, le lycée abritait. Les grands élèves se taisaient à leur passage. Et dans ce silence que leur passage ouvrait, elles s'éloignaient avec leurs gamelles pleines qui fumaient dans le froid, parlant haut, affichant un rien d'arrogance moqueuse, pour défier ces regards de jeunes mâles et de vengeurs en herbe. Il se murmurait, entre élèves, que des « philos » faisaient le mur la nuit pour aller aider les résistants.

Un jeudi, qui était jour de promenade pour les élèves des petites classes et les consignés, Jeannot avait vu, sur les murs des entrepôts, juste avant la forêt, des affichettes collées fraîchement, qui avaient retenu son regard. Ne leur avait-on pas assez rabâché à l'école le slogan fondateur : Travail, Famille, Patrie ! Or ce jour-là sur les murs, sur les poteaux électriques, chacun des trois mots sur les affichettes avait été complété : Travail : introuvable ; Famille : dispersée ; Patrie : envahie. Et c'était tout. Marchant dans les rangs de la promenade qui longeait les murs des maisons muettes, Jeannot s'était mis à répéter, pour le plaisir de la formule : Travail/introuvable, Famille/dispersée, Patrie/envahie ! Dans sa tête, cette suite de mots était vite devenue une scie, qui mit longemps à s'effacer. On murmurait aussi, parmi les élèves, qu'à la fabrication et au collage de ces tracts les plus grands des lycéens n'étaient pas étrangers.

Les jeudis après-midi, quand il y avait match scolaire et que l'équipe de rugby du lycée rencontrait une équipe d'un autre établissement, la « promenade » était automatiquement conduite au stade. Les tribunes, fort simples, avaient leurs gradins en bois recouverts d'un long toit de tôle. Pendant le match, les dégagements en touche longue envoyaient le ballon ovale rebondir sur le toit. Sa cavalcade dégringolante le long de tôles lançait sur le stade des résonances de gong. Appuyés aux balustrades de touche, quelques officiers ou sous-officiers allemands se tenaient presque toujours là, en manteau et casquette d'uniforme, venus peut-être pour le sport, peut-être par ennui, peut-être aussi pour avoir un œil sur cette jeunesse remuante. Dès que le ballon, tombant sur le toit, faisait exploser et retentir son tintamarre métallique et caverneux, tous les élèves se levaient dans les rangées des tribunes pour crier, en un ensemble parfaitement au point : « TE-RRO-RISTES ! » avec une montée sur la dernière syllabe, lancée plus fort et plus longuement. Les gradés allemands se retournaient vers les tribunes, quelques-uns avec des sourires, d'autres avec des regards glacés et méprisants. Tous les élèves se rasseyaient dans l'attente d'une nouvelle chute du ballon pour relancer à pleine voix leur prochain cri. Ce jeu était, de loin, celui qui les amusait le plus et mettait le plus de sel sur leurs jeudis d'ennui. Affronter ce regard ennemi, ne fût-ce que sous le masque d'un jeu, un très bref instant, donnait à ces jeudis glacés, si lents à s'écouler, un vrai parfum d'interdit et de danger qui leur faisait battre le cœur. Ces « te-rro-ristes », clamés face aux ennemis redoutés, c'était leur petite guerre à eux, leur façon de narguer, de jouer avec le feu, d'afficher leur refus de soumission nationale.

Mais aujourd'hui, à Miyonnas, ces terroristes, en chair et en os, avançant au pas cadencé dans la rue au plein soleil de midi, passaient soudain tous les défis qu'un enfant pouvait imaginer. Ils étaient, en chair, en évidence, en ordre armé, et sortis tout droit de l'ombre des bois, l'incarnation même du plus grand défi lancé. Maquisards surgis d'où, venus comment ? Qui aurait pu vraiment savoir ? Dad avait bien trouvé étrange, quand ce matin il avait voulu téléphoner, que le téléphone, brusquement, ne réponde plus. Il était donc allé au Français, à côté, chez le pépé Belgrot, qui était l'un des rares voisins à en posséder un. Rien non plus. Chez lui aussi le téléphone était mort. Ils avaient bien été obligés de constater qu'un dérangement général semblait toucher toute la ville.

Et maintenant, les terroristes, les maquisards, ils étaient là, tombés de leurs montagnes, avançant dans la lumière froide et nette de ce 11 novembre à midi. À cette heure de sortie du travail, les trottoirs s'étaient couverts de monde. Les maquisards progressaient entre deux rangées d'une foule qui les applaudissait, les encourageait, et s'ouvrait au-devant d'eux. Cette fois, ils étaient là, on entendait les voix de ceux qui sur les côtés les encadraient et les commandaient : « Un, deux, un, deux, tenez le pas !... » Les épaules, dans leurs blousons de cuir, balançaient plus serrées et multipliées. Les fusils, sur elles, luisaient sourdement au soleil. Le groupe de tête se présenta pour amorcer le grand virage en épingle de la rue qui menait au parc municipal et à l'esplanade du monument aux morts. Tous les soldats de ce premier groupe portaient des gants blancs. Ceux des premiers rangs, qui encadraient un porte-drapeau, étaient armés d'un fusil ; mais le reste de la troupe, derrière eux, portait en bandoulière, inclinée vers l'avant, une arme que Jeannot voyait en vrai pour la première fois : des mitraillettes, chargeur engagé sur le côté. Tous les soldats avaient sur la tête un large béret bleu marine incliné sur la droite et avancé en visière ce qui, sur leurs visages, posait des jeux d'ombre et de lumière qui marquaient plus brutalement leurs traits. Le drapeau tricolore dominait les têtes, sa hampe tenue par deux mains en gants blancs. Pourtant, jamais drapeau n'avait été si simple, dans un ciel si banal. Des « Vive la France ! Vive le maquis ! » sporadiques, qui donnaient l'impression de s'arracher à un fond de silence étonné et craintif, l'accompagnaient dans sa progression au-dessus de la foule. Sur son passage, des hommes se découvraient, ôtant leur casquette ou leur chapeau. Deux officiers, en béret, avec des galons dorés fixés aux épaulettes du blouson, pistolet au poing, marchaient sur les flancs du groupe de tête, jetant des coups d'œil en arrière et au-devant d'eux.

Jeannot en reconnut un aussitôt. Ces joues rondes, ces cheveux rouquins frisés, cet œil clair : c'était l'instituteur qui les avait quittés l'hiver dernier pour le maquis. À quelques pas de lui, et fendant la foule au fur et à mesure de l'avancée des soldats, une autre chevelure, encore plus gonflée de lumière que d'habitude, l'accompagnait. Josette courait parfois pour précéder le groupe, s'arrêtait, repartait dans sa course. En arrière de la garde d'honneur du drapeau, et précédant le gros du bataillon, deux maquisards portaient une croix de Lorraine de fleurs violettes. Une banderole était tendue en travers, avec des lettres tracées à la main sur le calicot.

« Tu as vu ce qu'ils ont mis sur la gerbe ? entendit-il questionner derrière lui.

– Oui ! et un peu qu'ils ont raison ! Vive de Gaulle ! Vive le maquis ! »

Jeannot sentit une main qui tirait son épaule. Sa mère, qui avait laissé la boutique toute proche pour venir voir ce défilé inimaginable pour un 11 novembre à la commémoration interdite, l'avait aperçu. Elle l'entraîna afin de se hâter vers le monument aux morts, que les résistants allaient bientôt atteindre. Tout en pressant le pas : « Qu'est-ce qu'ils ont écrit, demanda-t-il, qu'est-ce qu'ils ont écrit sur la gerbe ? » Sa mère se retourna : « La vérité : " Les vainqueurs de demain à ceux de 14-18 ! " » Jeannot ne put s'empêcher de penser que si c'était vrai, il risquait demain d'y avoir beaucoup de pépés Belgrot dans les rues.

Ils grimpèrent les escaliers qui servaient de raccourci pour aller à la mairie et au parc, et se retrouvèrent sur la petite esplanade du monument aux morts au moment où l'escorte du drapeau franchissait le portail grand ouvert. Le bataillon suivit dans un bruit de graviers roulant sous les chaussures, et les soldats prirent l'alignement. Des ordres résonnèrent sur la façade de la mairie. « Les maquis du département, à mon commandement ! » Sur les graviers, le bruit des pas s'arrêta net. Il se fit un silence total sous les grands marronniers roussis du parc. Un « Présentez armes ! » claqua sur la foule muette. Les deux maquisards qui portaient la gerbe s'avancèrent. La croix de Lorraine fut déposée par un officier ; en uniforme et casquette d'aviateur, il semblait être leur commandant. D'autres ordres retentirent.

Jeannot était écrasé entre des grandes personnes et sa mère. Il ne pouvait presque plus rien voir. Il entendit une voix commencer à chanter. « Allons enfants... » Il était, enfant, contre sa mère, et il sentit dans le corps maternel le resserrement de tous ses muscles, quand elle prit son souffle pour commencer à chanter. La voix de sa mère se mêla aux autres, et la *Marseillaise*, en quelques secondes, s'éleva avec une force, une vibration, une unité insoupçonnable. La main de sa mère, qu'il serrait, vibrait. Sa main aussi se mit à frissonner sans qu'il comprît pourquoi. Peut-être à cause de ce tremblement de la main de sa mère, et de cette vibration partout dans l'air ? Au-dessus de sa tête, l'hymne chanté par la foule avait déployé sa fureur calme d'orage éclaté, jaillissant des lèvres de ces visages que Jeannot ne pouvait voir que par en dessous.

Il sut tout de suite que cette *Marseillaise* il ne pourrait jamais l'oublier. « Aux armes citoyens... » Il regardait là-bas, vers le monument, dépasser le bout scintillant des fusils, et luire les mitraillettes et les pistolets des gradés. « Aux armes, aux armes ! » Comme les soldats de l'An II du poème d'Hugo, les maquisards les avaient prises, les armes, et les paroles chantées n'étaient pas des mots vains. « Formez vos bataillons... » Les bataillons étaient là, sur la place, formés, avec autour d'eux cette foule de travailleurs et de petites gens aux visages usés par la guerre. « Qu'un sang impur... » Qui allait mourir ? Qui allait tuer ? être tué ? Les morts étaient vrais et le sang versé un vrai sang versé. Les mots vibraient dans sa tête avec des clartés de soleil. Il sentit sur le dos de sa main des larmes tomber. Sa mère venait de renouer avec les larmes du quai de Saône, mais son visage était un autre visage. Il était aujourd'hui dévoré par une lumière qu'il ne lui avait encore jamais vue. « Allons enfants de la patrie... » On leur avait, à l'école, parlé longuement de la patrie. L'instituteur leur avait dit, lui qui maintenant était là, sur la place, au côté des maquisards, que la France était représentée par une femme ; une femme de France, pour sa douceur, pour sa lumière généreuse. Il pense que sa mère aujourd'hui était le visage de cette patrie, de sa patrie.

Sa patrie, il ne savait pas si elle était le pays de ses pères, de son père disparu, de ses grands-pères, tués à l'autre guerre, mais elle était, en tout cas aujourd'hui, le pays de sa mère : sa matrie, sa patrie-matrie, sa matrie-patrie. Elle était le pays de ces marronniers, de ce ciel doré et gris léger de novembre, de ce petit peuple autour du monument rassemblé. Elle était le pays de l'instituteur en colère, elle était le pays de Josette étudiant dans sa soupente, de ces jeunes gens en armes tendus dans leur blouson, de ces jeunes soldats fragiles de cet an 43 qui égalaient ceux de l'An II, et des lycéens qui criaient « terroristes ! » pour affronter, par l'ironie, ceux qui nous avaient envahis. Cette patrie était la sienne. Là, et maintenant, en ce moment, on la plantait en lui. Il serait difficile d'y toucher, difficile de l'oublier. Cette clarté tomberait toujours dans son sang comme le soleil dans les sapins. Ces maquisards au soleil de midi lui avaient appris qu'il y avait droit. C'était un droit qu'il ne se laisserait plus jamais retirer. C'était un amour, c'était les larmes de sa mère, et de ces larmes, il lui serait difficile de laisser quelqu'un vraiment en rire. Joie et malheur, sa mère en pleurs, car la patrie est un tourment. Et la voix de Jeannot se joignit aux voix de tous et à celle de sa mère pour chanter le dernier refrain. Quand il commença de chanter, sa mère lui serra très fort la main.

Un bruit de moteurs avait commencé à grandir dans la rue, au pied des escaliers de la mairie, le long du mur du parc. Une dizaine de camions bâchés manœuvraient afin de s'aligner pour le départ. On voyait dépasser, entre les bâches et le toit des cabines de certains, les gros cylindres noirs des gazogènes. Dès que la *Marseillaise* eût fini de retentir dans le parc, la troupe des maquisards se dispersa au rythme des ordres. Chaque groupe rejoignit un camion où il embarqua. À l'arrière des véhicules, les bâches restèrent ouvertes. Accrochés à elles et à leurs montants, les maquisards riaient, saluaient dans la foule ceux qui les encourageaient, des mains se serraient, quelques femmes embrassèrent même les derniers résistants qui embarquaient dans les camions. Jeannot aperçut Josette au pied de l'un d'eux, qui embrassait l'instituteur. Les bras de cuir s'étaient refermés sur les épais cheveux moutonnants. Des habitants de Miyonnas, qui avaient pris le temps de faire un saut chez eux, étaient revenus en vitesse distribuer des provisions et des habits. Les camions s'ébranlèrent. Une partie de la foule les accompagna un très court moment en courant à leur côté. Derrière l'un d'eux, on put voir Josette courir, essayant de tenir encore la main de l'instituteur. Une accélération plus forte contraignit leurs mains à se séparer. Encore une fois, sur un coup de frein, leurs doigts se rattrapèrent, pour définitivement se lâcher lorsque le camion repartit.

Josette s'immobilisa, elle agita, silhouette à l'élan coupé, son bras au-dessus de sa chevelure illuminée. Cette course de quelques-uns derrière les camions les avait menés, Josette, Jeannot et sa mère, jusqu'à la hauteur du magasin de Dad et du café Français. Lorsque les camions ralentirent dans le virage avant de reprendre leur vitesse, ils virent Dad courir à son tour derrière l'un d'eux pour glisser, entre des mains qui se tendaient, lui qui était si grand fumeur, des paquets de Gauloises accompagnés de quelques billets de banque. Il revint sur le bord du trottoir pour saluer la fin du convoi tandis que les maquisards s'étaient mis à chanter sous les bâches.

En grondant et grinçant, la colonne des véhicules du maquis passa devant le café du pépé Belgrot qui était fermé. Pendant que Dad et sa mère envoyaient leurs derniers baisers et leurs derniers saluts vers les camions qui, à cause de leurs gazogènes, peinaient à s'élancer, Jeannot se retourna pour voir ce que faisait Josette qui se tenait derrière eux. Son regard s'arrêta sur la vitrine du café. Derrière le rideau à peine soulevé, dans l'angle, Jeannot entraperçut le blanc des moustaches et l'œil sombre du chef de la Légion de Miyonnas. Le pépé Belgrot, pourtant l'un des vainqueurs d'hier, les regardait. Son regard se déplaça pour fixer, à sa gauche, sur la place, debout près de la margelle du lavoir, le grand Zunpo. Ce dernier avait quitté son atelier de ponceur tout proche. Doucement, tranquillement, en direction des camions dans lesquels des maquisards brandissaient, en guise de salut, leurs mitraillettes vers le ciel, Zunpo, seul à cet endroit, agitait au-dessus de sa tête, pour leur répondre, son foulard de travail qu'il avait pour une fois enlevé de son cou. Ce foulard crasseux, déployé tout en haut de son bras tendu, s'était mis à gonfler ; et flottait, au-dessus de la place du lavoir-fontaine, haute bannière rouge sous le soleil gris.

CHAPITRE XI

Il retourna au lycée. Il raconta à ses copains de classe, fils de petits paysans de la Bresse, ou de docteurs et de pharmaciens de la préfecture, ce qu'il avait vu.

À chaque récréation il s'excite un peu plus à ces récits. La parole, comme souvent, par l'émotion le déborde. Elle l'entraîne plus loin que lui, un petit peu plus au-delà d'un réel qu'il faut, lui semble-t-il, rehausser, exalter. D'ailleurs, exagère-t-il vraiment dans ses récits aux copains, avec ces nouveaux centurions en marche ? Ne les a-t-il pas vus, presque touchés ? Ne sont-ils pas venus, ces héros, marcher dans sa rue en plein soleil ?

Alors il se mit à oser tracer à la craie rouge, sur les murs des cabinets du lycée, des croix de Lorraine, dans un grand V, comme il les avait vues peintes sur les portières des camions du maquis. Un jour, alors qu'il était accroupi dans ces lieux puants qu'il détestait, il vit qu'un autre élève avait ajouté, au-dessus de la croix qu'il avait tracée : « Vive la France ! À mort les Boches ! » Il n'avait encore jamais pensé à souhaiter la mort à personne.

La tension, d'une manière générale, s'était installée dans le lycée. Les « souris » se mirent à moins traîner en passant dans les cours. Elles plaisantaient moins, s'attardaient moins dans les cuisines. Il faisait plus froid, plus brumeux. Chacun sentit vite qu'il n'y avait pas que le froid qui leur faisait accélérer le pas.

Même les vieux soldats de la Wehrmacht, auxquels se heurtaient parfois assez fortement les jeunes élèves au déboulé des études, plus pères de famille fatigués que guerriers pleins d'allant, un beau matin disparurent. Ils furent remplacés, quelques jours plus tard, par de jeunes soldats au regard sans faille, ni humaine, ni rêveuse, au visage sans sourire sous leur casque sanglé, et dont le revers des uniformes portait sur fond noir une petite tête de mort d'argent, et un sigle, SS, en deux brefs éclairs zébrant la nuit.

La vie des élèves se compliqua d'interdits qui régentèrent les cours, la gym, la présence dans les couloirs, et surtout l'extinction des feux. L'œil bleu d'acier de ces jeunes soldats ne les quittait plus. Ces guerriers avaient des têtes à ne pas plaisanter. Ils montaient la garde, devant l'entrée des escaliers, raides, mitraillette en main, le bord du casque cachant dans son ombre l'indifférence métallique de leurs yeux. Pour la première fois, Jeannot fit attention au bruit de leurs bottes ferrées. Une expression qui traînait prit vitalité pour lui. Il se surprit à penser qu'au lycée, peu à peu, professeurs et potaches se mettaient vraiment à vivre « *sous la botte de l'ennemi* ». Pendant les soirées d'étude, il écoutait, derrière la fenêtre, passer et repasser les bottes des deux sentinelles en faction.

Il se souvint des commentaires entendus dans le magasin de ses parents à Miyonnas, le lendemain de la prise de la ville par le maquis et de son défilé du 11 novembre. Des clientes avaient lancé le mot « représailles ».

« Vous allez voir ce que ça va nous coûter, leur petit jeu, avait sifflé l'une d'elles entre ses lèvres pincées.

— Facile de faire ce cirque, continua une autre, dans une ville où il n'y a jamais eu un seul Allemand en garnison. Maintenant, c'est tout le monde qui va payer la note, vous allez voir ! »

Deux clientes en vinrent presque à se quereller :

« Pour trinquer, on va trinquer. La Gestapo, les SS, ma pauvre fille ! ils sont à Lyon maintenant. Avec eux les Français vont comprendre ce que le mot " ordre " veut dire. Et Lyon, croyez-moi, c'est juste à côté. » Le mot « ordre » s'était gonflé dans sa bouche.

« C'est sûr, ils finiront bien par venir ici, avec tous ces camps de jeunesse attaqués dans les montagnes par le maquis, et toutes ces razzias ! On n'y coupera pas !

— Et avec toutes les voies ferrées qu'ils ont fait sauter un peu partout dans la région !

— Alors qui va déguster, hein, quand il y aura des représailles ? Qui va déguster ? »

Dans la cour du lycée, Jeannot regardait à la dérobée les sentinelles SS. Des têtes à représailles, à tenaille, à cisaille, ces froids guerriers germains ! Il espérait qu'il ne les verrait jamais arriver à Miyonnas.

L'hiver s'installa. Il fit de plus en plus froid. Les rares seaux de charbon ne suffisaient plus à rétablir une vraie chaleur dans les salles de classe. Au dortoir, le matin, l'eau était même parfois gelée. Les internes se mirent à ranger leurs sabots autour du poêle de l'étude afin qu'ils sèchent plus vite et soient chauds au moment de sortir dans la cour. Car ils avaient redécouvert les sabots, qui permettaient les chaussons en étude, et d'avoir les pieds au chaud pendant les récrés. Ces affreuses récréations qui n'en finissaient plus sous les platanes dépouillés, figés dans le givre et engloutis souvent dans un brouillard stagnant. Jeannot eut froid. Au réfectoire, au dortoir, froid constamment au plus profond de son corps. Pendant qu'il était à Lyon, et dans les premiers mois de son bref internat chez les religieux, Jeannot avait fait une primo-infection qui l'avait cloué, pendant une année, dans un préventorium, première marche vers le sanatorium, dont l'ombre menaçante avait le bleu des malédictions. Le mot « tuberculose » était suspendu au-dessus de sa tête. Or la nourriture du lycée était sinistre : composée pour l'essentiel de potées immangeables de rutabagas et topinambours qu'il versait en cachette de son assiette dans une gamelle dissimulée dans sa blouse et qu'il allait jeter, à la sortie du réfectoire, au fond de la cour. S'ajoutaient, à cette quasi-absence de nourriture, le froid, se lever tôt par des petits matins qui étaient encore de la nuit, un internat dur à vivre, et des sommeils épuisants à cause de l'air glacé, de la peur, et de la solitude. La rechute fut rapide. Il fut pris d'une toux sèche, et une pâleur de malade réenvahit son visage.

À la rentrée, lors de la visite médicale, il avait été déclaré « positif », marque humiliante de la mise à part. Face aux « négatifs » triomphants, cela le désignait publiquement, lui et quelques autres, comme lié à la mort possible. Lorsque le docteur du lycée constata un affaiblissement général préoccupant, il écrivit à la mère de Jeannot pour lui conseiller de reprendre son fils à la maison durant une vingtaine de jours, afin de lui redonner des forces, et l'aider à passer plus vite ce mauvais pas. Un matin, Jeannot referma, comme un condamné, sa minuscule valise dans le dortoir vide, pour reprendre le chemin de ses montagnes.

Lorsqu'il arriva, il constata, à la descente d'un train qui soufflait de moelleux panaches de vapeur dans l'air clair et glacé, que Miyonnas disparaissait sous la neige. Dans sa déveine, il eut la sensation d'avoir au moins une espèce de chance : celle de recommencer de plus longues vacances de Noël dans une neige éblouissante, loin des brouillards de la plaine. Il sortirait sa luge. Il irait en faire en solitaire, débarrassé des copains. Il filerait enfin dans un vrai silence de neige, seul, libre, dans une nature sauvage qui ne l'attendait pas.

Le lendemain, lorsqu'il se réveilla, d'épaisses et sinueuses fougères de givre tapissaient les carreaux de la fenêtre de sa soupente. La chambre était glacée, plongée, avec la maison et toute la rue au-dehors, dans ce silence sans faille qui révèle, avant même qu'on puisse voir quoi que ce soit, qu'une neige abondante est tombée pendant la nuit. Il entendit quelques premiers pas crisser. La neige fraîche avait dû recouvrir toute la rue. La luge ! Il la sortirait aujourd'hui, même si sa mère ne le voulait pas. Il fallait qu'il se lève pour aller préparer l'échappée. Il descendit. Dans le couloir aux planchettes qui sentait, comme à l'habitude, le cambouis et la pétrolette, le froid avait une présence de couteau.

Il s'engouffra dans la cuisine, en quête du fourneau allumé et de son café au lait qui devait l'attendre. Sa surprise fut grande de voir que ce matin, en plus de ses parents et Josette, il y avait là, debout, habillé, les chaussures ruisselantes de neige fondue, un monsieur qu'il n'avait encore jamais vu. Tous eurent l'air d'être interrompus au beau milieu de propos que Jeannot pressentit tout de suite comme graves. Il le devina à leurs regards, quand il entra dans la petite pièce chauffée et sans fenêtre. L'éclairage de l'unique ampoule dessinait sur leurs visages, qui s'étaient tournés vers lui à son entrée, des expressions lugubres. Sa mère ne pouvait cacher sa nervosité ; Dad montrait un visage lointain et fourbu ; et Josette restait silencieuse à l'écart, debout près du fourneau, très pâle, gardant encore un pique-feu à la main.

Le regard tendu du visiteur matinal quitta Jeannot et revint vers Dad :

« Bon, je t'ai prévenu, reprit l'homme. Moi, je reste pas chez moi. Je vais essayer d'aller me planquer dans la cabane de mon jardin. La forêt est à côté, je réussirai toujours, si ça tourne mal, à m'y cacher un ou deux jours. Crois-moi, tu n'devrais pas rester là, il faut te planquer... Bon, allez, salut, moi je me tire. Mais planque-toi, à mon avis ça vaut mieux. »

La mère de Jeannot le raccompagna jusqu'à la porte de sortie. « Bonne chance ! » lui souffla-t-elle. Elle referma la porte sur la neige, sur les premières lueurs du bref jour d'hiver, et sur l'homme qui disparut, tête enfoncée dans le col relevé de sa canadienne.

Tout en servant à Jeannot son café au lait et en lui coupant dedans des morceaux de pain, sa mère lui expliqua que les Allemands seraient bientôt aux portes de Miyonnas. Ce monsieur, qui venait de partir, était venu les prévenir de leur arrivée imminente. Ils étaient en route. Ils arrivaient de la petite ville voisine distante d'à peu près quinze kilomètres. Où, ajouta Dad, ils avaient arrêté plusieurs hommes. Même le docteur de l'hôpital, et les maquisards blessés qui s'y trouvaient, ajouta Josette, sortant de son silence. À Miyonnas, des miliciens avaient déjà pris position aux différentes sorties et barré toutes les routes principales. Dad, accoudé à la table, se mit à réfléchir, silencieux. Nade lui conseilla de s'habiller et d'aller se cacher dans la forêt sans plus attendre. Mais Dad arguait du froid, des traces dans la neige, et du fait que le meilleur moyen de se faire arrêter en ce moment serait peut-être bien d'aller se faire repérer sur les chemins menant vers la forêt. Jeannot ne disait rien, n'osant plus plonger sa cuillère dans son bol.

Il regardait, entendant battre son cœur plus fort dans sa poitrine, la peau laiteuse qui se formait sur son café au lait, et qui luisait, satinée, beige, parcourue de nervures mobiles sous la lampe de la cuisine. On aurait dit des frissons de fougères de givre chaudes. Dad leva son visage vers sa femme :

« Tu sais bien ce qu'il y a de plus important à faire. Tout peut arriver. Pour le reste, plutôt que d'essayer d'aller dans la forêt, je crois que je vais aller me cacher sur le toit, derrière les cheminées, juste le temps des fouilles et des contrôles. D'ailleurs, rassure-toi, ça m'étonnerait qu'ils entrent dans toutes les maisons pour les fouiller. En fait, je pense même qu'il n'y a aucune raison qu'ils le fassent, ça me semble vraiment improbable. Il faut tout de même prévoir le pire. »

Il se tourna vers Josette : « Josette, excusez-moi de vous le demander maintenant, mais descendez tout de suite le seau hygiénique. » Malgré le côté étrange de cette demande proférée en un tel moment — au moment d'un repas dans la cuisine —, Josette eut pourtant l'air de comprendre. Pendant qu'elle montait aux chambres, Dad passa à son atelier, caché entre ses deux rideaux de velours au bout du salon, ouvrit le petit placard au-dessus de son établi, derrière les rayons. Il en sortit ce petit poste aux multiples boutons que Jeannot avait aperçu quelquefois. Le poste, prétendument du « futur », dont il lui avait parlé, et sur lequel il lui avait demandé de garder le secret. Dad le roula avec soin dans le morceau de toile cirée qu'il ôta de son établi. Il ficela le tout plusieurs fois, et très étroitement. Josette était déjà revenue avec le seau que chaque jour elle allait verser dans le torrent voisin. « Merci, dit Dad. Laissez ça là, je m'en occuperai. Vous, allez plutôt vous occuper maintenant de ma fille qui doit être réveillée. Il m'a semblé l'entendre. » Lorsque Josette fut partie, Dad enleva le couvercle du seau, prit le paquet qu'il venait de préparer, et le laissa s'enfoncer dans le contenu puant qui l'emplissait à moitié. Il referma le seau, réfléchissant un instant. Puis il prit Jeannot par les épaules : « Jeannot, ne me demande pas pourquoi, mais c'est toi ce matin qui vas faire la corvée, qui vas aller vider ce seau dans le torrent. Écoute-moi bien, tu vas traverser la rue. Très naturellement. Ne t'occupe pas des gens, ni surtout des Allemands s'il y en a, ni des miliciens si tu en vois : tu vas vider ton seau, un point, c'est tout. Fais comme si tout était normal, personne ne te demandera rien. Va bien au bout de la passerelle, à l'endroit où le courant est le plus fort, juste où l'eau s'engouffre sous la maison. Tu vides tout et vite, sans hésiter, sans traîner. Compris ? » Dad l'embrassa sur la joue. Sa mère fit enfiler un gros pull à son fils, de hautes chaussettes, lui entortilla une écharpe autour du cou, lui ébouriffa un peu plus les cheveux. Et Jeannot, soulevant l'anse, empoigna la poignée en bois. Le seau, bien qu'un peu encombrant par rapport à sa taille, n'était pas trop lourd.

Jeannot traversa la rue dans la neige fraîche, à peine tassée. Il n'y avait personne. Il en fut soulagé, car il avait honte, honte d'être vu portant son seau puant. Voulant profiter de cette heureuse absence de témoins, il hâta le pas. Un clapotis plus marqué, une odeur plus âcre, lui annoncèrent un débordement. Il vit en effet derrière lui les traces jaunes et brunes des éclaboussures qui avaient troué le blanc immaculé de la neige.

Sur la passerelle de bois où personne ne passait, la couche de flocons était plus épaisse. Ses pantoufles s'y enfoncèrent, s'emplissant de neige. Il atteignit le bord de la fameuse maison condamnée, celle de leurs destructions patriotiques et récupératrices, sous laquelle l'eau s'engouffrait. Sous l'arche des fondations, elle disparaissait en tourbillonnant. De la glace s'était formée de chaque côté sur le pied des murs, mais le torrent n'était pas encore complètement gelé. Son eau noire fumait dans le froid du matin. Jeannot leva le seau sur la première barre de la rambarde, et le renversa d'un coup. Le paquet en toile cirée plongea dans l'eau avec les étrons familiaux et les papiers décomposés. Jeannot revint en courant. Il lui semblait bien qu'il sentait un peu la merde ; mais il lui semblait bien sentir encore plus fort, en lui, une odeur de héros. En quelques enjambées, il eut l'impression de découvrir les notions d'extérieur et d'intérieur, et comprit alors davantage sa grand-mère qui lui répétait souvent que, dans la vie, il ne s'agit pas de savoir de quoi on a l'air, mais ce qu'on est. C'étaient des trucs comme ça, comme l'illusion des apparences, qu'elle avait appris à tous ses enfants, et maintenant à son petit-fils.

Avant de rentrer chez lui, alors qu'il poussait la porte, il jeta un coup d'œil vers le carrefour du lavoir et du café du pépé Belgrot. Il vit, sur l'étendue de la petite place comme agrandie par la neige, des miliciens, noirs sur fond blanc, en train de fumer. Ils avaient l'air d'attendre. D'une traction avant, dont le moteur devait tourner, et qui était garée sur le bord de la place, s'élevaient des volutes de fumée. Il n'y avait personne dans la rue. Un corbeau, au-dessus du groupe des miliciens, se détacha des arbres du parc chargés de neige et s'envola, en croassant dans l'air gris, du même vol lourd que les corbeaux qui s'arrachaient du tas des détritus de l'abattoir où il était allé, avec le fils du boucher, voir la mise à mort de vaches. Jeannot ferma la porte. Les miliciens, les corbeaux : le monde était noir ce matin. Et il s'aperçut, en effet, que ses pantoufles sentaient la merde.

CHAPITRE XII

À l'intérieur, une certaine fébrilité régnait. Sa sœur criaillait dans les bras de Josette, Dad finissait de s'habiller à la hâte. Il enfila, pour terminer, sa canadienne, que lui tendait Nade, enfonça sur sa tête un béret, mit des gants de cuir fourrés et décida qu'il allait, oui, finalement, monter se cacher sur le toit, entre les cheminées, sur l'arrière de la maison, en passant par la lucarne de la soupente du grenier. Il attendrait là-haut que tout redevienne tranquille. De toute façon les miliciens étaient déjà dans la rue.

Lorsque la mère de Jeannot, qui l'avait accompagné pour repousser sur lui les battants de la fenêtre, redescendit, elle recommanda bien, si la police posait des questions, de ne dire que ça : Dad était parti en voyage d'affaires, pour des achats à Limoges. Elle inventerait le reste. Le temps passa sur le petit déjeuner bloqué. Le tic-tac de l'horloge accompagna pendant assez longtemps, lui sembla-t-il, le craquement et le ronflement de la cuisinière.

Le silence ne fut finalement interrompu, beaucoup plus tard, que par le pas de Dad à l'étage, puis dans le couloir. Et il réapparut. Apportant avec lui dans la pièce chauffée un grand souffle d'air glacé. Ses habits, par endroits, étaient saupoudrés de neige : « Vraiment, il fait trop froid là-haut, dit-il en repénétrant dans la cuisine. Je n'y tiens plus. D'ailleurs, on dirait qu'on n'entend rien dans la ville. Ce n'est pas la peine de rester des heures sur ce toit. J'y retournerai plus tard, s'il le faut. » Il fit tomber de ses vêtements quelques fragments de neige accrochés à ses manches et à son pantalon. Il était encore en train de les tapoter quand, au même instant, au-dehors, retentirent des bruits de moteur de camion, de grincements de frein, et des cris, tout à coup rapprochés. Des voix, des ordres, et des bruits d'armes. Tous, ils se regardèrent. «Je n'ai plus le temps de remonter là-haut », dit Dad.

Il y avait dans le salon qui jouxtait la boutique et en occupait une ancienne partie, juste après le petit tambour d'entrée, de longs placards bas inemployés, le long du mur, d'un peu plus d'un mètre de haut. « Ne vous affolez pas, je vais me cacher dans les placards », dit Dad. Il fit coulisser une porte, et s'accroupit à l'intérieur du premier placard. Il avait gardé sa canadienne et son béret. Jeannot, une dernière fois, aperçut son regard derrière ses lunettes embuées, dans l'ombre. Dad lui fit un petit signe du bout des doigts. Déjà la mère de Jeannot, avec une serpillière, effaçait plus ou moins les traces humides des pas sur le carrelage.

Au-dehors, ça hurlait de plus en plus fort, et des cris en allemand cette fois retentirent. Soudain, leur porte d'entrée fut violemment ébranlée par des coups. Sa mère ouvrit la porte du tambour-caisson qui donnait sur l'entrée. De l'autre côté de la deuxième porte vitrée qui était celle de l'entrée principale et donnait sur la rue, ils virent tous les trois, à l'extérieur, un soldat allemand qui donnait des coups de bottes dans les panneaux en bois du bas, et le visage d'un milicien qui leur hurlait : « Ouvrez ! Police ! Ouvrez immédiatement ! » Le milicien, lui, donna un coup de crosse de son fusil contre le chambranle de la porte et le loquet. Jeannot saisit dans son regard cette bouche tordue, ces yeux excités, en gros plan, comme collés sur la vitre, et sur le béret, l'insigne du petit fouet refermé sur lui-même, celui qu'il avait vu au café de monsieur Raoul. Le soldat allemand, tout en continuant de donner de petits coups répétés de bottes dans le bas de la porte, semblait s'amuser, goguenard et rigolard sous sa casquette. Jeannot le vit, de profil, parler à un autre soldat planté dans la rue. Il avait l'air d'être ailleurs, presque indifférent aux coups de bottes qu'il donnait. Sa mère, en tremblant — ses doigts, sous la hâte et la peur, s'attardant dans des mouvements incertains —, libéra avec difficulté la serrure. La porte fut poussée brutalement, et alla heurter violemment le mur. La grande vitre, sur toute sa longueur, se fendit sous le choc.

Le milicien poussa dans le salon Josette, Jeannot, et sa mère, qui prit sa petite fille dans ses bras. À tous les trois, il intima l'ordre de ne plus bouger. Il n'eut même pas le temps de poser des questions. Le soldat allemand à casquette, qui était entré lentement, regarda dans la boutique abandonnée, considéra l'établi de travail, s'arrêtant un bref instant aux appareils de vérification, aux quelques postes de radio qui traînaient. Il tira les rideaux de velours, regarda de plus près les ampèremètres et les fers à souder, et traversa le salon, jetant des regards autour de lui. Juste en face de ses bottes, il y avait le placard construit contre le mur, dans lequel s'était caché Dad. Il marqua un temps d'arrêt, fixa plus attentivement le sol, se pencha, considéra le carrelage encore légèrement humide, et les quelques gouttes de neige fondue qui avaient été oubliées et demeuraient sur le rebord de la porte coulissante. Il se releva tout en se retournant pour regarder la mère de Jeannot, Josette, et commença de hocher la tête lentement en émettant, avec un air contrarié, un simple « *Ach...* ». Tout en continuant à les fixer, il fit, penché sur le côté, coulisser dans son dos, d'une main, la porte du placard. Dad, comme un enfant surpris en défaut dans sa cachette, apparut dans l'ouverture de son réduit, recroquevillé, engoncé dans sa canadienne, son béret enfoncé de travers sur la tête.

Jeannot se souvint de leur arrêt dans les bois en allant chez la tante Imbert, et pensa que Dad, le combattant invaincu du nid d'aigle de Fort-l'Écluse en 1940, venait de se faire coincer bêtement dans un placard. L'Allemand se pencha un peu plus pour vérifier sa découverte. « *Ach...* » redit-il doucement. Puis, totalement redressé, il ordonna plus cinglant : « *Raus* ! » Dad, maladroit et ridicule, dut s'extraire de son cagibi. Quand il fut enfin debout, l'Allemand le regarda, montra la canadienne, le béret, les gros souliers, et déclara, tapotant du bout de l'index contre l'épaule de Dad : « Meussieu, terrorist ! Ya ! Terrorist ! » Au deuxième « terrorist », le ton avait changé. « À vous. Faites votre travail », dit-il en s'adressant au milicien.

« Nom ? » demanda le milicien.

« Prénom ? » Il avait sorti de sa poche de vareuse une liste cartonnée où étaient inscrits une bonne vingtaine de noms et adresses. Il vérifia :

« Adresse ? » Lorsque Dad l'indiqua, le milicien répliqua aussitôt :

« Embarqué ! » Il se tourna vers la mère de Jeannot :

« Votre mari devra être conduit à Lyon. Vous pouvez lui préparer quelques affaires. Il faudra les apporter à la poste entre onze heures et midi. Vu ? »

Le soldat allemand poussa Dad devant lui, vers la sortie. Dad regarda Nade, sa fragile et si soudainement fatiguée femme Nade, en silence. D'un geste presque imperceptible des deux paumes s'écartant, il lui fit le signe des excuses et des fatalités. Avec un regard de désespoir, bouche ouverte, elle tenta de faire un pas vers lui. Le milicien mit aussitôt devant elle son fusil en travers :

« On ne bouge pas, j'ai dit ! On reste où on est, vu ? Et pas d'histoire ! »

Lorsque le soldat allemand eut franchi avec Dad la porte de sortie, le milicien se décida à sortir derrière lui. Josette voulut se précipiter vers la porte. Plus prompt, il se retourna et l'arrêta net de la pointe de son arme, qu'il appuya un peu plus fort en l'enfonçant dans le tendre renflement des seins.

« Et mignonne, avec ça, la boniche du salopard ! Très mignonne ! Mais elle aussi, elle va rester bien sage à sa place, pour éviter des ennuis. Vu ? »

Après une seconde poussée dans les seins, il retira lentement son arme.

Jeannot et sa mère, toujours avec sa petite fille dans les bras, s'arrêtèrent eux aussi où le fusil avait stoppé Josette. Tous les quatre, serrés, ne purent qu'à moitié voir et deviner, par les deux portes demeurées ouvertes, Dad poussé dans un camion par deux soldats allemands. Par l'ouverture de la bâche relevée, ils entraperçurent d'autres visages, d'autres hommes arrêtés. Un soldat rabattit la bâche. Le milicien tapa sur le capot du plat de la main et, sautant sur le marchepied, annonça :

« Ça roule, on s'en va ! À la poste ! »

Le camion s'ébranla dans la neige, suivi par un autre camion allemand, et deux voitures qui passèrent devant la porte ouverte. Dans la première, conduite par un milicien, il y avait trois hommes. Celui qui était assis à côté du chauffeur et se tenait à demi tourné pour parler aux deux hommes assis à l'arrière, jeta un bref regard sur l'entrée du magasin et sa porte. Jeannot reconnut, sous l'ombre du feutre, le visage olivâtre de monsieur Raoul, ses yeux indifférents et lointains, sa chute de cheveux gominés. Dans la seconde voiture, ils entrevirent de hautes casquettes d'officiers allemands. Lorsque Josette et Jeannot osèrent s'avancer et jeter avec précaution un regard à l'extérieur, l'arrière de la dernière traction, avec sa roue de secours carénée, disparaissait, en tournant, au bout de la rue, au bout des traces des véhicules laissées dans la neige. Dad venait d'être « pris dans une rafle ».

La mère de Jeannot s'était assise. Les traits figés, le visage blanc, elle demeurait immobile, à peine posée sur le bord du canapé dans le salon. Elle se taisait, figée, frappée par le malheur et l'incompréhensible. Sa petite fille, en position instable devant elle, se dandinant et gazouillant, tirait sur sa robe de chambre. Dans la boutique et le salon, l'air froid du dehors avait tout envahi. Josette referma la porte d'entrée. La longue fêlure de la haute vitre semblait inscrite sur le paysage, sur le monde hostile, et le partager. Jeannot, à son tour, n'osa plus bouger dans cet épais silence du monde. Sa mère, sans un mot, sans une larme, sans une attention à sa fille qui jasait entre ses genoux, regardait fixement le vide obscur, idiot, du trou noir de ce placard dont la porte coulissante n'avait pas été refermée, et ne le serait jamais plus.

CHAPITRE XIII

Jeannot et sa mère ont pris place dans cette file qu'ont formée, au fur et à mesure de leur arrivée, les membres des familles des personnes arrêtées. Des gardes mobiles de la gendarmerie les ont fait s'aligner le long de la principale façade de la poste. De l'autre côté de la place, à peine à une vingtaine de mètres, il y a le commissariat, son escalier d'entrée, son perron, celui-là même devant lequel les appelés du STO ont, ce soir de mars pas si lointain, brûlé leur feuille de route. Les fenêtres, par ce jour bas d'hiver, sont demeurées éclairées. La place devant la poste forme, au cœur de la ville, une aire de dégagement, un rectangle pourvu de deux accès dans les deux angles opposés de sa diagonale. Les deux autres angles de la place sont fermés, l'un par des immeubles et le grand bâtiment de la poste elle-même, l'autre par l'encoignure des façades du commissariat.

La mère de Jeannot a préparé la petite valise pour Dad. Chemises, tricots, trousse de toilette, des paquets de cigarettes, et tout ce qu'elle a pu trouver comme nourriture pratique qui puisse si possible ne pas s'avarier trop vite. Elle a mis encore le seul livre qu'ils aient à la maison, un livre de poèmes, *Toi et moi*, de Paul Géraldy, un peu d'argent aussi, et une photo où ils sourient tous, un dimanche, dans un pré, sans oublier une paire de lunettes de rechange. Dad n'a pas bonne vue : sans lunettes, le monde pour lui devient flou à cinq mètres. Le milicien avait indiqué : « À la poste entre onze heures et midi. » Ils sont donc là, sur la neige tassée, à attendre, dans cette file d'une quarantaine de personnes. Comme ils sont arrivés parmi les premiers, ils se trouvent presque en début de file, contre l'une des deux hautes fenêtres de la poste. Ce qui leur permet de voir ce qui se passe parfois à l'intérieur. Sur la place, les camions du matin sont rangés, alignés le long du large accès de sortie, capots dans la direction de la Grande-Rue. Les voitures, elles, sont garées devant le commissariat. Deux autres voitures viennent d'arriver, d'où descendent des officiers allemands. L'un d'eux, le plus petit, doit être le plus important. À peine est-il parvenu en haut du perron qu'un autre officier s'est précipité pour lui donner du feu lorsqu'il a sorti une cigarette. En tirant ses premières bouffées, il regarde fixement la file de civils en train d'attendre le long de la poste. Il se met à discuter avec les autres officiers. À l'instant même de leur arrivée, un autre camion était venu se ranger sur la place. Quelques soldats allemands en sont descendus. Ils ont pris position le long du commissariat. Leur haleine fume au-dessus de leur casque. Le camion, après quelques manœuvres, s'est aligné en tête des autres. Dans la poste, Jeannot peut apercevoir trois miliciens et trois Allemands, installés en couples, à trois tables différentes. Devant eux, des lettres, des dossiers ; ils semblent avoir fini leur travail. Ils fument, plaisantent d'une table à l'autre. Une certaine agitation règne ; un milicien qui passe en courant revient sur ses pas ; d'autres se croisent à l'intérieur de la poste. Jeannot a bien essayé de voir Dad, mais tous les raflés du matin sont invisibles.

Du bâtiment de la poste, un gradé milicien vient de sortir en parlant haut. Il s'adresse à un autre gradé qui a marqué un temps d'arrêt avant d'apparaître à son tour. Il s'enquiert auprès de lui de ce qu'il faut faire exactement de ceux qui vont être relâchés. Ils passent tous les deux devant Jeannot, sa mère, et la petite valise de Dad posée sur la neige. Celui à qui la question vient d'être posée répond : « Je crois qu'il vaut mieux s'en assurer exactement auprès du capitaine Klaus Barbi-é. C'est plus prudent. » C'est ce que Jeannot a cru entendre. Le milicien n'a prononcé ni Barbier, ni Barbi, mais en séparant le *i* et le *é* : Barbi-é. En parlant, le gradé milicien a regardé du côté du perron, et il a montré, du menton, le groupe d'officiers allemands. Du coup, alors qu'il longeait la file, il n'a pas vu la petite valise qui dépassait sur la rue. Son pied l'a heurtée, manquant de le faire trébucher sur la neige glissante, à peine un début de faux pas. « Qu'est-ce que cette putain de saloperie de valoche fout par ici », a-t-il gueulé, en regardant au hasard les gens de la file d'attente, comme pour les prendre tous à témoin. Pendant qu'il finit de jurer et qu'il commence à se diriger vers le perron, l'autre ajoute, servile : « Surtout pour ce qu'elles vont leur servir, leurs valises ! » Ils s'esclaffent. Ils arrivent au perron, grimpent les marches, saluent et s'adressent au plus petit des officiers allemands. Celui dont on a allumé la cigarette. Ce doit être lui Klaus Barbi-é, se dit Jeannot en les observant. On peut le voir répondre. Dans la paume de sa main gauche gantée qu'il tient ouverte, il frappe, du tranchant de sa main droite tendue, avec de petits gestes perpendiculaires. Comme s'il sectionnait, comme s'il hachait.

Aussitôt, les gradés miliciens retournent dans la poste. Un instant après, deux camions font marche arrière. Ils stoppent quelques mètres avant la grande entrée du bâtiment. De chaque véhicule, un milicien descend, se dirige vers l'arrière, dégoupille de chaque côté les clavettes de la ridelle, et la rabat. Les camions, ouverts, sont prêts, bâches relevées. Un garde mobile vient s'adresser à la file de gens qui attendent : « Mettez les bagages que vous avez apportés sur le bord du trottoir. Ils vont être ramassés. Ils seront rendus plus tard à leur destinataire. Pour les noms qui vont suivre, vous pouvez repartir avec les bagages que vous avez apportés, les personnes nommées seront libérées ce soir. » Il lit trois ou quatre noms. Celui de Dad n'est pas dans la liste. Cela veut donc dire qu'il fait partie de ceux qui vont être emmenés. Paquets, valises, s'alignent : une cinquantaine, pitoyables sur la neige durcie. L'arrière ouvert du premier camion est à peine à quatre mètres. Les deux gardes mobiles qui sont chargés du ramassage ont vite fait d'y porter les quelques bagages et de les lancer au fond du véhicule. Un milicien se tient à l'angle du camion, jambes écartées, noir, le regard s'appliquant à être dur sous son large béret orné du petit fouet d'argent, siglé de ce gamma des amis de la croix gammée. Peu après, la grande porte de la poste est ouverte à deux battants. Les premiers raflés apparaissent. Parmi eux, Dad. Il n'a plus d'écharpe, ses cheveux sont en désordre, et il n'a plus son béret. Ses lunettes, de travers sur le nez, ont un verre cassé, et n'ont plus qu'une branche. Il tient ses bras devant lui : aux poignets, des menottes. Les « *Schnell, schnell !* » des Allemands, et les « Plus vite, plus vite ! » des miliciens s'entremêlent. Les raflés sont poussés dans les camions au fur et à mesure qu'ils montent. Juste avant que Dad ne grimpe, un pied sur le marchepied, alors qu'il attend que celui qui le précède ait pu enfin monter, et juste avant que n'arrive dans son dos la bourrade, Dad a le temps de jeter un regard vers eux. « Daddy », crie Jeannot. Sa mère ne dit rien, fait simplement le plus simple des signes, le plus discret, les yeux emplis de larmes, vers Dad dont le dos disparaît déjà dans le camion, tout au fond sous la bâche. Les derniers raflés, à leur tour, sont poussés dans le second camion. Un milicien et un Allemand, armés, montent dans chacun des véhicules. On les regarde s'installer au bout des banquettes, le fusil entre les jambes. Pour terminer, les ridelles, par deux gardes mobiles, sont relevées, les clavettes regoupillées, et les bâches en partie rabattues.

Aussitôt les camions s'ébranlent, suivis par les voitures. Le camion des gardes mobiles se prépare à partir, en dernier, pour fermer la colonne. Juste avant qu'il ne démarre, quelqu'un demande :

« Où les emmène-t-on ? Où on les emmène ?...

— À Lyon, au fort Montluc », répond le garde avec un air gêné.

Maintenant la place est vide. On voit de nombreuses traces de pneus emmêlées sur la neige. On voit, derrière les fenêtres du commissariat toujours éclairées, des ombres. On en voit une penchée sur un bureau, en train de téléphoner. On voit disparaître dans les rues de petits groupes de gens un peu plus courbés. Il fait, surtout, un froid total. La neige s'est remise à tomber. Elle continue, épaisse, dense, sur la vallée, sur les petites routes, et sur la route nationale qui redescend vers Lyon, vers des prisons insoupçonnées, vers des cachots impénétrables.

CHAPITRE XIV

Aucun livre lu, aucune image surgie de n'importe où, ne pourra jamais faire qu'un simple clou réel, enfoncé, grinçant de toute sa résistance à se laisser extraire, puisse, par leur simple pouvoir, être arraché.

C'était ce fossé entre l'idée et l'action, le réel et les mots, que Jeannot, dans ce matin de pluie fine dans un printemps glacé, découvrait, là, sur ce trottoir dans la Grande-Rue. Découverte qui s'était imposée lorsqu'il s'était mis à aider sa mère pour l'ouverture d'une caisse de vaisselle de porcelaine qu'on venait de lui livrer.

Il avait bien été obligé de retourner au lycée, d'abandonner sa mère à son désespoir. Douleur rongeuse qu'il ne pouvait ni soulager ni partager, mais ne pouvait, entre les murs de son internat, que tenter d'imaginer. Il y réfléchissait dans la nuit enfin venue, enfin épaisse, débarrassée de la présence des autres, au fond de l'immobile et vaste nuit des dortoirs, où le froid et le bruit du cœur tiennent éveillé.

Sa mère avait dû s'absenter plusieurs fois de Miyonnas, tentant, jusqu'à Vichy même, des démarches qui n'eurent aucun résultat. Les petites gens, lui avait-elle dit, amère et brisée, n'ont aucune chance auprès de ces gens gominés, supérieurs, bien à l'abri dans les bureaux de Vichy. Oui, de ces fils à papa planqués, de ces minables danseurs de tango, de ces buveurs de cognac charentais, que peuvent bien attendre des gens comme nous ? Si ce n'est d'autres coups ?

À cause des déplacements de sa mère, Jeannot avait dû patienter longtemps, presque deux mois, avant de pouvoir revenir passer quelques jours de congé chez lui. Pendant ce temps, il n'avait pu s'empêcher de se poser les premières questions maladroites sur les incertitudes de son futur. Devait-il poursuivre ses études dans son lycée, laissant sa mère seule dans la tourmente, ou bien se décider à l'abandon des livres, des professeurs, pour l'aider et travailler avec elle dans son magasin ? Deux seules voies claires dans sa tête : ou s'enfoncer davantage dans les livres, mener ses études jusqu'à cette chance d'être un jour bachelier, accéder dans la fierté, plus tard, à d'autres diplômes ; ou alors la boutique. Et Miyonnas à jamais, la vie de commerçant à blouse grise dans le capharnaüm du bazar, le banc tenu sur le bord du trottoir les jours de marché, la vie à venir lisse et close comme le fond d'un bol, banale comme un balai de paille.

La vie lui semblait révéler une force maligne à s'acharner sur lui. Son vrai père disparu, le séjour au préventorium, la terreur dans l'internat religieux, les foyers transitoires et passagers chez les oncles et les tantes, la guerre, l'horizon en folie, et à peine le monde paraissait-il s'être calmé et apaisé que Dad était arraché, emporté au loin, les laissant de nouveau en pleine tourmente indéfinie. Le monde n'était que faille brusque, gifle imprévue, trou noir engloutisseur. Comment lutter contre ça ? Il en venait à se dire que puisque la vie s'acharnait sur lui, pourquoi ne pas lui céder, après tout ? Ne valait-il pas mieux accepter, se laisser emporter ? Il serait avec sa mère dans sa douleur et, comme elle, dans le travail. Il oublierait ses vagues fiertés, ses petites poussées d'orgueil, abandonnerait les livres à d'autres, et sans doute, exactement comme sa mère, un jour, il surveillerait, dans un coin discret du magasin, derrière la vitrine, l'entrée improbable d'un client hésitant.

D'un autre côté, c'est Dad qui lui avait dit le jour du café et de la réussite de l'examen d'entrée : « Crois-moi, Jeannot, quoi qu'il arrive, continue jusqu'au bout. Finis tes études. Je n'ai vraiment que ça d'important à te dire. » Mais ce « quoi-qu'il-arrive » de Dad incluait-il ce qui leur arrivait aujourd'hui ?

Il découvrit aussi le remords, sa puissance et, dans cette situation actuelle, sa double face, sa double puissance inéluctable : remords d'abandonner les livres, ou remords d'abandonner sa mère à la solitude du malheur. Comme il sentait qu'il allait peut-être être contraint de quitter cet univers du savoir et des mots, il s'était appliqué, au lycée, à afficher que cet univers n'était plus le sien. Il marqua sa distance, il joua le mépris. « Tout de la connerie », disait-il à ses camarades. Il s'était donc mis à chahuter, à s'afficher comme un rebelle. Il fut vite atteint d'un autre remords. Celui de son mépris de commande pour les livres, surtout les littéraires, alors qu'ils n'étaient au fond de lui que sa seule passion, passion d'autant plus dévorante qu'il les ignorait tous, et que tous le sollicitaient.

Ce matin de congé à Miyonnas, il s'était décidé à filer chez ses copains, un peu pour le plaisir des retrouvailles, et surtout, sans le savoir, par malaise et lâcheté. Il avait envie d'échapper à ce silence qui régnait dans la maison depuis la rafle, au mutisme et à la prostration toujours larvée, chronique, de sa mère. Josette n'osait plus, ou bien moins, parler ou rire. Jeannot voyait bien qu'elle saisissait le plus souvent et le plus vite possible l'occasion d'aller promener sa sœur, laissant sa mère à sa fatigue et à ses pleurs soudains. Jeannot avait aussi surpris, un soir, un échange entre sa mère et Josette. Elles avaient bien été obligées de parler d'argent. Sa mère disait avec tristesse, doucement, qu'elle n'aurait plus les moyens de la garder, que tout était devenu trop difficile maintenant. Et Josette : « Non, non Madame. Je resterai pour vous aider jusqu'au retour de votre mari. Vous n'aurez qu'à me payer une seule moitié de mon salaire. Vous savez, je préfère ça à l'Assistance, et son placement Dieu sait où. Vous me réglerez l'autre moitié plus tard, quand votre mari sera revenu, lorsqu'il aura repris ses affaires. Comme ça, je pourrai continuer aussi mes études. » Cet arrangement lui révéla à quel point l'argent manquait à la maison. Jeannot ne percevait déjà que trop cette gêne environnante, cette difficulté à simplement vivre. Il ne savait que trop que son internat à lui, au lycée, coûtait, en regard de leurs très petits moyens, assez cher. Il se sentait donc une charge de plus dans les difficultés du jour, ce qui augmentait son malaise et le lancinement des questions qu'il se posait sur ce qu'il devait faire. Ce matin, dans l'attente de savoir comment demain trancherait, il avait choisi la fuite. La fuite vers ses copains, vers le café des Passagers où il y avait des rires, des lumières, des odeurs, des femmes maquillées, le bruit agréable de la vie.

Il avait attendu que sa mère parte pour le magasin avant de descendre de la soupente. Dans le couloir, ça sentait bon le gaz d'échappement de pétrolette tournant sur le banc d'essai, chez le mécanicien, de l'autre côté du galandage. Il expédia sa toilette sur l'évier de la cuisine, et son déjeuner, servi par Josette. Dans le peignoir qui s'écartait, il entrevit le sillon de ses seins vivants, à la fois proches et lointains, derrière le lait qu'elle versait dans son bol de café. Le souvenir du dortoir du lycée, tellement froid, administratif, sans tendresse, le traversa. S'il abandonnait le lycée, pensa-t-il, il pourrait voir Josette chaque matin, et revoir parfois, dans le couloir, ses seins bouger dans sa combinaison quand elle irait à sa toilette. Il avait chassé la vision, repoussé le bol, s'était dégagé de sa serviette et, en quelques minutes, enfui dans la rue pour aller rejoindre ses copains, le râblé Riri, le finaud Paco.

C'était en débouchant dans la Grande-Rue, à l'angle du Français, qu'il avait vu sa mère, sous la pluie fine, en train de frapper, maladroitement avec un marteau sur un pied de biche qu'elle n'arrivait pas à maîtriser, ni à maintenir sur le bord de la caisse qu'elle tentait d'ouvrir. Elle tournait le dos. Dans la rue déserte résonnaient les faibles coups hésitants du marteau. Elle était seule, courbée sur ce couvercle de caisse qui résistait de tous ses clous. Il lui sembla que tout montrait sous le ciel qu'elle n'était pas faite pour ça. Dans la rue s'étalaient trop sa détresse solitaire, son combat épuisant, au sein du vaste monde hostile. La course de Jeannot en fut stoppée net. Il courut vers elle : « Arrête, je vais t'aider, je vais le faire ! » Il oublia ses copains et son désir matinal de s'écarter du malheur. « Rentre, maman, ne reste pas comme ça dans la rue, je vais le faire. » Ne reste pas dans la rue. Oui, Jeannot avait tout à coup honte de ce trop de solitude, de ce trop de malheur de sa mère qui s'affichait aux yeux de tous, sur le trottoir, encore plus évident sous cette pluie, ce crachin lent, dans le calme creux du matin. Pourquoi tant de malheur sur eux ?

Les commerçants n'avaient pas le droit de laisser caisses et emballages trop longtemps encombrer le trottoir. Sur ce point, la police municipale se montrait très stricte. Aussi, dès le déballage fait, Dad traînait les caisses vidées de leur marchandise mais emplies de frisette, de cartons et papier, de rubans métalliques de cerclage, jusqu'aux jeux de boules du bas. Une fois dans la cave, il les démontait pour utiliser le bois. Jeannot se demanda qui avait fait cela depuis deux mois. Était-ce sa mère qui les avait traînées, devant tout le monde, l'échine courbée à tirer sur ces caisses lourdes et encombrantes dont le fond de planches accrochait et raclait le goudron de la rue ?

Sa mère se releva et remit en place ses cheveux, laissant son fils, malgré son jeune âge, s'emparer du marteau et du pied de biche. Une de ses mains saignait : « Je suis maladroite, dit-elle, et je ne sais pas manier cette maudite cisaille. » Elle s'était coupée avec un ruban de cerclage en acier qui, mal tranché, l'avait brusquement cinglée en lâchant.

« Maman, rentre, mets-toi à l'abri, va te soigner, je vais ouvrir ta caisse, tu vas voir :

— Tu sais, depuis... » (l'hésitation, le temps d'arrêt léger qui suivait le mot voulait dire : depuis l'arrestation de Dad, mais c'était devenu pour elle comme imprononçable, elle disait toujours à la place « depuis... » suivi d'un soupçon de silence, avant de continuer) « ... il a bien fallu que je les ouvre, ces caisses. Tu sais, en usine, j'en ai vu d'autres ! Mais puisque tu es là, pour ce matin j'accepte, je te laisse faire l'homme de la famille. » Elle l'embrassa. « Je vais aller me mettre quelque chose sur cette entaille. » Jeannot avait bien vu, dans le regard de sa mère vite détourné, monter les pleurs.

Ces pleurs, il savait qu'ils venaient aussi de plus loin que de cette situation de ce matin, de cette bataille humiliante d'une femme sous la pluie contre des clous et des cerclages récalcitrants. Ils venaient de tout ce que sa mère avait appris depuis le départ des camions sur la place de la Poste. Leur convoi n'était pas descendu directement à Lyon, comme il leur avait été dit. Les raflés avaient été débarqués des camions dès la prochaine petite ville distante d'une vingtaine de kilomètres et qui faisait office de gare de triage. Ils avaient dû traverser la ville à pied, jusqu'à l'extérieur de la gare, sous les coups de crosses, tout à l'extrémité des voies, où ils avaient été entassés et embarqués avec d'autres raflés dans des wagons à bestiaux. C'est dans ces wagons qu'ils avaient été conduits à Lyon, après un long détour de deux jours pour éviter les gares importantes et trop publiques, avant d'être finalement enfermés au fort de Montluc.

Depuis, aucune nouvelle. Sa mère s'était donc rendue à Vichy, où elle avait frappé à différentes portes, de bureau en bureau. Elle n'y avait croisé que des jeunes hommes sombres, gominés (« gominolés », disait toujours sa mère) aux sourires cruels, costumés « comme le Raoul du café des Passagers », avait-elle encore précisé. Après de belles paroles, ils l'avaient éconduite en lui affirmant qu'ils ne pouvaient rien faire pour elle. Elle avait aussi rencontré à Lyon un frère du père de Jeannot qui, ancien comédien et secrétaire d'une théâtreuse célèbre de Paris, connaissait un officier supérieur allemand qui, peut-être, tenterait à son tour... Ils en étaient là, à guetter un signe, l'arrivée d'une nouvelle. Mais le temps passant, le silence davantage occupait leur attente. Et les yeux clairs de sa mère restaient, le matin, bien plus longtemps rougis.

Le bois de la caisse était mouillé. Le bois qui avait gonflé serrait plus fort les clous. Quand le pied de biche, enfoncé à coups de marteau sous la tête des pointes, en soulevait une dans sa fente, chaque clou, sous l'effet de levier, émettait dans la rue un grincement strident à l'instant où il était arraché.

Jeannot ne put s'empêcher de penser que c'était ça la réalité : un clou qui grince, un clou qui s'entête dans du bois mouillé qui résiste, une caisse de deux cents kilos sur un trottoir. Même le plus beau des livres ne pourrait jamais rien contre la force réelle d'un seul clou dans du bois enfoncé. Il y avait des livres qui attendaient dans les bibliothèques, il y avait des caisses qui attendaient sur les trottoirs. Et ouvrir un livre ne ferait jamais saigner les mains comme ouvrir une caisse, ou scier un arbre, ou arracher des pierres.

Après tout, pourquoi ne pas quitter l'univers des livres, où il allait devoir courir pendant des années derrière des mots, des songes, des ombres, laissant sa mère affronter seule la dure réalité des caisses, le cisaillement des rubans d'acier, les longs clous grinçant dans le bois fichés, les tonnes de marchandises livrées. Les professeurs de lycée, trouvant que les élèves ne lisaient pas assez, leur assénaient : « Ça ne suffit pas de mettre des livres devant soi, il faut aussi savoir les ouvrir. » Mais savoir ouvrir un livre, savoir ouvrir une caisse, ça ne se rejoindrait jamais. Pour toujours cela resterait deux mondes à part. S'il choisissait les livres, lui serait dans l'un, et sa mère dans l'autre. Et tous les livres auraient alors un goût de remords. C'était d'ailleurs peut-être leur seul goût, leur seul point commun face aux malheurs du monde. Mais s'il choisissait les caisses et le marteau et la boutique, la réalité, maintenant, aurait pour lui, elle aussi, ce goût de regrets et de remords. Qui serait celui de n'avoir pas pu cheminer dans les livres. D'avoir trahi leur flamme ; et, plus tard, de l'avoir oubliée. Arrachant un nouveau clou qui avait émis sa plainte grinçante, il perçut avec acuité qu'il faudrait se décider à choisir. Il comprit, en un même mouvement, que choisir serait difficile, que choisir serait toujours déchirant, les choix toujours grinçants comme des clous arrachés.

Sa mère, après avoir soigné sa plaie, était revenue derrière la porte vitrée. Elle le regardait manier les outils. Il devina sa présence, et surprit son regard. Elle lui fit un petit signe, hocha un peu la tête, comme pour dire : c'est bien, tu te débrouilles bien. Elle entrouvrit la porte pour lui préciser : « Ta sœur, moi, Josette... dis-donc, tu es vraiment devenu l'homme de la famille maintenant. »

Ça aussi, comme les caisses, les assiettes, le marteau, c'était pesant. Quoi qu'il fît, quoi qu'il advînt plus tard de lui, il comprit qu'il ne pourrait pas se débattre, ni s'échapper, se sauver comme un animal. Quand il avait vu sa mère dans la rue, il avait senti comme infiltré en lui, comme lui appartenant, le froid des épaules maternelles, ses deux larmes glacées sur les joues, ses doigts gourds sous la pluie d'hiver. Il sentit en lui quelque chose de terrible, comme s'il venait d'épouser pour longtemps son malheur. Elle venait de lui transmettre sa solitude, sa douleur et, sans doute pour le reste de ses jours, encore plus terrible, son manque de chance.

CHAPITRE XV

Les traits du visage de sa mère s'étaient encore durcis. Il y avait comme du silex opaque dans le bleu de plus en plus assombri de ses yeux. Souvent son regard devenait fixe. Elle relevait une mèche de cheveux sombres sur son front plus pâle : « Il faut vivre jusqu'au retour de Dad, disait-elle, survivre malgré tout. Qu'il retrouve tout en place, lorsqu'il reviendra. On réglera les comptes plus tard. Mais on les réglera », ajoutait-elle de plus en plus souvent. « Les comptes. » Ce mot ouvrait dans l'air un mystère et une menace. Une fois, elle lui avait dit : « Dad a été dénoncé. Et je sais par qui. » Elle lui avait expliqué qu'un des hommes pris dans la rafle, et qui avait été relâché tout simplement parce que son nom avait été mal orthographié sur les listes, avait été dénoncé par la même personne qui avait dénoncé Dad. Dans les arguties soulevées à propos de l'orthographe de son nom, on lui avait mis une lettre sous le nez. Il avait vu en un éclair ce qu'il y avait à voir. Dès qu'il avait été remis en liberté, il l'avait prévenue. Maintenant, elle savait. Cette connaissance l'a consumait lentement, chaque jour plus profondément.

Les démarches qu'elle avait entreprises au cours de son voyage à Vichy ayant échoué, elle accepta en désespoir de cause la proposition d'une tentative de dernière chance que lui avait faite, dans une lettre enfin arrivée, le plus jeune des oncles de Jeannot. Par l'intermédiaire de cet officier allemand qu'il avait connu dans les milieux culturels de la capitale, lors de son secrétariat particulier auprès de son actrice célèbre, il avait pu obtenir un rendez-vous, avenue Berthelot, avec un officier de la Gestapo, qui pourrait peut-être faire quelque chose. Il lui conseillait d'accepter. Elle s'y résolut, malgré ses appréhensions.

C'était les vacances de Pâques. Jeannot se trouvait à Miyonnas. Sa mère l'emmena avec elle à Lyon afin de ne pas voyager seule. Elle le déposa chez sa grand-mère paternelle avec qui elle était restée en bons termes.

Elle prit à peine le temps de se refaire un brin de toilette, et partit avec l'oncle Henri. Celui-ci avait le même prénom que l'autre oncle tailleur de pierre et pourfendeur de curés. La ressemblance s'arrêtait là. Une allure de jeune homme gracile, des cheveux ondulés déjà teints, le pas vif, cet oncle de Lyon aimait par-dessus tout charmer, et minauder, de sa voix un tantinet précieuse, et d'une distinction qu'il s'appliquait à vouloir joueuse. De la fenêtre ouverte du quatrième étage Jeannot vit sa mère, si mince, et son oncle, si dansant, s'éloigner sur le trottoir du quai qui longeait le Rhône, dans cette fraîcheur d'un matin d'où montaient les odeurs du fleuve, des platanes et des pavés arrosés.

Tout était clair, aéré : le ciel, le printemps survenu, l'eau verte du fleuve, et, l'enjambant dans le soleil, les arches et les piliers en pierre du vieux pont romain de la Guillotière. En face, découpée sur l'horizon et sa colline mauve et bleutée, au-dessus de l'ocre léger du pont, se dressait l'église de Fourvière, avec, dans le ciel, entre ses tours et surplombant la ville et les vieux quartiers de Saint-Jean, son archange saint Michel à la lance étoilée. Jeannot attendit le retour de sa mère. Il regardait défiler les rares nuages sur la colline et la cathédrale, tout en écoutant sa grand-mère lui parler du maréchal et de ses ennemis ; et de sa tante Yvonne qui était partie, enfin, avec son parfum de cocotte, un beau matin. « Du côté de je ne sais quelle rue lamentable de Lyon, ou des poussières noires de Saint-Étienne, déménageant l'appartement de ton oncle. » Son oncle, le deuxième, Jean, avait alors fermé l'appartement et son cabinet. N'avait-il pas parlé d'aller rejoindre la Résistance, où se retrouveraient bientôt, affirmait-elle en hochant la tête et pleine d'admiration pour son fils, les vrais pétainistes qui, d'après elle, avaient toujours voulu sauver la France.

Jeannot regardait le ciel de Lyon, le soleil sur les toits et les platanes, et le petit square avec ses rares passants au pied de l'immeuble. Puis il se lança dans des dessins indécis sur cette feuille de papier à lettres que lui avait donnée sa grand-mère afin qu'il s'amuse à prendre des notes, ou à reproduire des gravures d'un grand livre sur l'empire colonial français qu'elle lui avait posé sur la table du salon.

Jeannot préférait l'Indochine à l'Afrique, c'était plus loin, plus étrange, plus résistant au regard et à ses interrogations. Il trouvait aussi les Indochinoises plus jolies que les Négresses. Et les Négresses plus jolies que les Françaises. Parce qu'elles étaient tout simplement d'ailleurs. Et comme le plus grand des ailleurs était vers l'Asie, il était le plus beau. C'était son intime hiérarchie. D'ailleurs l'ailleurs, pour lui, était toujours plus beau qu'ici. C'était peut-être stupide et faux dans le monde, mais vrai dans sa tête. C'était donc vrai. Où commençait l'ailleurs ? L'ailleurs commençait derrière la lance de l'archange sur la colline de Fourvière. Puis, après celle-là, derrière n'importe quelle colline, n'importe quelle montagne, d'où partait le vent sur le Rhône, dès que le vent par bonds vers le sud s'élançait.

Au milieu de croquis emmêlés de chapeaux coniques, de temples enfouis, d'yeux maladroits bridés sous de longs cheveux noirs, il se mit à écrire : G.E.S.T.A.P.O. Il souligna les lettres en les repassant au crayon. Sa mère lui avait dit que pour Dad, s'il lui fallait aller « *même à la Gestapo* », ce cauchemar de la police allemande, elle irait. Puis il eut honte de ces lettres sur sa page, et peur que sa mère, ou que sa grand-mère, ne les vît, et il les surchargea de noir. Il les engloutit finalement dans un mur d'ombre, dessina des feuillages autour. Il y ajouta un drapeau français qui flottait dans l'air, dépassant les frondaisons naïves. Il rajouta, retournant à ses rêves, une silhouette d'Indochinoise qui s'approchait du mur. Il s'attarda à des courbes qui bombaient la veste longue. Puis il raya le tout, froissa la feuille et la jeta par la fenêtre ouverte. Il entendit sa grand-mère qui annonçait : « Notre traiteur nous a fait une faveur, nous avons pu avoir des quenelles, on va les préparer, car ton oncle et ta mère ne vont pas tarder à arriver. »

À leur retour, sa mère ne put rien dire. Son visage paraissait cette fois d'une pâleur grisâtre et bilieuse. L'oncle Henri fit comprendre à voix contenue, par bribes, que la matinée avait été épouvantable, et qu'il valait mieux que sa mère aille se reposer. Sa mère fit oui de la tête et, muette, s'enferma dans l'alcôve. La table dans le salon, avec ses couverts mis, demeura vide. Son oncle et sa grand-mère se retirèrent peu après dans la cuisine, et poussèrent simplement la porte sur eux, sans la fermer. Depuis la chambre exiguë qui était la sienne lorsqu'il venait ici, dans laquelle il venait de se retirer, et dont la porte jouxtait celle de la cuisine, Jeannot n'eut pas de mal à saisir leurs propos.

« Comment ça s'est passé ? s'enquit sa grand-mère.

— Affreux ! ça a été affreux », répondit l'oncle Henri. Sa voix était nouée et inhabituelle.

Il expliqua que le plus dur n'avait pas été l'entrevue elle-même avec l'officier, glacial, cassant, un peu trop correct, très allemand. Ni même le fait qu'il leur avait annoncé qu'il n'y avait aucun espoir de libération de Dad, qui, d'après cet officier, avait même déjà dû quitter le fort Monluc, ou était en tout cas sur le point imminent d'être transféré dans la région parisienne, à Compiègne, avant son départ pour l'Allemagne. Le dossier était donc clos. Avant de venir demander une aide auprès des autorités allemandes, avait-il fait remarquer, il aurait été préférable que son mari ait su éviter certaines activités interdites, et se garder de tenir en public des propos déplacés sur l'Allemagne. Non, le plus dur avait été l'attente dans ces hauts et longs couloirs de l'ancienne école de médecine militaire devenue la centrale de la Gestapo. Trois ou quatre fois, alors qu'ils attendaient sur leur banquette dans un long couloir vide aux hautes fenêtres donnant sur la cour, étaient passés devant eux, soutenus sous les bras, ou portés sur des brancards, des hommes, aux habits couverts de sang séché, dont les visages tuméfiés et roués de coups disparaissaient sous les plaies et les croûtes. Ils étaient conduits vers d'autres salles s'ouvrant le long du couloir, où ils disparaissaient, dans un brouhaha de mots allemands, le temps que les portes vitrées occultées de bleu ne se referment sur eux et les voix étouffées.

Le plus insupportable avait été qu'une fois deux soldats allemands avaient déposé à même le sol, presque devant eux, un brancard où avait été jeté un interrogé. L'un d'eux avait ouvert une porte, et demandé une confirmation. Henri, qui parlait l'allemand, avait compris qu'il indiquait que le type qu'ils transportaient était vraiment « en très mauvais état » et il voulait savoir ce qu'il fallait en faire. Pendant que le soldat demandait ces renseignements, le prisonnier sur son brancard, sur le carrelage, là, à leurs pieds, à quelques pas, avait lentement, dans son visage de plaies et de boursouflures, ouvert sur eux un œil. Nade s'était agrippée au bras d'Henri. Incapable de soutenir ce regard revenu à la conscience du fond de ses abîmes, elle avait tourné la tête contre le mur. Elle tremblait tellement fort qu'elle avait failli s'évanouir. Ce regard, qui avait essayé de saisir quelque chose sur son visage de femme, s'était renglouti sous l'œil refermé, et le brancard, resoulevé, était reparti.

C'est alors qu'ils avaient été invités à pénétrer dans le bureau de l'officier ; mais la mère de Jeannot avait été si ébranlée par ce visage martyrisé, ce regard qui s'était accroché à elle, que toute sa force l'avait quittée. Dans le bureau elle avait à peine pu parler. Lorsqu'ils s'étaient séparés, l'officier allemand, s'inclinant, avait conclu en souriant : « Rassurez-vous pour votre mari, madame, une déportation en Allemagne n'est après tout pas si terrible. Croyez-moi. L'Allemagne prend un soin tout spécial de ses prisonniers. Après sa peine d'emprisonnement, car nous n'allons pas toujours le garder, vous verrez il reviendra, j'en suis certain, convaincu de la juste cause de l'Allemagne. On finit toujours par être convaincu de la juste cause de l'Allemagne, n'est-ce pas ? »

« Cet officier avait l'air très bien, très correct, redit plusieurs fois l'oncle Henri. La déportation ne sera peut-être pas si dure que ça. Après tout, on ne sait pas exactement comment ça se passe là-bas. Pourtant si tu avais vu ce visage, et le regard de cet œil dans ce visage ! »

Ils se turent pendant quelques minutes. Puis Jeannot entendit la voix de sa grand-mère : « C'est gênant, mais ces quenelles ? Elles sont tellement gonflées à point qu'on devrait quand même passer à table ! » La vie ordinaire — le ventre banal — sur le chaos du monde reprenait ses droits. Quelques instants plus tard, quand son oncle versa sur la quenelle de Jeannot une abondante louche de sauce financière d'un beau rouge-brun, Jeannot, sans savoir pourquoi, repoussa l'assiette.

La nuit, dans son étroit lit de dépannage, il se débattit. Il voyait de dos les épaules d'un homme en uniforme, gris, noir, sous le vasistas qui donnait sur la haute cour sombre en cheminée. Avec les insignes de l' « ordre », disait la voix dans son rêve. Cet homme se penchait sur un autre qui rampait pour avancer, sans pouvoir y parvenir, plombé, en un surplace épuisant, ligoté à un brancard qui avait été cloué sur le plancher. Il voulait rentrer. L'homme en uniforme le retenait, ou le tirait, le soulevait par les habits et les cheveux. Épuisé, l'homme s'était retourné. Il avait un œil dans des croûtes. Et, sur ces croûtes, des lunettes cassées. C'étaient les lunettes de Dad, sur un visage inconnu. Le visage exprimait la lassitude et la terreur : il était dégoulinant de sauce financière que l'oncle Henri, lui aussi en officier très correct, versait avec une « louche ». Ce fut pour Jeannot son premier rêve d'homme traqué et torturé, son premier rêve de tortionnaire et d'hommes en uniforme, le premier de tous ceux qui allaient, année après année, sous des configurations diverses, accompagner sa vie et se lever sans fin de ses nuits.

CHAPITRE XVI

Le lendemain matin fut pour tous matinée de surprise. À un discret coup de sonnette, ils virent, dans le chambranle de la porte, après qu'Henri eut ouvert, son frère, l'oncle Jean, le mari de l'enfuie tante Yvonne. Autant se révélait chez l'oncle Henri le jeune homme gracile aux manières efféminées, autant, chez l'oncle Jean, tout affichait le bourlingueur militaire décontracté et impassible. Des lèvres pulpeuses, un peu plus que la normale, dévoilaient, dans un sourire tendre de jouisseur, lorsqu'elles se déplissaient, un sourire de carnassier. Un large béret militaire coiffait sa tête, un imperméable mastic sanglé à la taille drapait son corps massif. Ses mains étaient gantées de cuir. Comme il avait disparu de chez lui depuis plus de deux mois, la grand-mère de Jeannot s'attendait à tout, dans l'encadrement de la porte, sauf à cette apparition de son fils préféré. Surtout dans cette tenue annonçant un peu trop le combattant, et surtout en plein jour, et surtout sans se cacher.

« Jean !, mon petit !, s'écria-t-elle. Mais que fais-tu là ? Entre. Entre. Ah ! tu finiras par faire mourir mon vieux cœur qui n'en peut plus ! »

Bien qu'elle soumît sans cesse tout le monde au chantage de ses troubles cardiaques, son fils la plaisanta sur l'état de son cœur, lui disant gentiment, pendant qu'il la serrait dans ses bras, que même la guerre et toutes ses bombes n'en viendraient pas à bout.

Jean ne cacha même pas ses contacts avec la Résistance. Gouailleur, affichant une indifférence nonchalante, il prétendait que ça ne servait à rien de se cacher. Porter une espèce de tenue vaguement militaire proche après tout de celle d'un quelconque pétainiste « de ton horrible Légion » — taquina-t-il sa mère — lui apparaissait comme le moyen le plus sûr de passer inaperçu. Passer à la fois pour ce qu'il était et ce qu'il n'était pas était sa protection. D'ailleurs, en 39-40, cela avait été son genre, et son genre de guerre, d'aller au-devant du danger et des balles avec son indifférence à la fois paresseuse et très ironique. Ce qui, par contrecoup, n'avait eu pour résultat que de le propulser plus vite dans les grades supérieurs. Dans ses nouveaux combats, il continuerait selon son style, disait-il négligemment en riant.

Déjà préféré de sa mère, il aimait en être également le héros. Mais en même temps, il s'amusait aussi à savourer le pouvoir qu'il avait de faire rosir d'émotion ou de sentiments peu clairs les joues de la mère de Jeannot. Il répondait à leurs questions en se moquant, mais en maintenant tout de même les mystères et l'esquive que sa nouvelle situation imposait.

Il expliqua, sans trop de précisions, qu'il devait rencontrer certaines personnes. Comme cette rencontre devait avoir lieu dans un de ces « bouchons » situés dans les ruelles derrière le petit square qui se trouvait au pied de l'immeuble, il avait décidé de les inviter tous au restaurant, un « mâchon » juste à côté qui faisait encore des miracles. La mère de Jeannot voulut décliner l'offre. « Venez, Adèle, lui demanda-t-il plus doucement, faites l'effort de venir. La vie de tous est ombre et lumière en ce moment. La vie de tous doit continuer, il le faut. Et Jeannot en a tellement envie, et il sera tellement content. » L'oncle Jean avait été mis au courant de l'entrevue de la veille à la Gestapo. Il sut trouver les mots pour la convaincre, et annonça qu'il était déjà passé au restaurant : la table était réservée. Jeannot était fou de joie : pour la première fois de sa vie, il irait manger dans un restaurant.

Lorsque ce fut lui qui appuya sur le loquet et ouvrit la porte vitrée aux petits rideaux qui carillonna, son excitation lui fit battre le cœur et briller les yeux. Midi était passé d'une bonne demi-heure. Le brouhaha soutenu des voix déboula sur le trottoir, incongru dans le calme de la rue. Intimidé, Jeannot demeura saisi sur le seuil. « Allez, entre, dit l'oncle Jean, nous te suivons ! » Il entra, poussé par le sourire moelleux aux babines retroussées et par l'imperméable vaste et protecteur de cet oncle Jean qui n'avait peur de rien.

Lorsque les plats choisis furent apportés et le repas bien en cours, l'oncle Jean se leva pour aller saluer quatre hommes qui mangeaient à une table voisine. Puis il s'assit à leur table pour causer avec eux. Entre les passages des plats dans la salle, carrousel odorant de saucissons chauds, de salades de pommes de terre au cervelas, de cardons et salsifis au jus, l'oncle Henri, lui, observait depuis quelque temps et plus assidûment les visages de cette table où s'était rendu son frère aîné. Il prit son air mystérieux et précieux qui annonçait qu'il allait avoir quelque chose à révéler.

N'y tenant plus, il se pencha en travers de la table vers la mère et la grand-mère de Jeannot pour leur annoncer que les visages à côté ne lui étaient pas tout à fait inconnus. Les personnages avec qui parlait l'oncle Jean, il était à peu près certain d'avoir déjà eu l'occasion de les croiser à Paris. Dieu sait dans quel cocktail !, soupira-t-il, les yeux au plafond, comme si le seul souvenir de leur grand nombre suffisait à l'accabler.

Paris, et le Tout-Paris, de son après tout si proche jeunesse, était la spécialité de l'oncle Henri. Sa jeunesse un peu bohème dans la capitale, sa carrière de comédien sans succès aux côtés d'acteurs célèbres, le secrétariat qu'il avait tenu pendant plus de deux ans auprès de la plus excentrique des femmes de théâtre, figure centrale des mondanités parisiennes, avaient fait de lui, à leurs yeux provinciaux facilement éblouis, l'autorité familiale suprême et incontournable des mystères de la capitale.

Se penchant de nouveau vers eux, et avec ce genre de voix retenue qui diffuse un secret, il leur confia que, bien sûr, c'était

ça : ceux qui parlaient avec son frère, il les avait croisés à Paris :
« Des surréalistes ! Des poètes surréalistes ! » asséna-t-il, excité et
triomphant. Jeannot ne put s'empêcher de s'enquérir de ce mot
nouveau tombé si brutalement sur leur table. À la seule profération de ce vocable, sa grand-mère eut l'air d'entrer brusquement
en colère.

« Surréalistes ? Des idiots de Parisiens totalement décadents
qui font n'importe quoi pour se rendre intéressants et célèbres »,
trancha, en guise d'explication pour lui et toute leur table, sa
grand-mère au cou gonflé s'empourprant brutalement au-dessus
de son col blanc de dentelle posé à plat sur sa robe noire. Elle
renchérit même, de l'air de quelqu'un qui savait et ne voulait pas
s'étendre : « La France a été bien patiente avec leurs pitreries
lamentables et leur art de fou, bien patiente ! » Bien que Jeannot
adorât sa grand-mère, le fait qu'ils ne lui plaisent pas les rendaient déjà intéressants à ses yeux.

L'oncle Henri, qui décidément semblait connaître tout et
beaucoup de choses sur les amitiés des jeunes hommes à Paris,
ajouta, en s'adressant à la mère de Jeannot, un peu plus minau-
dier et presque battant des cils, « qu'on prétendait même que
l'un d'eux, vous voyez , le plus brun, le plus enveloppé, serait un
jeune ami de Gide, vous savez le grand écrivain. Je l'ai croisé
quelquefois à la *NRF* dans des réceptions. » Jeannot n'osa pas
encore demander ce qu'était la *NRF* et Gide, craignant que l'un
et l'autre ne soient également coupables d'autres pitreries déca-
dentes, ou pire.

Il contempla les personnages de cette table devenus le sujet de
leur conversation. L'oncle Henri tentait vainement de retrouver
leurs noms, qui lui échappaient, bien que l'un de leurs voisins,
pourtant, fût déjà, affirmait-il, quelque peu célèbre dans la capitale, dans les lettres s'entend.

Le regard d'un de ces étranges poètes de Paris — de celui,
justement, supposé le plus connu — était bleu-gris, transparent
et violent comme un ciel d'hiver glacé sur le Rhône. Son visage,
un peu féminin, avait quelque chose de celui de l'oncle Henri.

Mais bien que vulnérable et mobile, une colère sourde y frémissait sans cesse sous des sourires d'assassin brusques et brefs qui marquaient l'envie de plaire. Les mains étaient longues, nerveuses, vives dans l'accompagnement des paroles. Un peu cassé, un grand front en avant se dégageant des cheveux courts peignés et tirés en arrière, il parlait, vibrant d'une violence contenue.

Son vis-à-vis, lui, semblait plus froid, à part, gardant ses distances. Son grand nez busqué tranchait sur son visage étroit, sans pommettes, aux joues creuses émaciées, au teint fatigué. Ses lèvres charnues, ses rares sourires sans retenue marquaient seuls sa jeunesse, que trahissait aussi son impatience à fumer, presque maladive. Il ne semblait guère s'intéresser aux propos de celui qui parlait, affichant au contraire un écart énervé et distrait, voire de l'hostilité. Ses yeux rapprochés, au regard aigu d'oiseau de proie, fixaient la salle. Un instant ce regard croisa celui de Jeannot. Intimidé, comme pris en faute, en flagrant délit de curiosité et d'indiscrétion, Jeannot ne put soutenir ce regard à la fois indifférent et attentif, fixe et vacillant, et d'une telle intensité. Il baissa les yeux.

Sa grand-mère lui avait offert, il y avait peu, un vieux et gros livre, relié en cuir, de sa bibliothèque : les poésies complètes d'Alfred de Musset. Ces jeunes hommes, dans ce « bouchon » enfumé, étaient, pour lui, comme des Musset, étaient des Musset ; étaient les Musset de maintenant. Il brûlait d'envie de les observer de nouveau mais n'osait plus à cause de ce regard fixe et halluciné qui s'était accroché au sien. Il regarda quand même encore, à la dérobée et sur ses gardes : il trouva que les poètes, les écrivains, bien qu'étant des hommes ordinaires, étaient beaux, d'une beauté qu'il n'avait pas encore rencontrée autour de lui. Il se demanda pourquoi, cette étrange beauté brûlante dans leurs traits ; mais sa question demeura sans réponse. Alors son regard revint à son oncle Henri en train de minauder sur ses vieux souvenirs de Paris.

L'oncle Jean, après sa conversation, regagna leur table.

125

L'homme le plus grand, dont l'oncle Henri ne connaissait pas le nom, l'accompagna tout en se dirigeant vers la sortie. Il avait déjà mis son chapeau. L'oncle Jean le présenta : un ami de Lyon. L'homme souleva son feutre, déclina son nom : René Tavernier, les salua de quelques mots, et grand, massif, le dos légèrement voûté, les laissa à leur conversation. La porte se referma sur lui. Peu après, ceux qui étaient à sa table se levèrent aussi, sortirent, et on les vit, derrière les rideaux, se séparer sur l'étroit trottoir de la ruelle, avant de disparaître dans des directions différentes et la lumière froide de Lyon.

« Parrain, parrain , dit Jeannot, on sait qui c'était ! C'étaient des poètes surréalistes ! » La lèvre supérieure de l'oncle Jean se leva aux deux commissures de sa bouche, découvrant son sourire carnassier et moqueur. « Ah bon ! pas possible ! ça alors ! » L'oncle Henri s'empressa de tout expliquer : les pitreries, les réceptions, les cocktails, les ragots. L'oncle Jean, qui avait allumé comme à l'accoutumée un petit cigare en prenant son temps, réfléchit, caché à l'intérieur de sa fumée expirée.

« Tu dois te tromper », dit-il doucement à son frère en le regardant d'une manière plus appuyée. Ses lèvres pulpeuses et rouges sourirent à nouveau : « Quoique, à notre époque, tout le monde soit un peu poupée russe, non ? Quand on ouvre, il y en a un autre à l'intérieur, puis encore un autre. En ce moment, on ne sait jamais vraiment qui est qui, hein petit frère ? » Avec attention et délicatesse, il expira un nouveau et délicat nuage de fumée qu'il regarda s'élever.

Son regard revint à Jeannot dont il avait perçu la désillusion : « Mais ne sois pas déçu mon vieux filleul ! Quelque chose me dit que peut-être ce sont bien pourtant les drôles de poètes dont nous parle ton oncle. Tu le sauras un jour, qui sait ? Quand tu seras plus vieux, les routes de tous ceux qui étaient là vont peut-être recouper la tienne ? Tous vos chemins, peut-être, vont se recroiser ? Ici, ou à Paris, ou quelque part dans le monde. Allez savoir... »

Il avait mis sa main sur l'épaule de Jeannot, et il lâcha cette fois avec habileté la fumée de son cigarillo en deux ronds réussis, qui s'élevèrent, signes fragiles, sous le plafond noirci du « bouchon ». L'un d'eux se fissura, s'ouvrit, se déforma et, au-dessus de leur table, comme un impalpable point d'interrogation, flotta suspendu.

CHAPITRE XVII

Au lycée, comme dans les familles, les rumeurs de combat grandirent. Lorsque par chance Jeannot n'était pas « consigné » et condamné à rester le dimanche au lycée pour y effectuer des punitions fastidieuses, il faisait provision, ici ou là, dans les rues de Miyonnas, d'échos de combats assez proches, d'histoires de granges brûlées dans la montagne, de personnes fusillées, de camions attaqués. Joints à d'autres nouvelles rapportées par d'autres internes au retour du dimanche soir, parlant de voies ferrées qui avaient sauté, de parachutages nocturnes dans des prairies derrière les fermes, ces récits prenaient dans leurs têtes énervées une ampleur, un brûlant, qui dépassait la réalité. Un interne, revenu de sa Bresse brumeuse, avait même rapporté trois douilles de balles de mitrailleuse ; un autre, un morceau de cordelette de nylon blanche, partie intégrante, affirmait-il, d'un parachute américain tombé du ciel dans un bois près de sa ferme. Lors des interminables récréations d'internat du soir, ils avaient pris l'habitude de descendre en cachette dans la pénombre des abris. À la faible lueur d'une lampe de poche, ils se montrèrent, un soir, ces vestiges de luttes obscures. Chuchotant dans leur abri, comme les premiers chrétiens dans les catacombes, ils s'étaient passé de main en main ces nouvelles reliques pour les contempler et les étudier.

Pour égaler aux yeux de ses copains la puissance talismanique des balles et de la cordelette, Jeannot, au retour d'une grande sortie, décida de leur montrer une carte, une carte postale sans image, un rectangle de papier-carton sans tenue, pâle et pauvre, strié de signes allemands. Sa mère la lui avait donnée pour qu'il la mette dans son portefeuille, car c'était l'un des trois seuls signes qu'elle avait reçus de Dad depuis son départ de Compiègne, en février, dans un convoi de déportés pour l'Allemagne.

Cette carte n'avait pas été le premier signe de vie de Dad qui lui soit parvenu. Elle avait reçu d'abord un morceau de feuille mal déchirée, marqué de plis, glissé dans une enveloppe venue de Lorraine. Il avait été transmis par un cheminot qui, expliquait-il, l'avait trouvé sur la voie et le faisait suivre où il lui était demandé de le faire. La lettre était écrite au crayon. Dad indiquait son transfert en Allemagne ; « très dur », ajoutait-il. Il racontait aussi qu'il aurait pu s'échapper du wagon, qu'il avait eu la possibilité de sauter du train, mais qu'il ne l'avait pas fait, à la demande des autres déportés. Ils craignaient de terribles représailles et d'être fusillés. Ils préféraient subir les conditions qui les attendaient en Allemagne, qui, après tout, ne seraient que de l'ordre de celles que subissent les prisonniers de guerre. Dad lui indiquait qu'il avait longtemps hésité, étant donné ce qu'il avait déjà enduré à Montluc. Il restait bref sur ce sujet car, bien qu'il eût écrit le plus petit possible, le bout de papier n'était pas infini. Il lui demandait donc d'avoir du courage, il ajoutait que souvent la nuit il revoyait ses yeux, vastes, qui le regardaient, et l'aideraient à tenir jusqu'à son retour.

Dans l'absence totale de nouvelles un peu certaines, ce bout de papier, arrivé jusqu'ici depuis sa chute sur la voie ferrée dans la nuit des Marches de l'Est, avait apporté à sa mère au moins une information concrète, palpable. Dad était toujours en vie, même si c'était dans un simple wagon de bois en route pour l'Allemagne. « Tu te rends compte, avait commenté doucement sa mère, entassés en plein hiver dans des wagons à bestiaux, pendant qu'il y en a qui s'empiffrent bien au chaud dans les restaurants de Vichy. » Et son regard était resté fixé sur la rue par où, l'hiver dernier, Dad, arrêté, dans son camion avait disparu.

Puis elle avait reçu deux cartes-lettres, à deux mois d'écart, envoyées — si l'on cherchait bien sur l'oblitération et les différents intitulés ordonnant leur espace — d'une petite ville qui s'appelait Mauthausen, près de Vienne. Vienne, la ville du bonheur de vivre, des valses et des pâtisseries, lui avait indiqué son professeur d'allemand. Ils eurent beau tenter de localiser Mauthausen sur la modeste carte d'Allemagne qu'ils possédaient, ils furent incapables de la trouver. Mauthausen resta un lieu vague, indéfini, dans l'obscur, dans ce brouillard inquiétant que représentait l'Allemagne. Dad était quelque part englouti dans cet univers gris au bord des flonflons d'orchestre et des gâteaux à la crème trop sucrés. Les deux cartes-lettres étaient rigoureusement semblables, même indications portées, même texte posé dans le cadre requis. Simplement, dans les intitulés et le timbre imprimés, l'une était d'un bleu-vert, l'autre d'un rouge grenat bruni. C'était celle-ci que sa mère lui avait donnée, et qu'il avait décidé de montrer à ses copains dans la nuit de l'abri. Ils rêvèrent un bref instant sur ce morceau de camp allemand arrivé entre leurs doigts, morceau de papier banal, muet, et insondable.

Espèce de vague carte postale aux lettres gothiques à griffes, au papier-carton d'un blafard usé, au timbre rouge tamponné de « Wien », avec la tête d'Hitler en profil. Après *Gusen II Mauthausen*, s'ajoutait, juste sous « *meine genaue Anschrift* », le nom de Dad suivi de : N° 59684 15 block 44. Sous « *Nur die Zeilen beschreiben* » frappé d'un vigoureux point exclamatif (!), il y avait le nom de sa mère, et leur adresse à Miyonnas. Et Dad, qui n'avait jamais su le moindre mot d'allemand, avait écrit de son écriture qu'on reconnaissait à peine, tant elle tremblait, cassée et heurtée, après « Texte » : « *Ich bin immer gesund und die Moral ist ausgezeichnet !* » Traduction du professeur d'allemand : « Je suis toujours en bonne santé et le moral est resplendissant ! » — de nouveau avec un autre point d'exclamation qui assénait sa joie : resplendissant *! —* han ! Comme sur l'affiche placardée dans la rue du lycée : « Votre famille sera heureuse *! —* han ! L'Allemagne défend l'Europe *! —* han ! Travaillez en Allemagne *! —* han ! », sur laquelle on pouvait voir une femme, cheveux au vent et sourire aux lèvres, qui tenait dans les bras une petite fille qui ressemblait à sa sœur (et c'est pourquoi Jeannot la regardait chaque fois) pendant que, bien plus petit et très loin, comme dans une bulle nuageuse, courbé sur ses machines, un homme en demi-plan s'activait avec des outils — pince d'une main, clé de l'autre — au centre d'un rayonnement glorieux explosant au-dessus des cheveux de la femme. Le bonheur, la joie, au loin dans le travail technique allemand. Dans les camps *! —* han ! Dans cette vie où tant de gens pleuraient et se taisaient, seuls les points d'exclamation, lancés à l'assaut de toute leur autorité, semblaient sans crainte et triomphants. Allemagne *!* Heureuse *!* Europe *!* Ausgezeichnet *!* Lettre sèche, lettre nette, ausgezeichnet *!*

Des balles du maquis, de la cordelette de parachute, une carte d'un camp de déportés, ils ne pouvaient deviner que la guerre venait de déposer sous leurs yeux trois de ses signes les plus durs. D'ailleurs, la guerre, si l'on en croyait ce qui se disait de plus en plus ouvertement dans les salles d'études et les cours de récréation, ne faisait que s'intensifier. De moins en moins à leurs études, leurs têtes étaient de plus en plus énervées. La vie, l'histoire, proches d'eux à les toucher, répandaient des parfums plus forts que ceux de leurs livres. Enfin, un jour, sans même que les élèves des petites classes puissent s'en rendre compte, les élèves-maîtres, les futurs instituteurs préparant le baccalauréat, réunis dans une salle de classe pour passer un test ou une composition, furent tous arrêtés, sur place, en un quart d'heure à peine, par des miliciens et des soldats allemands. La stupeur frappa, ce soir-là, les cours et les réfectoires, et le silence gagna les allées des dortoirs.

Le lendemain, le proviseur décida d'avancer la fermeture du lycée. Ce serait dès la fin de la semaine, plus d'un mois avant les grandes vacances. Tous les internes devraient rentrer chez eux.

Cette dernière semaine, avec ce retour précipité dans les familles qu'elle impliquait, se passa dans le plus doux et le plus total des énervements. On était en mai, le temps était splendide et chaud. Les glycines épaisses, au mur blanc des études, s'étendaient, ployaient et cascadaient en grappes, mauve muraille odorante dans la cour, sur les façades exposées au midi. Le soir, déjà, vers la fin de la première étude, lorsque, soleil disparu, le ciel s'agrandissait limpide et rose, les martinets criaient et passaient en flèches noires devant les fenêtres, au ras des toits, déclenchant des vagues de mélancolie dans leurs cœurs d'enfants entrés en adolescence. Des bribes de phrases de piano, venues de l'autre côté de la rue, du côté de l'internat religieux des filles, achevaient de plonger Jeannot dans un état d'absence et de rêverie dévastatrice. Il n'était plus là, échappé à cette étude aux tables noires, aux fenêtres ouvertes striées de barreaux, aux blouses grises déchirées. Quelque chose, dans l'air, ailleurs, au-dehors, parlait de choses douces, à tenir, à serrer, d'un bonheur possible qui devait tout de même bien exister quelque part. Où ? — il n'en avait aucune idée. C'était cet inconnu, cette indécision mêlés à ces infimes, odorantes, musicales et stridentes évidences qui le déchiraient. Pourtant la vie ne se révélait que combats, malgré le printemps tiède, les glycines torturantes, et les airs de piano étouffés des jeunes filles enfermées.

À la fin de la semaine, sa valise d'interne ficelée, il prit le chemin de Miyonnas dans une ambiance de départ exceptionnel. La voie ferrée venait d'être condamnée. Un car spécial avait été frété, qui déposait les internes tout le long de la route. En plein mai, dans cette province devenue un peu folle, la prochaine rentrée semblait reculer, se perdre dans un inconnu insondable. La vie, un jour, aurait-elle enfin un ordre apaisé, un sens rassurant ? Y aurait-il seulement, un jour, une rentrée ? Sur le chemin du retour, en haut de ces mêmes lacets qu'il avait parcourus avec Dad dans sa vieille auto au radiateur fumant, au début de la guerre, il aperçut, par la vitre du car, au bout d'une prairie, les ruines d'une ferme incendiée. Lorsque le car commença sa descente, il se retourna pour la regarder encore. Dès le premier virage les herbes la masquèrent. De leur vague mouvante de marguerites et de coquelicots ne dépassèrent plus, pendant un instant, que les poutres noires. Trois corneilles s'en détachèrent qui, ramant l'air, s'enfuirent vers la forêt.

CHAPITRE XVIII

Les derniers jours de mai furent de nouveau de toute beauté. Dignes des fleurs de la prairie des hautes granges brûlées. Depuis la guerre, plus la mort rôdait, semait à la volée dans les campagnes, plus les étés imposaient avec acharnement leur splendeur. Cet été si pur, malgré ces troubles, poussait à s'échapper de la ville. Un jour, par des connaissances de sa mère, vieux amis fidèles de Dad, qui voulaient l'aider dans son chagrin et lui changer les idées, ils furent invités à déjeuner. Ils passeraient l'après-midi du dimanche à la campagne, dans la maison d'un autre ami, qui se ferait un plaisir de tous les recevoir. Leur maison, au bord d'une petite rivière, quelques kilomètres après Miyonnas dans les environs de Someyetan, était une grosse bâtisse jurassienne, trapue, large toit montagnard descendant très bas, qui abritait aussi l'importante scierie familiale qui les faisait vivre.

Il se trouvait que l'un des fils du propriétaire de la scierie était étudiant. Il venait de terminer ses études pour être professeur de philosophie dans les lycées. Il serait très bientôt professeur — si des circonstances plus calmes, ou la chance, voulaient bien le permettre. C'est-à-dire s'il réussissait à passer au travers de cette guerre qu'on commençait, heureusement, à pressentir sur sa fin. Dimanche, il serait là, et qui sait, il pourrait peut-être donner des conseils pour les futures études de Jeannot, trouver des arguments pour l'encourager à les poursuivre. Ces amis de Dad viendraient prendre Nade et ses enfants chez elle, et les reconduiraient le soir : elle ne pouvait refuser. Par ces temps de méfiance et de soucis, on avait si peu l'occasion de se voir, de sortir un peu. Cela lui ferait du bien de passer un bon moment ensemble, d'échanger plus longuement des nouvelles, de se parler. C'est ainsi qu'un dimanche de mai, ils se retrouvèrent tous à cette scierie, au bord de l'eau et des taillis du ruisseau, sous le soleil généreux de midi.

Le repas dominical, presque plantureux en dépit des restrictions qui frappaient tout de même moins le creux de cette combe que les rues des villes, fut pris sur la terrasse, autour d'une grande table sur des bancs, sous une vieille tonnelle de vigne aussi grande qu'une vaste pièce.

À la fin du repas, au moment de la tarte aux prunes, de l'eau-de-vie, et du café d'orge grillé et de chicorée, la conversation se mit à rouler sur les métiers, ceux qu'on avait connus, ceux qu'on aurait dû faire, puis glissa, peu à peu, sur l'avenir des enfants. Jeannot, qui commençait à s'ennuyer dans son coin, sur le bout de son banc, pour attirer l'attention, déclara tout à trac, se souvenant de son ancienne poussée d'émoi religieux chez le curé du village de la tante Imbert lors des vacances précédentes, qu'il ne voulait être ni ingénieur, ni docteur, et surtout pas notaire. Mais prêtre. Oui, prêtre. À cause de l'inattendu de ces propos, ou du vin et du marc, tout le monde rigola. Des plaisanteries amicales fusèrent ; malheureusement juste au moment où le fils de la maison, le futur professeur de philosophie, donnait son opinion. Si bien qu'elles brouillèrent ses propos, que Jeannot ne put clairement saisir.

Il lui sembla avoir compris que celui-ci, au contraire des autres qui s'esclaffaient, le soutenait. Qu'il abondait dans son sens, qu'il avait prononcé quelque chose comme : « Vous avez raison, ne soyez plus qu'artésien », ou bien : « Soyez puits artésien. » Enfin, quelque chose autour d' « artésien ». C'est ce qui lui semblait. Il l'avait vouvoyé, marquant ainsi sans doute son désir d'établir une hiérarchie qui les isolerait sur cette terrasse. Celle des études, de la considération qui s'y attache, bien qu'ils en fussent tous deux les extrémités opposées, l'entrée et la sortie ; et cela, malgré l'âge encore presque enfantin de Jeannot. Qui, à propos de géographie, ou de géologie, ou d'un cours d'histoire oublié sur les « colonies », avait entendu parler de ces puits, artésiens, qu'on creusait profondément dans les déserts pour que l'eau des nappes souterraines en jaillisse. Dans l'incertitude où il était quant à la teneur exacte des propos, il avait cru comprendre que ce jeune philosophe à venir avait voulu lui dire, en somme : creusez, avec détermination, dans votre décision, dans votre foi, pour que l'eau jaillisse (la sainte eau qui désaltère les assoiffés au plus profond du désert ; celle dont sans cesse leur parlait le curé, le dimanche, à la messe, et les jours de catéchisme : Seigneur, j'étais assoiffé, tu m'as donné ton eau. Peut-être que Jésus avait creusé des puits artésiens ? Jésus, grand creuseur de puits artésiens, aurait pu être une idée du curé).

Le calme s'était vite rétabli lorsque celui qui « était allé aux écoles » avait laissé tomber sa parole du haut de sa science toute neuve mais déjà ironique. Aussi le futur professeur le regarda en souriant et reprit dans le silence : « Prêtre, prêtre, vous avez peut-être raison, jeune homme ; mais », réaffirma-t-il en oscillant un index moitié joueur élégant, moitié sanctionneur menaçant, pointé sur Jeannot, index de l'autorité qui traque et qui sait, « soyez plus cartésien, mon cher. Avant de décider... ce qui pourrait être une folie ». Cette fois, la formulation lui parvint intacte. C'était « cartésien ». Pas « qu'artésien ». Jeannot vacilla sous le doute. Artésien, il connaissait, mais cartésien, pas encore.

« Qu'est-ce que ça veut dire, cartésien ? » osa-t-il demander au jeune maître sûr de lui, mais tout en sentant déjà dans sa tête l'eau divine retourner s'enfoncer dans la terre obscure de la vie aride, par un mouvement de syphon malchanceux et impénétrable.

« Ah ! bien sûr, cartésien !... » dit le jeune philosophe, à la fois ravi et gêné de faire déjà sur cette terrasse, devant de si braves gens épuisés par les soucis d'une guerre un instant suspendue, un semblant de cours. « Cartésien, c'est, comment dire, chercher au plus profond de soi, et des choses, la vérité, et creuser méthodiquement, n'est-ce pas, pour que l'eau de la vérité jaillisse devant nos yeux. Et le doute, point par point, est la base de la méthode. Le doute, c'est cela même qui permet de creuser. Le bon sens aussi. Cartésien vient de... » Une guêpe tourna autour du philosophe qui se mit, de la main, avec une crainte évidente, à essayer de la chasser. Tout en suivant ce mini-combat du réel et de la pensée, Jeannot revit en esprit, avec soulagement, l'eau remonter des profondeurs du globe et du mystère. Artésien, cartésien, finalement, étaient peut-être moins éloignés qu'il aurait pu le croire. Les artésiens, les chrétiens, les cartésiens, tout le monde cherchait de l'eau, tout le monde creusait dans le profond, vers l'humide. L'idée de profondeur rongeait le monde, alors que peut-être tout n'était que surface, écoulement.

« Être cartésien, c'est être fidèle au raisonnement d'un certain monsieur Descartes, que tout le monde connaît, n'est-ce-pas, qui vivait au temps des rois, disons au début du XVIIe siècle, pour simplifier. Qui nous a appris à ne pas être victime, dans nos jugements, de nos préjugés, de nos pré-jugements. Ceux de la religion, entre autres, mon petit Jeannot. » Et s'adressant, cette fois, particulièrement à lui : « Avant de devenir prêtre, reprends tout, réfléchis bien sur chaque élément de ton éventuelle décision, à la lueur de ta raison. Descartes disait, formule devenue depuis célèbre : "Je pense donc je suis." Si l'Église catholique pense à ta place, et même n'importe quelle Église, bientôt tu ne penseras plus, donc tu ne seras plus. Ne plus penser, penses-y. Ce n'est peut-être pas qu'un souhait des Églises ; c'est peut-être même bien, me semble-t-il, ce que tant de gens ont voulu mettre au centre de cette époque, non ? »

Le philosophe en herbe était passé, sans attendre davantage, au tutoiement que lui permettait son grand âge, et qui sait, la vision, en Jeannot, d'un éventuel et futur disciple. À la fois un tutoiement de combat partagé et d'autorité très supérieure. « Remarquez, ajouta-t-il, retournant à un vouvoiement qui s'adressait cette fois à tous, qu'on ne sait plus trop, d'une manière générale, où se tient la vérité, ni la raison. » Il regarda en l'air, du côté des arceaux de fer rouillé où s'enroulaient les feuilles de vigne ensoleillées. Elles semblaient lui cacher l'évidence de la vérité, et sa nudité, évidemment. Il poursuivit, à moitié songeur et comme se parlant à lui-même, mais sensible tout de même à ces regards sur lui, dans cette simple campagne, arrêtés sur sa si fine face pensante de penseur posé qui se détachait avec grâce sur le col de sa chemise blanche. La philosophie des bases était au travail au-dessus du petit peuple, au bord de l'eau gazouillante et des montagnes, des sapins et des noisetiers, dans l'odeur de la sciure et des troncs débités, à quelques encâblures à peine de maquisards cachés, plus haut, vers les cols et les crêts.

« Car le bizarre de l'affaire, tout de même, c'est que Descartes attribue la découverte de son système à la volonté de Dieu. Eh oui, de Dieu ! Qui, une nuit, en Allemagne, bien loin de la France et de la langue française, lui envoya, ou lui octroya, la grâce de trois rêves à la suite, qui furent pour lui une véritable illumination. Des rêves, vous vous rendez compte ? Tout cela dans une petite pièce trop chauffée qu'occupait un très grand poêle à l'allemande. En somme, notre si clair rationalisme n'a été fondé que sur de l'irrationnel très trouble, ou, à la rigueur, si vous le voulez, de l'obscur : la croyance en Dieu, et une vague interprétation remémorante des rêves. Quoi de moins clair ? N'oublions pas non plus, évidente, l'influence, sur la mécanique insondable des cerveaux, des chauffages qui chauffent trop ! » Heureux de son petit effet, le philosophe frais diplômé sourit, baissa les yeux, prit son verre de vin rouge, et y trempa délicatement les lèvres, bien que, normalement, comme il l'avait souligné incidemment en cours de repas, il ne bût jamais que du thé, pour échapper aux lourdeurs de tête, et la garder toujours agile. Ah n'être que nerfs, tremblements, grâce, élégance, finesse, échapper au poids de tous les sommeils, à l'humaine chair de l'homme étudié ! On croyait lire dans ses soupirs.

Jeannot avait écouté bouche bée. Au fond de lui, il s'avoua

qu'effectivement il fallait sans doute qu'il réenvisage avec tout le doute possible son obscur désir de prêtrise. Il prit aussi la décision, à la fin de la guerre, de boire beaucoup de thé. Après cet ébranlement, parcouru du bruit confus des mouches énervées, des guêpes revenues à l'attaque, et de son cœur en pleine émotion, il décida également, pour les années à venir, de ne plus rien décider pour son avenir. La seule décision qu'il accepta d'envisager fut d'être, l'hiver prochain, au lycée — qui finirait bien par rouvrir —, le plus près possible du poêle. L'eau des systèmes, d'un système, jaillirait peut-être, grâce à ce Dieu improbable mais apparemment efficace, de la longue nuit de ses rêves. Comme Descartes, il découvrirait sa vérité non pas les yeux grands ouverts, mais les yeux fermés. La vie de Dieu me chauffe, donc j'existe, donc j'ai chaud, donc je rêve, donc je pense, donc je suis.

Il se demanda tout à coup comment les Allemands, dont le pays était reconnu par tout le monde comme celui des philosophes, comme le leur avait dit le professeur d'allemand, pouvaient bien exprimer dans leur langue la fameuse formule du système français. Pendant que les braves gens, vacillant d'eau-de-vie et de philosophie, partaient faire le tour du jardin après le repas pour comprendre les aléas du temps sur les croissances obscures des laitues et des haricots, il osa demander à ce professeur du futur de bien vouloir lui écrire, en langue teutonne, la formule française. Lorsque le jeune homme lui tendit la feuille arrachée de son petit carnet sur laquelle il avait griffonné avec rapidité, Jeannot, qui avait commencé à étudier l'allemand cette année, put lire ébloui : « *Ich denke, also bin ich.* » Il n'aurait pu dire pourquoi, mais ça lui semblait plus beau et plus fort qu'en français malgré l'époque et quoi qu'il en eût contre la langue germanique. Et puis, comme disait sa mère, il était toujours prudent, par les temps qui courent, de connaître au moins quelques mots du parler des maîtres de l'Europe.

Au bord de la rivière où il était allé faire des ricochets pendant que la visite au jardin s'éternisait, l'étrange formule teutonne répétée lui faisait éprouver la sensation intense de se découvrir vivant, d'être planté brusquement dans le monde, comme la hache dans la bûche de bois. Penser qu'il pensait-qu'il-était-en-train-de-penser-qu'il-était lui fendait proprement la tête. Et l'entraînait avec ivresse dans les spirales du tourbillon du mystère d'être là, un peu vivant sur la terre. Un rayon de soleil, tombé de la voûte des branches par le vent agitées, lui toucha le front et la mèche de cheveux qui retombait toujours sur ses yeux. « *Ich denke, also bin ich.* » « *Ja !* » se mit-il à répéter, par jeu, de plus en plus vite, « *ja ja ja ja ja !* »

Il s'arrêta, regarda autour de lui. Il eut peur, et honte, qu'en ces temps de collaboration vomie et de haine pour l'Allemagne, quelqu'un ait pu l'entendre. Tout aussitôt il se demanda si un jeune philosophe allemand soldat aurait pu arrêter Dad un matin d'hiver pour l'emmener à Montluc, l'enfermer dans Mauthausen, ou même brûler des granges et traquer des maquisards, ou porter un torturé au corps brisé sur un brancard dans les couloirs. Il eut peur brusquement, s'il répondait oui, d'être au bord de découvrir, de toucher du doigt, la faille, l'échec, la faiblesse des beaux mots de tous les penseurs. Avec eux également, il lui faudrait faire attention à être un peu plus cartésien.

La petite rivière, scintillante sous sa voûte de feuillage, descendait vers Someyetan avec son doux bruit d'eau. Sous les branches de noisetiers, elle aussi, à sa manière, babillait, filait ses phrases liquides. L'eau des soifs, des puits, du Christ, des chercheurs, des poètes, l'eau babillarde de l'esprit dans l'indifférence sanguinaire du monde. Jeannot, assis en tailleur dans l'herbe, entre deux rayons traversant les branches, demeura longtemps, silencieux, dans une immobilité inquiète, à écouter son bruit fragile de bulles et de remous.

CHAPITRE XIX

La vie a des ruades, des soubresauts, de plus en plus insoup-çonnables. Oui, dans la rue, aujourd'hui, ce matin, la vie rue. Les gens courent, les yeux brillent, la bouche crie, ils passent devant la vitrine en trombe. Absolument pas normal : quelques-uns sont armés, de fusils, de fusils de chasse, de pistolets. Malgré sa mère qui tente de le retenir mais n'en a pas vraiment le temps, Jeannot s'échappe, il veut voir, il crie en s'enfuyant qu'il revient tout de suite. Il veut échapper à leur univers de femmes. Depuis ce matin, Josette est dans une exaltation extraordinaire ; quant à sa mère, elle monte, descend, dans le couloir aux pétrolettes enfin muettes, prépare d'une pièce à l'autre sacs, valises, et là-haut, dans les greniers, des tas de cartons.

En fait, depuis trois jours, si brefs, le monde s'est affolé. Un matin, sa mère et Josette se sont mises à danser dans la cuisine devant le poste : « Le débarquement ! Le débarquement ! Ils ont débarqué ! Les alliés et les Français ont débarqué ! » Elles sont tombées dans les bras l'une de l'autre, elles se sont embrassées à s'étouffer. Quand elles se sont assises, essoufflées : « Oui, mais la Normandie c'est loin et avant qu'ils arrivent ici ! Il ne faudrait quand même pas qu'ils soient repoussés !... » Jamais la France n'avait paru brusquement si large, avec ses milliers de veinules de chemins emmêlés, dans ses champs, ses forêts, le long de ses fleuves. Puis Miyonnas avait presque aussitôt appris que les résistants avaient, paraît-il, proclamé sur une partie du territoire du département le Gouvernement provisoire de la République française.

« Ya plus Pétain ? avait demandé Jeannot. — Ya plus Pétain, mais, en vrai, pas tout à fait. De toute façon, quoi qu'il fasse, il ne commande plus — Alors ya qui qui commande ? — Ya rien, ya personne. » Quand les gens se rencontraient et s'arrêtaient pour en parler, ils hochaient la tête sous le poids de l'avenir et les morsures de ses incertitudes, comme font les bœufs sous le joug et l'attaque des mouches. Pourtant, un jour plus tard : « C'est le maquis ! — C'est le maquis qui quoi ? — Qui commande ! — Où ? — Partout dans le département ! — À Miyonnas aussi ? — À Miyonnas surtout ! » Et ce jour-là sa mère avait ajouté que c'était trop tôt. Sûr, trop tôt. Que les Allemands étaient encore partout. Qu'ils n'avaient pas encore vraiment perdu. Qu'ils allaient réagir. Qu'il allait y avoir du grabuge, répétait-elle, du grabuge.

C'est à partir de ce matin-là que sa mère a commencé à préparer les valises, « tu comprends, on ne sait jamais, s'il faut se sauver », et à cacher dans des cartons toutes sortes de marchandises du magasin pour que Dad, « tu es bien d'accord avec moi, retrouve tout, tout au moins le plus important », quand il reviendrait d'Allemagne, puisqu'il reviendrait, malgré ces horreurs qu'on racontait, à l'écart, sur les camps, et qu'elle se refusait de croire.

La faute en revenait à Josette. Josette, après avoir assez long-temps hésité, lui avait fait finalement lire un grand poème, paru dans une revue clandestine que lui avait fait passer, bien sûr, son ami l'instituteur. Revue de la Résistance ou de ses groupes, publiée depuis un an déjà, au cours de l'année 43, alors que Dad n'avait même pas encore été arrêté, et qui circulait dans le maquis. Un long poème, long comme un poème de Victor Hugo, signé d'un drôle de nom, François La Colère, et qui était lui-même extrait d'un livre déjà clandestin. Se souvenant de ce visage agité, qu'il avait trouvé coléreux, de ce poète aperçu au restaurant de Lyon, Jeannot s'était même demandé si les poètes ne seraient pas tous toujours en colère, les raisons pour l'être ne leur manquant pas, sans doute. Le monde était si noir, si livré, sans cesse, à la bêtise.

Ce poème, sa mère ne l'avait lu que bien longtemps après que Dad eut été déporté en Allemagne. Lorsque Jeannot à son tour l'avait lu, sur son bureau minuscule encastré sous les rayonnages du salon, accolé aux parois même du placard où Dad avait été découvert par l'officier allemand, il en avait relevé d'inquiétants passages, comme s'ils lui parlaient de leurs jours les plus proches. Il comprenait confusément, avec eux, le rapport des mots à la chair du temps, à ses jours vécus :

J'écris dans ce pays tandis que la police
À toute heure de nuit entre dans les maisons

(comme le matin de la rafle)

J'écris dans ce pays que les bouchers écorchent
Et dont je vois les nerfs les entrailles les os

(comme le mouton dépecé sur la table de la cuisine)

J'écris dans cette nuit profonde et criminelle
Où j'entends respirer les soldats étrangers
Et les trains s'étrangler au loin dans les tunnels

(comme les SS montant la garde au lycée et comme le train qui avait emporté Dad en Allemagne).

Puis venait ce passage, celui que sa mère refusait de croire, qui se liait aux rumeurs entendues :

[...]
Mais serait-ce donner des ailes à leurs crimes
Que dire en vers français les bagnes allemands

143

Moi si j'en veux parler c'est afin que la haine
Ait le tambour des sons pour scander ses leçons
Aux confins de Pologne existe une géhenne
Dont le nom siffle et souffle une affreuse chanson

Auschwitz Auschwitz ô syllabes sanglantes
Ici l'on vit ici l'on meurt à petit feu
On appelle cela l'exécution lente
Une part de nos cœurs y périt peu à peu

Limites de la faim limites de la force
Ni le Christ n'a connu ce terrible chemin
Ni cet interminable et déchirant divorce
De l'âme humaine avec l'univers inhumain...

Sa mère, à cela, opposait son espoir que Mauthausen serait différent de cet Auschwitz dont le nom était impossible à dire. Après tout, ce poète, ce monsieur François La Colère, ne rapportait peut-être lui aussi que des rumeurs. Elle s'enfermait dans cette espérance, refusant d'en éprouver plus avant la fragilité. Elle en restait à ce passage, le seul qui lui importait dans son chagrin :

[...] Lorsque vous reviendrez car il faut revenir
Il y aura des fleurs tant que vous en voudrez
Il y aura des fleurs couleur de l'avenir
Il y aura des fleurs lorsque vous reviendrez

Des fleurs couleur d'avenir, certes, mais avec elles aussi toutes les marchandises des rayonnages. Dad retrouverait les stocks de ses magasins sauvés du pillage et de la guerre, il la féliciterait, il lui dirait : tu as bien fait, tu as bien fait, ma petite Nade, tu as fait tout ce qu'il y avait à faire, elle aurait été une bonne épouse, une compagne sérieuse, une femme vaillante, et la famille pourrait reprendre la vie sans repartir de zéro. Il fallait donc sauver. Il fallait préserver. Elle qui avait été chassée, avec ses parents, des terres familiales de leur Ardèche par la misère, elle savait à jamais le vrai prix des choses, mêmes des plus petites.

C'est pourquoi elle ficelait, avec des bouts de ficelle récupérés, des cartons fatigués dans lesquels elle avait entassé, depuis trois jours, le maximum de ce qui était possible des faibles réserves de ses minuscules entrepôts. D'un côté, les lampes à tube précieuses, les postes de TSF invendus qui s'empoussiéraient, les résistances multicolores, les rouleaux de soudure, les disques d'avant-guerre, et de l'autre des services à café, de table, à dessert, en porcelaine de Limoges à petites fleurs surannées, des assiettes, des tasses, des verres, des coquetiers de faïence, des cartons de soldats de plomb, des couteaux à six lames qu'il échangeait, au lycée, avec les fils de paysans, contre des morceaux de lard, des vases, des carafes, tout ce qui pourrait redevenir les graines de leurs champs futurs qui, de toute façon, demain, fleuris ou pas, ne seraient pas de couleur rose quand il faudrait dans leur vie rendue, dans leur vie épargnée, de nouveau la gagner. Poussée par les mêmes sentiments de tous les pauvres de cette guerre traînant leurs paquets perpétuels sur les routes, dans les trains, jusqu'aux portes de la mort, elle emplissait, ficelait, tirait, fébrile, décoiffée, tenace, au fond de greniers sombres et étouffants, des cartons de salut dérisoire pour des lendemains incertains. Jeannot, ce n'était pas l'entassement dans les greniers qui l'intéressait, mais cette envolée de gens, dans la rue, ce matin.

Dehors, dès qu'il avait franchi la porte et vu les passants courir du côté de la mairie et de la ville haute, il leur avait sans hésitation emboîté le pas. Il n'avait pas plutôt commencé à grimper en courant la côte des écoles, qu'il fut frôlé par une camionnette qui attaquait la montée de toute la puissance poussive de son gazogène. Ça crachait bleu derrière. Jeannot en fut à moitié asphyxié. Mais au travers de son nuage d'échappement s'élevant dans le soleil du matin, pendant que, gaz à fond, elle s'éloignait dans la montée, Jeannot eut tout le temps de voir, sur son plateau débâché, ceux qu'elle emportait. Serrés, debout entre les ridelles, des jeunes gens chantaient *Le chant du départ*, que Jeannot reconnut pour l'avoir appris avec ses copains, et hurlaient des « Vive de Gaulle ! Vive la France ! Vive le maquis ! », agitant au-dessus de leurs têtes des drapeaux tricolores. Quelques-uns, avec des brassards, brandissaient même à bout de bras des mitraillettes ou des fusils. Tous ceux qui marchaient dans la rue, suivant le même chemin que la camionnette, se dirigeaient à pas de plus en plus pressés vers la place des Écoles, où l'on devinait, en haut de la côte, au bruit des moteurs, aux cris, aux têtes des gens qui dépassaient, une grande agitation. Déjà, du sommet, avait surgi une autre camionnette qui se lança dans la descente et la dévala à toute vitesse, klaxon en furie, elle aussi chargée d'hommes mais cette fois tous en armes. Sur chacun de ses marchepieds, de chaque côté, se tenait un soldat du maquis, accroché à la fenêtre de la portière, et sur son bras, épinglé à la manche de chemise, il y avait un brassard marqué : F F I. Les Forces françaises de l'intérieur avaient donc pris Miyonnas. En bas de la côte, la camionnette négocia le grand virage de la mairie. Jeannot la regarda s'élancer et filer dans la rue principale. Au travers des barreaux de la rambarde de séparation, il aperçut un bref instant, en pointillés comme les images d'une pellicule de film qui se met à sauter, l'extrémité des armes qui brillaient, et, sur le toit de la cabine, un fusil-mitrailleur aux éclats sourds et noirs sous le soleil. La camionnette disparut très vite entre les bâtiments, du côté de la sortie principale de la ville. Les maquisards qu'elle emportait, en ordre et assis sur des bancs, sur le plateau, cette fois ne chantaient plus.

Sur la place des Écoles, on distribuait des armes. Sous les arbres alignés de son grand espace rectangulaire que fermaient, dans un angle, les bâtiments scolaires des deux écoles primaires et de la grande école professionnelle, une cinquantaine de camions et de camionnettes étaient rangés sur deux lignes, moteurs en marche, chauffeurs aux volants. Des groupes de jeunes gens, habillés en civil, en uniformes des chantiers, en chemisettes bleues, en blousons de cuir, coiffés de bérets ou têtes nues, et quelques-uns même casqués des casques de 40, venaient d'être armés. Rassemblés déjà, pour certains, au pied des véhicules ou en train d'y monter, ils mettaient sur cette place, dans ces soleils et ces ombres de ce matin d'été, une agitation, une fébrilité, une tension que les habitants de Miyonnas n'avaient jamais connues. Des civils continuaient d'arriver, qui avec des fusils de guerre, qui des fusils de chasse et, débouchant par le sommet de toutes les rues, se dirigeaient vers les cours des écoles primaires dont les larges portails avaient été ouverts en grand. Sous les toits des préaux, des tables avaient été dressées, où se tenaient des gradés de la Résistance. Des jeunes gens et des hommes s'y présentaient, s'inscrivaient ; en d'autres points des armes étaient triées, ailleurs étaient distribuées. Cris, interjections, ordres retentissaient sous les marronniers de la cour. La salle où Jeannot et ses copains avaient pissé sur le portrait du maréchal était ouverte. Dans le soleil matinal, à l'intérieur, des hommes en cuir, avec des épaulettes, y parlaient, penchés sur le bureau de l'instituteur. Sur la place, des camions s'étaient mis en branle, chargés d'hommes que la foule applaudissait. Les applaudissements crépitèrent longtemps sous le dôme des feuillages. Lorsque les véhicules lourdement chargés passèrent devant les portails de l'école avant d'attaquer la descente, tout l'air gronda et le sol vibra. La victoire en chantant nous ouvre la... Les camions disparurent dans la descente.

Jeannot se sentit perdu dans ce tohu-bohu, cette danse partout des armes, ces cris, ces rires, ces vivats, ces lettres multipliées sur les autos, les brassards, ces A S, F F I, F T P, le grouillement de ceux qui étaient montés jusqu'à cette place pour venir aux nouvelles, encourager, apercevoir les combattants sur le départ, accompagner des fils, des maris. Jeannot, pris de vertige, se sentant presque de trop dans ce matin fou, commença à vouloir s'éclipser et à battre en retraite. À vrai dire, les fusils-mitrailleurs, les bazookas, les mortiers, de plus en plus apparus sur les véhicules, avec leur aspect, nouveau pour lui, implacable, inquiétant, d'armes lourdes de guerre, d'armes à tuer sans plaisanter, commençaient à distiller en lui une sourde peur. Dans ce matin excitant, qui faisait trembler, mais plein de noires épines de guerre, le retour au foyer lui parut salutaire. De grandes affiches avaient été placardées sur les murs du préau, sur les murs extérieurs de l'école, et sur les troncs des plus gros arbres. Des affiches avec, en très grosses lettres : « Appel à la population. »

Dans le mouvement de retraite qu'il avait amorcé, il se trouva à passer devant l'un des troncs d'arbres de la cour où l'affiche avait été clouée. Il eut envie de lire les lettres plus petites de cet appel fixé un peu haut pour lui, et d'autant plus difficile à déchiffrer qu'on n'arrêtait pas de le bousculer. S'y prenant à plusieurs reprises, il lut que c'était dissous, le truc municipal de la mairie de Miyonnas, à partir du 7 juin à 22 heures. Dissous. Il lut la suite, et pensa que ça se mettait à ressembler au temps de Bonaparte, puisqu'on disait que tout était confié à un *Directoire*. Un Directoire ! Magnifique, pensa Jeannot, cette fois il était dans l'Histoire ! Des hommes jeunes allaient se camper sur les routes, sur les ponts, et sous leurs drapeaux, comme dans la campagne d'Italie, allaient faire reculer l'ennemi, dans la campagne d'aujourd'hui, dans la campagne de Miyonnas. Ce n'était plus la campagne d'Italie, c'était la campagne de France. La République était proclamée, la nouvelle. Rien que pour Miyonnas et le département. Ça, c'était épatant ! La peine de mort aussi était proclamée. Peine de mort écrit en gros, en bien plus gros que le reste. Tout attentat, etc., acte de pillage, etc., toute trahison ou désobéissance envers la Résistance... (Résistance écrit en plus gros mais tout de même un peu moins que peine de mort.) Il revit en un éclair une autre « peine de mort », mais écrite en tout petit. C'était celle qui était portée au bas des cartes de tickets de pain, sous les petits carrés des rations quotidiennes : « Tout trafic alimentaire sera puni de la peine de mort. » Les hommes aimaient décidément cette peine-là. Il se disait qu'il trempait dedans depuis sa petite enfance. Son oncle Henri, celui de la carrière, le fracasseur de pierres, le communiste au couteau entre les tranches de saucisson, lui avait montré un journal où ça parlait de la guerre d'Espagne, qu'il commentait sans fin : « Regarde ces salauds de fascistes, ce qu'ils aiment : " Vive la mort ! Vive la mort ! *Viva la muerte !* " Abrutis ! » Et il tapait sur le journal de son poing refermé, à la peau talée et crevassée. La mort, la peine de mort, depuis dix ans gigotait partout. Dans cette affiche aussi, en gros, bien remontée à la surface.

Jeannot en conclut qu'on allait fusiller ceux qui voulaient fusiller ou fusillaient. L'été risquait d'être vraiment très sanglant. Détenteurs d'armes, etc. Débits de boissons, etc., de 17 h à 21 h seulement. (Le pépé Belgrot allait toujours être dans sa cave.) Le couvre-feu, etc. Ah ! encore ceci : En cas d'alerte, la ville doit être évacuée. Il faudrait qu'il le dise à sa mère. Discipline, dévouement, patriotisme, etc. Ça ressemblait presque à du Pétain. Et tout en bas, en tout petit : Le chef des FFI, Romans (avec un *s*). Romans, presque comme le roman (sans *s*). Son oncle Henri, toujours le même, le dynamiteur de montagnes, lui répétait souvent : « Eh ! Jeannot, la vie, c'est pas du roman ! » Mais ce matin, la vie c'était du Romans. Peut-être du roman aussi. Peut-être. D'une vie digne de se glisser un jour dans du roman, dure comme les pierres de l'oncle Henri et des petites églises du fond de son Ardèche, qu'on disait, aussi, romanes.

Jeannot s'apprêtait à déguerpir quand il fut arrêté dans son élan par une main qui le retenait. Il se retourna : c'était son instit, l'amoureux de Josette. « Jeannot, je t'ai aperçu, et tu tombes bien ; pourtant, tu sais, tu ferais mieux d'être chez toi. Mais puisque tu es là, j'en profite, tu vas me faire une commission. » Devant l'air surpris de son ex-élève, qui considérait le visage poupin qui avait maigri et bronzé, les cheveux roux qui s'étaient allongés et comme dorés, les galons chromés sur le béret, l'instituteur le secoua un peu : « Eh ! tu m'écoutes ! Fais bien attention car je suis pressé. En rentrant chez toi, et c'est ce que tu vas faire le plus vite possible, tu me le promets, tu vas dire à Josette qu'il m'a été impossible d'aller la voir, mais que pour moi tout va bien, et que je pars en poste pour garder la vallée de Someyetan. Tu t'en souviendras ? » Jeannot connaissait. Il se souvint de la scierie du jeune philosophe. « Ce n'est pas très loin. Dis à Josette que j'aurai l'occasion, dans quelque temps, de lui faire parvenir d'autres nouvelles. Tu as bien retenu, hein, Someyetan. C'est une petite vallée tranquille, pas trop dangereuse. Tu lui diras aussi que je pense bien à elle ! » Jeannot promit. Il se répéta le nom du village, qu'il connaissait déjà. « Allez, file, lui dit l'instituteur. Et fais bien attention à toi. » Il lui tapa sur l'épaule et s'en alla, au pas accéléré, rejoindre les tables des préaux. Il se retourna pour lui faire un dernier signe : du dos de la main, il semblait le repousser et lui dire : allez, allez, qu'il fallait déguerpir et rentrer à la maison. Ce qu'il fit. Avec encore dans la tête les chants, le bruit sec et métallique des armes. Et cette peine de mort. Lancinante comme le chant des scies dans les vallées de la montagne.

CHAPITRE XX

Ils ont pris, ils ont brûlé, ils avancent. Les maquis les empêchent toujours de passer au col. La Résistance tient toujours les routes et ses positions. La vraie contre-offensive allemande se prépare. Ils ont pris, ils ont brûlé, ils ont tué, ils avancent.

La population de Miyonnas commentait, amplifiait chaque jour des rumeurs de plus en plus angoissantes. Dans la rue, dans les magasins, les visages avaient perdu cette flamme et cette vitalité du matin de la place des Écoles. Jeannot, Riri, Paco, sous de faux calots de résistants, avec de fausses mitraillettes en bois noir accrochées par une ficelle à l'épaule, écoutaient parler les grands. L'ennemi viendrait encore de Lyon, du sud, par les collines de hautes herbes ondulantes, à l'entrée de la vallée.

C'est là qu'ils passèrent tous les trois le plus clair des premiers jours de juin. Ils jouaient à monter la garde. C'est là, couchés dans l'herbe, à plat ventre derrière les buis, qu'ils se mirent à surveiller la route bleutée qui, de colline en colline, entre les hautes herbes qui n'avaient pas été fauchées, disparaissait, en s'élevant, au bout de la vallée, vers les montagnes. Les trois chèvres du grand-père de ses copains broutaient derrière eux paisiblement dans le tintinnabulement de leurs clochettes. Sur l'herbe, ils avaient déroulé leurs capes bleu marine. Couchés sur elles, ils parlaient. Du lycée, de la vie, du monde enfin qui les attendait et leur semblait si lointain. Des filles, des profs, de rien. Surtout de rien. Ils avaient trop de sujets à fuir, de lendemains à fuir. Alors ils construisaient avec des pierres des créneaux, sur lesquels ils n'arrêteraient personne. Ils faisaient semblant de viser avec leurs bouts de bois, et de vider des chargeurs imaginaires de leurs balles irréelles, de leurs balles mortes. Pas celles que les Allemands coupaient en quatre pour que ça fasse des trous quand ça rentre dans le ventre. Ils parlèrent d'une forteresse volante américaine qui avait été contrainte d'atterrir dans la plaine agricole de la longue cluse de la ville voisine, au cours d'une opération importante de parachutage, et qui avait dû être abandonnée sur place. Ils se promirent d'y organiser une expédition exploratoire. Il paraissait que les pilotes, de vrais Américains, qui ne parlaient pas français, étaient même passés par Miyonnas pour encourager et saluer la Résistance. C'était vraiment surprenant comme ils parlaient, paraît-il, une langue qui faisait rire tout le monde, un gargouillis de wa-wa-en-en-you-you. Tous les trois, ils les imitaient, ou le croyaient : wa wa you you, en en, faisant mouvoir en tous sens leurs bouches tordues de grimaces. Les trois pilotes avaient passé deux nuits dans des familles. La Résistance allait les aider à fuir, à passer en Suisse, avec d'autres blessés graves, puisque le maquis tenait la région jusqu'à la frontière.

Un qui avait dû fuir, pensa Jeannot, peut-être lui aussi en Suisse, qui était devenu vraiment invisible, disparu du café et de la ville, c'était monsieur Raoul. Sa disparition avait laissé un blanc dans leur conversation. Ils n'en parlaient pas, plus. Comme ça. Difficile de dire pourquoi. Comme ils ne parlaient pas non plus, jamais, de Dad dans son camp en Allemagne, et qui était pourtant le vrai père de Paco. Pudeur, malaise, inconscience ? Ou conduite instinctive pour sauver leur enfance et leur camaraderie ? En tout cas ces sujets ne se mêlaient pas à leurs jeux de sentinelles aux frontières de la vallée. Ils scrutaient l'horizon devant eux, par où, disait-on partout, devait arriver l'ennemi. Sans doute pour mieux les voir, Jeannot souleva son calot qui lui était tombé sur les yeux.

152

La maman de Riri, un jour, dans son arrière-salle (celle où se réunissaient, avant la prise de la ville par la Résistance, les amis de monsieur Raoul, que Jeannot, maintenant, savait liés à la milice), leur avait taillé à tous les trois, dans un vieux coupon de tissu bleu marine qu'elle avait sorti de ses cartons, des espèces de calots de soldat. La mère de Jeannot lui avait demandé de ne plus aller « chez eux ». « Vois tes copains si tu veux, mais je t'en prie, ne va pas traîner " chez eux ". » C'était le dernier endroit où elle voulait le voir, avait-elle précisé. Jeannot, bien sûr, y allait quand même. À quel autre endroit aller d'ailleurs ? C'est ainsi qu'un après-midi il avait vu la maman de Riri, sur sa machine à coudre à pédale, leur monter leur calot et broder sur le côté, au fil rouge, en lettres assez grosses, FFI. Elle leur avait planté la coiffure sur la tête : « Avec ça, vous pourrez faire comme tout le monde ! Vous pourrez aller jouer aux maquisards dans la rue ! Et comme ça, tiens, ils verront bien qu'ici on n'est pas contre la Résistance ! » Chez le grand-père de Riri et Paco, qui les avait aidés, ils s'étaient fabriqué, avec des planchettes et un pot de peinture noire, des mitraillettes rudimentaires, réduites à leur plus simple rôle d'illusion. Le grand-père, qui en restait toujours discrètement à sa première guerre, leur disait avec un sourire, quand ils partaient dans la colline, poussant devant eux les chèvres vers le chemin pierreux qui gagnait la forêt : « Surveillez bien la vallée, dormez pas dans les tranchées, laissez pas passer les Fritz ! »

La vallée, devant eux, s'étendait calme, ensoleillée. Verte et bleutée, absolument en paix, sous ses deux ou trois milans qui planaient au-dessus d'elle. Mais Jeannot, depuis peu, avait commencé à trouver ridicule ce calot d' « opérette ». (C'est sa mère qui lui avait dit : « Mon pauvre fils, tu es ridicule avec ce calot d'opérette », appuyant d'une façon méprisante sur ce mot.) Aussi quand il allait chez ses copains, déjà, dans la rue, il ne le mettait plus, l'accrochant, plié en deux, à sa ceinture. Le bout de bois noir aussi, qui jouait à l'arme de guerre, commençait à lui faire de plus en plus honte. Bizarrement, chaque jour, il sentait ce bout de bois de plus en plus inadéquat, séparé de lui. Il n'y croyait plus du tout. Il lui fallait se forcer pour faire semblant de jouer avec. Pour tout dire, jouer au petit soldat, même au maquisard, lui paraissait de plus en plus un peu con. Il n'avait presque plus envie de jouer ; à rien, d'ailleurs, et surtout pas avec ça. L'enfance le quittait. Les deux années, par exemple, qu'il avait de plus que Paco, qui voulait toujours jouer, l'éloignaient de lui de plus en plus.

Jouer, s'amuser, à chaque jour qui passait, Jeannot, lui, se mettait à détester ça. Les fortins, les créneaux, les cabanes ne lui parlaient plus de la vie, ne lui parlaient plus de rien. Que faire pour mettre en vrai ses pas dans les pas des jours ?

Il avait rêvé, une nuit, qu'il était de retour au lycée, et qu'il se tenait couché, au centre d'une vallée qui n'était que la pliure écartée d'un grand livre ouvert, sur des lignes, sur des lettres, où dessous coulaient des rivières et passaient des hommes. Le papier du livre, sous son ventre, l'excitait comme une peau de femme. Alors montaient, comme des bulles à la surface de l'eau, des sourires de filles avec leurs lèvres entrouvertes. Puis du sang en coulait. Avec le sang, apparaissaient des pansements, et les chiens aux crocs sortis. On lui prenait la main, on le tirait sur le champ des lettres, il fallait fuir les gardiens, il fallait retrouver la vie. Alors sa stupide mitraillette en bois s'accrochait aux lettres, aux lignes, aux fils de fer, l'empêchait de fuir, l'empêchait d'avancer, le retenait, le retirait en arrière. Autour de lui, et de cette lutte épuisante, tout était si calme, pourtant ! un silence de salle d'études le soir à l'internat, troublé par le seul bruit léger des pages tournées des cahiers et des livres. De ce rêve — et d'autres tout aussi compliqués —, Jeannot avait resurgi hébété. Et, au sortir de ces rêves qui l'épuisaient, il demeurait, pendant de longues heures, songeur et séparé face au monde revenu.

Finalement, un soir, alors qu'il vient de quitter ses amis et qu'il rentre chez lui, il passe, comme d'habitude, devant l'hôpital de Miyonnas qui se trouve sur son trajet. Devant l'hôpital, il y a des voitures de FFI et des camionnettes de la Résistance. Le portail d'entrée du parc est ouvert. De l'arrière des camionnettes, des brancardiers descendent des blessés. Des corps avec des pansements sanglants. Les premiers blessés sur leurs brancards viennent d'être déposés sur les pelouses au milieu des pâquerettes du gazon, corolles blanches aux franges rouges comme des pansements. Des infirmières s'affairent, les portes en haut des marches viennent de s'ouvrir. Des hommes en blouse blanche montent les premiers brancards. Silencieux, quelques passants, de l'autre côté de la grille et du portail, regardent. La tête d'un blessé, un très jeune homme, ballotte sur le brancard lorsque les porteurs courent dans l'allée et montent les marches. Des bandages tachés de sang dans des chemises déchirées et ouvertes, sur des jambes, sur des têtes. Un visage presque complètement bandé. On n'en voit plus qu'un menton aux mouvements saccadés. Une plainte. Le ciel est rose. Les oiseaux du ciel crient. Tous les blessés ont été rentrés.

Les portes blanches du perron se referment. Le portail de l'hôpital jette sa note métallique dans le soir quand deux hommes le repoussent. Les passants s'éloignent. Et Jeannot se retrouve dans la rue, avec sa mitraillette en bois ridicule accrochée à l'épaule, son calot plié en deux à la ceinture.

Quand il reprend sa marche, il modifie son parcours. Au lieu de remonter par la rue principale, il prend à gauche, le long des ateliers d'artisans et de la rivière. Il y a des jardins, quelques propriétés, des haies, un petit pont en fer. Il décroche sa mitraillette en bois de l'épaule, l'appuie en porte-à-faux contre un mur. D'un bon coup de pied, il la casse en deux ; puis s'acharne sur les débris pour les repartager. De la passerelle de fer où il s'est installé, il jette les morceaux dans l'eau. Ils s'en vont, flottant, en barques infimes dansantes. Il regarde autour de lui. Personne. Il retire son calot de la ceinture, contemple quelques secondes les FFI brodés en lettres rouges. D'un rouge couleur de sang, et des lèvres de la maman de Riri. Soudain, d'un large geste de semeur, il lance au loin son calot. Qui plane. Puis tombe à plat, prend le courant et, s'imbibant peu à peu et s'irisant de rayons, s'éloigne sur les vaguelettes du torrent, vers le soleil couchant. Un moment, dans le contre-jour, sur l'eau scintillante, Jeannot le voit, tache obscure emportée qui sombre. Puis plus rien. Rien. Les vaguelettes noires et dorées dans le silence.

Jouer, faire semblant, maintenant c'était fini.

CHAPITRE XXI

Les balles frappaient avec furie dans la terre meuble. Un bruit mat et sauvage. La longue rafale de balles s'avançait en traversant les sillons. Un bruit aussi de feuilles hachées. L'avion avait surgi brusquement, venant des montagnes de l'Est, prenant la vallée et la ville en diagonale.

Ils avaient laissé la poussette de la sœur, les sacs, tout leur menu barda, au bord de la route. Ils étaient allés se jeter en courant, avec d'autres personnes qui s'enfuyaient, dans ce champ planté de pommes de terre, le premier des champs à la sortie de la ville, cernée sur deux côtés par des ateliers et, sur les deux autres, par des jardins ouvriers. Ils s'étaient enfouis de leur mieux sous les plants de patates déjà assez hauts. Cet enfouissement de gros lapins sous les feuilles de pommes de terre avait quelque chose d'un peu stupide ; mais dans cette longue rue vide ensoleillée se dirigeant vers les collines de l'Ouest et leurs bois de pins, cet épais rectangle de verdure offrait, à cet endroit, la seule cache possible, la seule dérisoire illusion de camouflage. Quelques personnes qui se trouvaient alors dans la rue, partageant la même illusion, avaient fait comme eux et, de-ci, de-là, s'étaient jetés eux aussi à plat ventre sous les tiges des tubercules.

L'avion, après avoir viré en haut de la vallée, revenait sur la ville. Ce n'était pas un foudre de guerre, genre stuka piquant sur Lyon ou sur la Saône durant l'été 40. Plutôt léger, plutôt tanguant, un bruit de moteur banal, presque un petit avion en promenade. Mais de couleur gris allemand, avec ses croix de fer noires sur les ailes et le fuselage. Et quand même lâchant à chaque voyage ses deux ou trois bombes sur le quartier des écoles et mitraillant au hasard, depuis deux jours, au cours de son tour de surveillance de la vallée, tout ce qui avait l'air de bouger.

Jeannot, tête sous les bras, enfoncé dans ses plants de pommes de terre, l'entend revenir et se rapprocher d'eux. Il sent aussi son cœur battre un peu plus vite dans ses oreilles, mais toutefois, il le remarque avec surprise, à peine plus fort. Il n'a pas vraiment peur. Quand l'inévitable vous fond dessus, dans les secondes qui précèdent, l'œil se distrait, vous tire à côté. À côté de la peur. Vers un brin d'herbe sauvé de l'arrachage, une motte de terre aux ombres bizarres, un caillou, un insecte qui le contourne. Plus forte, l'odeur de la terre au ras des narines. Enfin, d'une maison de la rue qui longe le champ, et dont la fenêtre est restée ouverte, vient, de la radio d'une cuisine abandonnée, des bribes de chanson : « Ah ah ah ! Ah ! qu'il doit être doux et troublant/l'instant du premier rendez-vous. »

Oui, courir comme un rat affolé, se terrer et, de plus, sous des plants de patates d'un peu plus de trente centimètres de haut, l'énervait, touchait à son orgueil d'homme naissant. Sa mère lui disait de le faire, il le faisait, mais il trouvait cela à la fois irréel et idiot. Et puis cet affolement d'un côté, et de l'autre cette chanson mielleuse... La mitrailleuse dans le ciel s'est mise à cracher. Au claquement des balles sur la rue, il ne peut pourtant pas s'empêcher de se coller davantage à la terre, de ramper quelques centimètres de plus sous les feuilles, et de trouver qu'il a bien fait d'écouter sa mère. Le bruit des balles a changé de sonorité en passant du goudron de la rue à la terre du champ. Le rendez-vous arrive ?

Ils avaient fermé la maison ce matin. Tous les cartons avaient pris leur place dans les greniers de l'appartement et la cave du jeu de boules. Ils avaient baissé store et rideau des boutiques. La mère de Jeannot avait décidé de quitter Miyonnas pour aller chercher refuge à la campagne chez des cousins de Dad, paysans dans un petit village à une vingtaine de kilomètres. Elle ne connaissait pas d'autre repli, ni d'autres personnes pour les accueillir. Elle avait pris cette décision quand elle avait compris que la contre-offensive allemande, remontant par quatre vallées différentes, finirait par se resserrer sur Miyonnas et sa région. Quant à la mi-juillet la Résistance et ses voitures disparurent bizarrement de la ville, quand un matin un avion allemand apparut dans le ciel limpide de l'été, bombarda le minuscule aéroport civil de la plaine et son hangar de fortune, puis revint trois fois dans la journée lancer des bombes sur les écoles et cette grande école technique professionnelle qui servait de deuxième hôpital et de base pour la Résistance, elle comprit que l'arrivée des troupes allemandes était imminente. Il lui fallait partir mettre sa famille à l'abri sans plus attendre.

Sans voiture en état de marche, sans charrette, ils n'avaient à leur disposition, pour se transporter, eux et leurs bagages, que la poussette de la petite sœur, et leurs jambes. Pour éviter les routes et leurs mauvaises surprises, après discussion et étude de la carte, Jeannot, sa mère et Josette avaient décidé de rejoindre Chatonnex, le hameau des cousins, en coupant par les bois et les sentiers. Ils offriraient, malgré les difficultés, plus de couvert et de ressources pour se cacher. Ils avaient aussi décidé d'emmener le minimum : trois couvertures, de l'eau, quelques couverts, un peu de nourriture pour eux et le bébé, quelques vêtements. Il ne s'agissait de tenir que deux ou trois semaines. On verrait plus tard. Le minimum fit malgré tout plusieurs sacs qu'on ficela. Pour le moment, ils sortiraient de la ville, franchiraient la barre montagneuse avec ses bandes rocheuses peu escarpées et ses bois de pins exposés au soleil levant, en suivant plus ou moins le sentier qui montait à travers les prés et les bosquets de buis. Puis ils descendraient l'autre versant, toujours en coupant, pour replonger aussitôt dans la prochaine vallée. Cette dernière, une combe tout à fait retirée, menait par un chemin empierré le long de bosquets qui suivaient un ruisseau jusqu'à Chatonnex, planté au sommet d'une légère butée. La vingtaine de kilomètres leur avait semblé tout à fait possible à parcourir. Même s'il fallait pour cela dormir une nuit à la belle étoile en cours de route. On était en juillet. En deux jours tout au plus ils seraient arrivés. Le départ fut décidé. Barda arrimé plus ou moins à la poussette, sœur calée au milieu, sacs répartis, ils s'étaient mis en branle dans la matinée, au soleil déjà haut, en route vers l'ouest, les pins, l'aventure, abandonnant un Miyonnas depuis la veille étrangement inanimé. C'est alors, le premier kilomètre à peine parcouru et les dernières maisons isolées de la ville pas encore tout à fait atteintes, que cet avion avait surgi pour son premier passage du jour, dans le plein soleil.

À son second passage, l'avion a lâché sa rafale. Dès qu'il perçoit le claquement de l'arrivée des balles, le bruit de la terre qui gicle, Jeannot s'incruste dans le sol. Il ne veut pas mourir. Il ne voudra jamais mourir. Il faudra qu'il soit frappé par-derrière. Par-derrière, par hasard, comme une exécution. À une vitesse de foudre, les balles font exploser la terre à côté de lui, de l'autre côté de la rangée des plants. Dans le même temps il perçoit, mêlé au bruit de la terre et des cailloux qui explosent sous les impacts, un cri infime, un geignement sourd, un soupir parlé confus.

L'avion était déjà passé, virait en s'élevant sur l'autre versant, reprenant son équilibre en tanguant des ailes, et entreprenait sa remontée de la vallée. Appuyé sur ses avants-bras, Jeannot, tout en restant couché, avait relevé la tête pour le suivre et s'assurer de la direction de son vol. L'avion disparut définitivement vers le sud, petit point noir dans l'étincelant.

Lorsqu'il abaisse son regard, il voit qu'une jeune femme est couchée, de l'autre côté de la rangée des plants, sur le flanc, tournée vers lui. Il pourrait la toucher s'il tendait la main. Ses yeux ouverts, d'un vert translucide d'être transpercés de biais par le soleil, ne bougent pas. La chanson, à la radio, venue de la fenêtre ouverte de la maison voisine, n'est même pas encore finie, et mêle toujours au silence de l'après-mitraillage sa plainte de la douceur troublante du premier rendez-vous. La jeune femme est immobile. De dessous l'épaisseur de ses cheveux châtain, un filet de sang, le long de son cou, commence à s'épaissir et à couler. Il descend lentement vers son corsage entrouvert. Dans l'échancrure agrandie par la posture, les deux seins l'un sur l'autre reposent. Des taches de soleil presque fixes posent sur leur chair bombée des incandescences. Un doryphore, tombé des feuilles, pousse, à petits coups de pattes sèches, son corps jaune à rayures noires sur la peau laiteuse. Il descend la courbe de l'amorce d'un sein, s'enfonce dans le sillon mammaire, comme poursuivi par le filet de sang qui le suit. Au moment où il va disparaître entre les globes, le sang poisseux le rattrape. On voit la dernière patte s'agiter dans le sang. Le spectacle est en gros plan, sous les plants, au bord des yeux de Jeannot. Jeannot ne bouge plus, la femme encore moins. « Madame, madame, vous êtes blessée ? » Pas de réponse, dans la bouche qui demeure ouverte. Plus bas : « Vous êtes morte ? » À cette désarçonnante question qui lui est adressée, ses yeux non plus ne cillent pas. Jeannot se redresse, il la contemple debout, un peu penché par-dessus les plants. Du sang coule épais derrière sa tête, de sa nuque déchiquetée. « Maman, maman, viens vite, il y a une morte ! » Josette, et sa mère portant sa sœur, se rapprochent. D'autres personnes arrivent, qui se sont relevées. « Viens, dit sa mère qui le tire tout de suite par la main, viens, ne regarde pas ça, je ne veux pas, ne regarde pas ça. » Jeannot résiste, échappe à sa main, regarde encore cette femme aux yeux, à la bouche, au corsage ouverts. Il ne peut en détacher son regard.

Au lycée, cette année, Jeannot avait appris un court poème, un sonnet, le *Dormeur du val*, d'un poète dont le prénom, Arthur, le faisait rire, avec les élèves de sa classe. Il était, paraît-il, à peine un peu plus âgé qu'eux, leur avait dit le professeur, lorsqu'il avait écrit ce poème. Il leur avait parlé, à propos de cette récitation, de tous ceux qui, à notre époque, mouraient eux aussi dans les fossés, dans les champs, dans les montagnes, et dont on retrouvait le corps à l'aube. Tous les dormeurs de tous nos vals de cette guerre. Dans ce matin ensoleillé, ce n'était pas le dormeur du val : c'était la dormeuse du champ de pommes de terre. Si belle, si réelle. Pour elle, pour Jeannot, cela avait été l'instant du premier rendez-vous troublant avec la mort. Elle n'avait pas deux trous rouges au côté droit, mais à la nuque une plaie de sang, de chair, et d'os déchiquetés. Elle ne bougeait plus. Par la posture de son corps, elle semblait faire une sieste, le corsage ouvert, les seins dégorgés. Mais si ses seins avaient encore la puissance de la vie, ses yeux avaient déjà l'indifférence totale de la mort. Ce contraste accaparait le regard de Jeannot. La vie et la mort, tout à coup, ensemble, exaltaient avec violence, sous le haut ciel bleu, leur mystère, leur hasard et leur incohérence.

Jeannot rompit sa vision, et partit rejoindre sa mère qui s'était déjà rapprochée de la route.

Jeannot, en s'éloignant du cadavre de la jeune femme — le premier, pour lui, des cadavres proches, visibles, touchables —, en l'abandonnant à la curiosité du regard des autres, en remontant le sillon du champ pour rejoindre lui aussi la route, la poussette, leur barda éparpillé, ne put s'empêcher de proférer à mi-voix pour lui, dans le soleil ruisselant sur les feuilles, vertes à en devenir bleues : « Nature, berce-la chaudement, elle a froid. » Il ressentit brutalement, une nouvelle fois, l'exactitude et la force étrange que prennent les mots dans la poésie. Un frisson lui descendit entre les deux épaules.

Leurs paquets rassemblés, ils se hâtèrent de reprendre la route, silencieux. L'avion pouvait revenir. Ils avaient aussi vingt kilomètres à parcourir à travers les montagnes. Quelques centaines de mètres plus loin, lorsque, tout en marchant, ils se retournèrent, ils aperçurent dans le champ de pommes de terre des gens rassemblés. On pouvait les voir discuter sous le soleil, s'agitant, dans une espèce de film muet, autour du cadavre invisible de la jeune morte. Puis Jeannot ne se retourna plus. Il ne vit plus que ses pieds en sandalettes avancer tour à tour devant lui sur le goudron de la route. Les roues de la poussette, qui quelquefois grinçaient par intermittence, se remirent à grincer. Tous les quatre, ils arrivèrent bientôt au pied du plissement rocheux. La pente des prés parsemés de buis, avec là-haut sa couverture de pins, s'élevait devant eux. Ils attaquèrent en file indienne la montée du sentier. Josette en tête, vivante, portant deux sacs, son épaisse chevelure blonde en boule de lumière, comme une torche qui les précédait ; puis Nade avec sa petite fille dans les bras ; et pour fermer la marche, Jeannot, parce que le plus ralenti, tirant, poussant, selon la difficulté des obstacles, des racines, des érosions du sentier, des grosses pierres, la poussette et les paquets sur elle arrimés. Déjà très haut, le soleil tapait dur. Jeannot ne pouvait s'empêcher de penser à ce soleil transperçant l'eau des yeux de la morte, et posant des incendies blancs sur ses seins.

Lorsque tous les quatre ils eurent marché plus d'une heure, ils s'arrêtèrent pour souffler à l'ombre d'un premier pin. Ils avaient pris de la hauteur. En bas, à leurs pieds, ils pouvaient voir la vallée. Jeannot chercha du regard le champ de pommes de terre. Il trouva, en remontant des yeux la route qui les avait amenés jusqu'au pied de la montagne, son rectangle vert facilement repérable. En son milieu, où les gens s'étaient rassemblés tout à l'heure autour du cadavre, il y avait comme un cercle de plantes foulées, écrasées, inscrivant, dans la matière du champ, une couleur plus claire. Dans le champ, il n'y avait plus personne. Et le cercle, lui, comme un œil ouvert, était vide.

CHAPITRE XXII

Après une légère collation prise à l'ombre des grands pins rouges, ils furent prêts à repartir. Ils allaient se mettre en route pour achever cette montée du premier versant lorsque Nade, prise d'un dernier souci de tout vérifier, s'aperçut que, dans leur hâte matinale et l'excitation du départ, elle avait oublié à la maison la sacoche la plus importante, celle de tous les papiers. Oubliée sur les rayonnages du salon ! Elle devait à tout prix redescendre. Il le fallait. Immédiatement. Il ne pouvait être question de continuer plus loin sans avoir récupéré cette maudite sacoche stupidement laissée sur son étagère. Elle décida qu'elle retournerait seule. Elle avait encore le temps, ce n'était que le début de l'après-midi. L'emplacement sous les pins était bon, sec, plat, abrité. Ma foi ! ils y dormiraient tous ce soir à la belle étoile lorsqu'elle serait revenue. Ils reprendraient leur route vers Chatonnex demain matin, à la première aube. Josette allait garder sa fille. Avec Jeannot, ils ne bougeraient pas d'ici : ils attendraient qu'elle revienne. Elle partit.

Jeannot vit sa mère s'éloigner dans la descente du sentier. Bientôt, en contrebas, elle disparut parmi les arbustes et les massifs de buis. Josette et Jeannot restèrent longtemps à surveiller sa descente et, lorsqu'ils ne purent plus la voir, à attendre à quel moment, tout en bas, aux abords de la ville, dans la rue du champ de pommes de terre de ce matin, elle réapparaîtrait.

Nade était facilement repérable à son corsage blanc. Le corsage réapparut. Ils virent la petite tache blanche remonter la rue. Bientôt, après la ligne droite, elle échappa à leur vue entre les toitures des maisons. Nade ne tarderait pas à revenir.

L'après-midi d'été s'étendait sans nuage sur la vallée. Soleil haut, ciel bleu, montagnes vertes et bleutées ; et partout, sur les choses, et sur la petite ville silencieuse, cette mousse de lumière. Josette, assise, rêvait devant le paysage, mâchonnant le bout blanc et sucré d'une herbe. Elle avait enfoncé sa jupe entre ses cuisses qu'elles tenaient écartées. De temps en temps, elle chantonnait à voix basse. Un peu en arrière d'elle et allongé près de sa sœur qui babillait, Jeannot, appuyé sur les coudes, menton dans les paumes, regardait l'horizon de la vallée inscrit entre les jambes de Josette, qu'elles semblaient contenir. La vallée du monde dans une vallée de femme. Mais Josette, fermant tout à coup ses cuisses, s'écria en se levant : « La voilà, c'est ta mère, elle revient ! »

Jeannot se mit debout. Il vit le point blanc du corsage maternel remonter la rue droite, et se rapprocher bientôt de la zone marécageuse qui se trouvait au pied de la première barre rocheuse à gravir. Sa mère marchait assez vite.

Juste à ce moment-là, dans le ciel, venant du sud, le point noir et grondant de l'avion surgit. C'était son raid de l'après-midi. Jeannot et Josette virent tout de suite les gros flocons de fumée s'élever sur le haut de la ville, au-dessus du quartier des écoles. Le bruit de l'éclatement des bombes se répandit dans la vallée et revint en écho sur eux. Dans cet espace libre, si dégagé, ils pouvaient suivre, avec précision et dans un sentiment d'irréalité, les manœuvres de l'avion vif et léger, apparemment le même que celui de ce matin. Après le lâcher de ses bombes, il piqua sur la ville. Ils entendirent aussitôt le crépitement de ses premières rafales qui résonnèrent sur la vallée. L'avion suivit la même diagonale de mitraillage que celle de ce matin. Lâchant sur son parcours ses rafales au hasard, il fut tout de suite sur le côté ouest de la ville. Comme s'il venait droit sur eux, il se rapprocha à toute

165

vitesse de la zone marécageuse que venait d'atteindre Nade et vers laquelle elle s'était mise à courir. La mitrailleuse cracha. On vit le petit point blanc du corsage trébucher, tomber dans des touffes de roseaux. Plus rien ne bougea. Nade avait disparu.

Dès l'apparition de l'avion dans le ciel, Josette avait rassemblé et poussé plus profondément sous les pins, pour mieux les dissimuler, les couvertures et les objets qui traînaient. Abritée derrière un pin, elle serrait dans ses bras la petite sœur de Jeannot. Aussi ne put-elle rien faire lorsque celui-ci, après qu'il eut vu sa mère tomber dans les marais, partit aussitôt en courant dans le sentier et se mit à dévaler la descente sans plus réfléchir. Devant lui s'ouvrait la longue partie découverte du coteau. À peine avait-il vu sa mère s'effondrer qu'à la seconde même, sans un mot, sans un cri, son corps avait bondi.

Maintenant, il courait, sautait, fonçait, non pas de toutes ses forces, mais de tout l'instinct de ses muscles. Le poids de son corps catapulté par la descente l'entraînait et accélérait sa vitesse. Les branches lui fouettaient les jambes, les épaules, le visage. Les pierres roulaient, giclaient sous ses sandales. Il rattrapait son équilibre sur ses mains, sans s'arrêter. Sans tenir compte du sentier, des dénivellations, des bancs rocheux, des buissons bas au travers de sa trajectoire, il s'élançait dans l'air pour les franchir, retombait plus bas avec des grands chocs dans les genoux, et sans chuter, sans tomber, enchaînait sa course dans les éboulis. Pendant qu'il dévalait la pente, sur la vallée l'avion avait viré. Jeannot, sans s'en occuper, devinait parfaitement, tout en courant, au vrombissement du moteur, sa manœuvre et son retour. Cette fois l'avion revint par le sommet de la crête ouest, et Jeannot, accélérant encore sa course, pressentit avec acuité que l'avion l'avait repéré, et venait sur lui par-derrière. Dans son dos, il sentit partir les balles comme s'il les voyait. Il entendit, à quelques centaines de mètres en arrière, les premiers claquements sur les pierres et dans les buissons. Dans un élan de bête traquée, sans hésiter, il plongea en s'élançant, tête première, dans un buisson touffu de buis et de noisetiers qui se trouvait devant lui, en contrebas. Il sentit le bois dur des petites branches le griffer de partout. Au même instant il perçut le souffle de l'avion au-dessus de sa tête, le grondement du moteur sur sa nuque et ses épaules. Et en même temps encore, sans qu'il puisse comprendre tout de suite pourquoi, il entendit des cris, des voix de vieilles femmes : « Idiot ! imbécile ! petit crétin ! tu vas nous faire repérer ! » Il reçut, pour renforcer et accompagner les cris, de grands coups de pied dans le dos.

Il se retourna. Dans l'ombre de la voûte du buisson, au milieu de paquets et de boîtes de conserves ouvertes, deux visages haineux aux bouches tordues de rage et de cris, des bouches avec du poil gris au-dessus des lèvres. Allongées sous le buisson, elles le repoussaient au-dehors à grands coups de pied, s'accrochant aux troncs des buis pour donner plus de force à leurs coups. C'étaient les mères « Trois-Poils », les épicières, celles de la place des Écoles ! Celles-là même qui gagnaient leur vie grâce aux écoliers, en leur vendant chaque jour surprises, zan, réglisses, cachou ; celles qui avaient englouti l'argent donné par la mairie à Jeannot et à ses copains pour le pillage des tuyaux de plomb de la vieille maison et la très ancienne épée découverte dans les marches. Jeannot tenta de reprendre son souffle coupé par la course, tout en s'accrochant lui aussi aux branches. Il n'y avait pas que la course qui lui coupait le souffle. Jeannot était rendu muet par tant de méchanceté, d'égoïsme. Où était donc dans ce buisson la fameuse tendresse des femmes, leur douceur, leur compassion vantée ? Il en restait sans voix. Il se retourna, le dos meurtri par leurs sandales ferrées, et se mit à leur rendre les coups de pied. Vieilles taupes. L'avion avait tourné sur la vallée et amorçait son retour sur ce versant : « Mais il va nous faire tirer dessus ! Dehors, dehors ! Ce buisson est à nous ! C'est notre abri ! On y était les premières ! Allez, fous le camp ! Va te faire canarder ailleurs ! Allez, dehors, dehors, petit imbécile ! » Et leurs jambes à ferraille tapaient à coups redoublés sur les mains et les bras de Jeannot. Comme il avait été déjà à moitié expulsé du buisson, dégoûté, il lâcha prise. On le renvoyait à la mort. Très bien. Elles allaient voir ce qu'elles allaient voir. Il se campa droit devant le buisson, époussetant tranquillement brindilles et poussière sans tenir compte de l'avion, pour leur montrer qu'il n'avait pas peur, lui, et leur lança : « Vieilles salopes ! » Ce furent les seuls mots qu'il trouva à jeter à l'ombre noire de leur tanière.

Le cœur lacéré plus que les jambes et les joues, il reprit sa course et se mit à dévaler de plus belle. De vieilles dames comme sa grand-mère ! Tout de même ! Il n'en revenait pas. Le faire gicler à la mort à coups d'antiques sandales à clous, tout ça pour protéger leurs vieux os et quelques boîtes de conserves ! « Vieux fossiles poilus ! Vieillardes des ombres ! Qu'elles crèvent ! » Bondissant de nouveau parmi les pierres, il se fouettait le sang et la colère en criant ces injures à voix haute. Comme la menace de l'avion remontant la vallée se représicisait derrière lui, et qu'il entendit de nouvelles rafales déchirer l'air vers l'orée des pins et se rapprocher en le prenant de nouveau pour cible, il se lança à plat ventre dans l'antre d'un autre buisson, délicieusement libre cette fois.

Il reprit sa respiration et ses esprits, le sang battant le tympan de ses oreilles. De nouveau le bruit des branches hachées, de nouveau le passage des ailes. Dès que l'avion commencerait à virer au bout de la vallée, il reprendrait sa descente. Il irait jusqu'en bas. Rien ne l'arrêterait. Il devait descendre jusqu'à sa mère, il descendrait, avion ou pas. Pendant qu'étendu sur la caillasse calcaire blanche répandue sous les buis, il reprenait un peu des forces, et attendait que ses jambes, trop sollicitées par l'effort, cessent de trembler, sa réaction de défi devant la peur haineuse des épicières lui fit revenir en tête, bizarrement, l'expression : « En avoir ou pas. »

Il se souvint de cet article qu'il avait lu dans le journal local — quand Dad était encore là, et l'instit, une éternité déjà — dans lequel, à propos de chauffage et de pénurie, un journaliste incitait les gens de Miyonnas à aller chercher du bois, avec des charrettes à bras, au cœur de la grande forêt de sapins municipale qui dominait la ville. En allant arracher à la forêt du bois mort, et en remportant, chez-soi, des charrettes de fagots pour se chauffer l'hiver, ce serait « toute notre population, écrivait le journaliste inspiré, qui retrouverait sa *virilité perdue* ». Jeannot n'avait pas du tout compris alors ce qu'était cette virilité perdue que, par miracle, on allait pouvoir retrouver dans des fagots descendus des bois sur des charrettes. Ses copains lui avaient apporté les lumières qui lui manquaient : « Des couilles, quoi, en avoir ou pas ! » Couilles, courage, manches retroussées, gland dégagé, en avant tout droit, des hommes quoi ! « Faut y aller, pas se dégonfler, quoi ! » Ça lui était resté dans un coin de la tête, « en avoir ou pas », et la ligne de séparation qu'elle traçait entre les courageux et les dégonflés. Ça ressortait aujourd'hui, comme ça, dans l'antre de son buisson, dans son halètement de bête à bout de souffle. Il en aurait, saloperie de monde ! Il en aurait ! Il descendrait jusqu'au marécage, il n'arrêterait pas avant d'avoir trouvé sa mère. Il regarda à l'extérieur. Vacherie d'avion, il foutrait donc jamais le camp ! Il se dégagea de son abri, examina le ciel et se remit en route. L'avion s'éloignait, crachant encore une dernière rafale au hasard sur les bois, battant des ailes en direction du nord. Même pour revenir, il devait opérer son grand virage sur la vallée ; ce qu'il fit. Pendant qu'il longeait le versant est, de l'autre côté, le long de la forêt des virilités, Jeannot reprit sa course. Mais l'avion continua tout droit cap au sud et disparut en direction de sa base. Jeannot se sentit soulagé de n'avoir plus à jouer aux héros.

Il eut vite fini de dégringoler la pente. Juste avant d'arriver au marécage, il vit sa mère au détour du sentier qui s'avançait vers lui, en lui faisant de grands signes de ses deux bras. « Maman ! » cria Jeannot. Sa mère était vivante, marchante, debout, sur la terre ! Corsage, jupe, jambes, visage maculés de boue. La chevelure défaite. Mais vivante ! Ils se jetèrent dans les bras l'un de l'autre. Ils se racontèrent leurs péripéties ; elle, le marécage dans lequel elle avait plongé sous les balles, lui, les coups de pied des mères « Trois-Poils ». Pour aujourd'hui, l'avion ne reviendrait plus, sa mère l'assurait. Le soir était en train de s'installer, rougissant déjà sur la crête ouest.

Ils remontèrent tranquillement. Ils tombèrent sur les cerbères velus du buisson. Qui les regardèrent un moment monter. Quand ils se croisèrent : « Pauvres folles ! » leur lança sourdement sa mère. Maculée de tourbe noire comme un Indien en guerre, les mèches de cheveux autour de sa tête éclairées de lueurs rouges du soleil qui se couchait, elle fit comme un pas vers elles ; et l'œil sombre : « Pauvres folles ! » Puis : « Sales pétainistes ! », et, semblant ne plus se posséder : « Je vous hais, je vous hais ! Attendez la fin de la guerre ! » Les mères « Trois-Poils », gagnées par la peur, reculèrent. La mère de Jeannot, pour la première fois, avait l'air d'une vraie folle vengeresse surgie sur le soir. Ils passèrent, tendus, devant les vieilles femmes. À voix haute, pour qu'elles l'entendent bien, sa mère poursuivit pendant qu'ils s'éloignaient : « Oublie-les, mon fils, oublie-les ! C'est l'éternelle petite France des trouillards qui ne savent défendre que leur trou de rat, leurs quatre sous, leur gamelle de cabot ! » Puis, après une imperceptible pause, elle lança dans l'espace, sur une note aiguë : « Et leurs trois poils ! » C'était si enfantin de sa part de lancer ainsi à tous les échos ce surnom local que chacun à Miyonnas connaissait, y compris celles qui le portaient, qu'elle éclata de rire, un rire peut-être un peu trop nerveux, métallique. Peu importe, cela faisait si longtemps que Jeannot n'avait pas entendu sa mère rire.

Elle monta la côte, libérée, pleine de morgue, en balançant à bout de bras la sacoche récupérée, boueuse elle aussi. Même avec ce qui l'attendait plus haut, sa fille, les paquets, la poussette grinçante, elle ne se sentait pas de cette France-là. Elle avait ses accès d'orgueil, ses bouffées inattendues de romantisme, Jeannot en fut fier. Comme une princesse, pensa-t-il ; peut-être comme une princesse un peu folle, mais comme une princesse. Elle monta devant lui tout le restant du chemin, jusqu'à leur camp sous les pins, légère, de son pas de jeune fille un peu maigre et fragile des montagnes de l'Ardèche. Une jeune fille qui avait malmené sa santé dans les vents aigres des vallées, mais qui avait eu l'habitude, pendant son enfance, lui avait-elle raconté, d'accomplir sans broncher, souvent avec la faim au ventre, avec ses frères et sœurs, aller et retour, pour se rendre à l'école, sa dizaine de kilomètres à pied par jour à travers leurs collines de rocaille. Et pendant qu'il la suivait, heureux de n'être pas ce soir seul dans ce monde comme il l'avait tellement craint il y avait à peine quelques heures, plus rassuré dans le soir en paix, Jeannot, suivant les conseils de sa mère, repoussa dans sa poche-à-noir les coups de pied vachards des épicières de l'ombre, et ses doutes grandissants sur l'espèce humaine.

Le dîner fut vite expédié ; ils avaient d'autres soucis et peu à manger. La nuit venait, ils n'avaient rien pour s'éclairer, à peine une petite lampe de poche à la lueur déjà si jaune et affaiblie qu'elle n'était là que pour faire signe et rassurer. Et puis, il valait mieux ne pas attirer l'attention, se méfier, on ne savait jamais. Demain matin, ils devaient se remettre en route très tôt. Le vent de la nuit se mit à faire bouger les hautes branches des pins qui laissaient voir de partout le ciel. Josette et sa mère avaient préparé la couche commune : la plus grande couverture étendue sur le sol, les deux autres sur leurs corps allongés côte à côte. Jeannot se trouva couché entre sa petite sœur et Josette. Sa mère, qui s'était, avec un peu d'eau qu'ils avaient emportée, rincé le visage et les jambes, embrassa ses enfants, et demanda : « On éteint la lampe ? — On éteint ! » La petite ampoule jaune mourut dans la nuit.

Dans le vent, dans le noir, les étoiles apparurent. Jeannot tenta de s'endormir sans bouger, coincé contre le dos de Josette. Il n'y arrivait pas. Il entendit bientôt le souffle régulier de sa mère : rompue de fatigue, elle lui avait cédé tout de suite. Jeannot voulut bouger, tenter une nouvelle position. Mais couché sur le côté, il ne savait, afin d'éviter de toucher Josette, où mettre son bras droit. Derrière lui ? Mais s'endormir ainsi, bras déjeté en arrière, ça n'allait pas, et son épaule s'ankylosa. Entre les jambes ? Ses mains serrées entre les cuisses, qu'on aurait pu croire sur son sexe et ses parties, ça le gênait de les avoir là, contre une Josette proche à sans cesse l'effleurer. Il replia son bras un moment sur son flanc, mais ce n'était pas non plus sa position naturelle. Enfin il avait encore, presque contre son visage, parce qu'il avait par sa taille plus petite sa tête positionnée plus bas que celle de Josette, son épaisse chevelure moutonnante qui le frôlait, le touchait et lui chatouillait parfois les cils et les narines.

Pourtant, il ne s'est pas écarté, surtout pas. Il veut au contraire demeurer dans cette odeur de chevelure et sa proximité frôleuse. Depuis ce matin, il y avait eu le départ, le mitraillage dans le champ de pommes de terre, la montée en plein soleil avec les paquets ; pour Josette, dans la chaleur, toute une longue journée agitée. Si bien qu'il se dégageait de son corps, étendu contre lui, sous la couverture, non seulement cette odeur de chevelure, mais aussi de sueur et de peau, qui montait des profondeurs de leur couche improvisée, odeur à laquelle Jeannot, d'une manière confuse, avait une profonde envie de se lier, de se fondre.

Après avoir longtemps hésité, tout à coup, alors qu'il allait entrer dans le sommeil, il étend le bras ; qu'il passe, comme pour l'enrouler, sur le corps de Josette. Sa main s'est posée juste, par hasard, sur son flanc, au pli de sa taille et de sa hanche. Son corsage avait lâché, écarté qu'il était de la jupe, à moins qu'elle n'en eût défait elle-même quelques boutons afin d'être plus à l'aise pour dormir. Les mouvements pour chercher le sommeil avaient fait remonter le corsage le long de son flanc. C'est sur ce petit espace de peau nue qu'est retombée la main de Jeannot. L'arrondi naissant de la hanche, la courbe de la taille dans l'autre sens se font dans le noir d'une douceur à ne plus jamais les quitter. Immensité du ciel au-dehors, intensité d'un corps sous la couverture. Ou l'inverse, il ne sait plus, intensité, immensité, le sommeil l'envahit.

Sa main, au contact de la peau de Josette, s'est mise à brûler. Il sent la peau de Josette comme un insondable picotement d'étoiles. Il entend pulser comme un souffle le rythme du sang dans ses oreilles. Au-dessus de sa tête, le ciel nocturne de juillet se courbe lisse et tiède comme la peau de Josette sous sa main. Alors il se serre un peu plus fort contre sa voie lactée d'étoiles tièdes. Sa main épouse davantage la forme, insiste, cherche sa place définitive. Josette eut peut-être peur que la main s'égarât un peu plus, ou qu'elle franchît les limites d'un simple attouchement de contact, qui pouvait jusque-là passer pour naturel. Toujours est-il qu'elle a tapoté gentiment sur sa main. Puis elle l'a prise dans la sienne, pour que cette main en reste là. Cette femme lui tenant la main au bord de l'arrondi de sa hanche sous la voûte des étoiles, dans le bruissement confus de la nuit et des branches de pin, fait renaître en Jeannot la vision de la jeune morte du matin. Plus personne ce soir ne se liait à sa vie, à sa hanche. Où l'avait-on emportée ? Il revit ses yeux ouverts, pâles et transpercés de lumière verticale, la naissance de ses seins blancs où dans leur pli profond s'enfonçait un doryphore. Il pense, sa main tenue par la main de Josette, qu'il aimerait bien être un doryphore s'enfouissant entre les seins vivants de Josette. Il ne recevrait plus de coups de pied. Il repense à la trace des balles. Aux « Trois-Poils » épicières, tapies comme des rats féroces dans leur trou, et qui le repoussent au-dehors et à la mort à grands coups de talon. Il revoit leurs visages hurleurs. À cette vision, il se resserre un peu plus fort contre Josette, qui lui presse à son tour, comme pour lui répondre, un peu plus fort la main. Au-dessus de sa chevelure odorante, à l'horizon de la nuit, ce n'est plus qu'une palpitation d'étoiles.

Ciel immense, corps intense. Ciel intense, corps immense. La femme est douce dans le noir. Des millions d'étoiles claires palpitent. Palpitent, si calmes au-dessus de lui, qu'il en ferme enfin pour de bon les yeux. La nuit se met à sentir plus fort les pins, l'herbe chaude, le corps de Josette. Main tenue au creux de sa hanche, il s'abat dans un sommeil aussi soudain qu'un mitraillage éclair.

Il dormit d'une traite. Lorsqu'il se réveilla, le jour imprécis se levait sur la vallée. Sa mère et Josette en étaient déjà aux préparatifs de départ. Ils mangèrent un peu de pain et de sucre. À la première aube, comme convenu, ils étaient partis.

CHAPITRE XXIII

« Le Paul » attendait le Jeannot. Le Paul était le fils du cousin de Dad, il avait le même âge que le fils de Nade. Le Paul avait pour empire la combe retirée. Son béret, enfoncé jusqu'aux oreilles, était sa couronne. Il en sortait quand il le fallait des bouts de ficelle, des allumettes, et même des petits morceaux de paraffine qui lui servaient de pâte à mâcher. Il succéderait à son père à la ferme. Il continuerait de régner sur les champs de la combe. Son savoir n'avait rien à voir avec celui des écoles et autres lycées lointains de la préfecture. Son savoir était les vaches, les couteaux, les foins, la faux, les râteaux ; les bœufs, les graines, les chariots ; les vipères, les écrevisses, les ruisseaux ; le lait, les œufs, les poules, le pain chaud. Son savoir éblouissait Jeannot qui, depuis huit jours, n'arrêtait pas d'apprendre. Les vaches commençaient à lui obéir quand il les piquait à la croupe avec le long bâton terminé par une pointe de clou, que lui avait donné Paul, et qu'il portait, comme lui, sur l'épaule, en revenant le soir des champs. Depuis huit jours, le monde avait repris un air d'oubli et de bonheur.

Après la nuit à la belle étoile, aux belles étoiles, se disait Jeannot, ils avaient, arrivés au sommet du versant des mitraillages, replongé dans l'autre vallée. Au sortir d'une dévalade sous les arcades de verdure d'une voûte de noisetiers, ils étaient arrivés dans une combe parcourue par un gros ruisseau paresseux, longé de bosquets épais, qui les mena à des collines douces, de vastes champs travaillés et, juste après les collines et le dernier virage d'un chemin de poussière blanche, à Chatonnex. Le village, en pente, se composait de quatre ou cinq fermes et de quelques bâtisses étagées de chaque côté d'une tentative de rue, ou de large gouttière, qui escaladait, perpendiculairement à la route, et jusqu'au premier bois proche, le flanc d'une modeste montagne. La ferme des parents de Paul se trouvait située à mi-pente. Tout en haut de cette unique rue caillouteuse, ravinée par les pluies et les éboulements, étoilée de bouses de vaches que picoraient les poules, ils étaient également propriétaires d'une autre ferme, la dernière du village, et qui le dominait. Elle ne leur servait que pour sa grange à foin. Depuis quelques années, le logement en demeurait inoccupé. Il l'avait proposé à Nade. Elle y serait, avec sa famille, plus à l'abri qu'à Miyonnas, plus à l'écart des combats, des bombes et des représailles qui n'allaient pas tarder. Et à Chatonnex, ils auraient toujours au moins de quoi manger. Nade avait accepté. Cela permettrait de tenir jusqu'à la fin de l'été, qui serait peut-être la fin de la guerre.

En attendant, il fallait vivre ici. En pleine rusticité. Pas d'eau, et pour commodités une cabane en bois, derrière la maison, au bord du premier pré. Nade et Josette s'attaquèrent aux toiles d'araignées, à la poussière, au plancher de bois blanc. Le logement d'habitation de la ferme était composé d'une cuisine assez grande, avec une pierre d'évier encastrée dans le mur. Dans un angle du fond, un escalier-escabeau permettait d'accéder à une trappe découpée dans le plafond. La trappe donnait directement sur la grange et son foin entassé, dont l'odeur chaude imprégnait, à l'étage en dessous, les murs et les vieux meubles abandonnés. L'arrière de la maison construite à flanc de pente était percé d'une vaste porte de grange qui permettait l'entrée des chars à foin, par une rampe d'accès, pour les décharger. La cuisine était flanquée de deux petites chambres. Nade avait donné à Josette celle qui avait vue sur la descente du village, les toits surplombés et la combe incurvée au loin. Depuis sa chambre, elle voyait, dans l'enfilade de la rue en pente, à mi-chemin avant la ferme des parents de Paul, le lavoir du village où ils allaient plusieurs fois par jour remplir des brocs d'eau. Par la fenêtre ouverte, elle pouvait entendre, tombant du gros bec de bronze dans la longue vasque de pierre de l'abreuvoir, le bruit de l'eau de la fontaine. L'eau coulait jour et nuit, de l'abreuvoir, elle se déversait en cascade dans les deux bassins du lavoir. Sur la gauche, par-delà le toit du lavoir, entre le rebord de la combe et la ligne des montagnes lointaines, se devinait une vaste vallée cachée remontant vers le nord. C'était la vallée de Someyetan. Josette y portait souvent son regard. Jeannot s'était souvenu des paroles de l'instit sur la place des Écoles.

Nade, pour elle et ses enfants, avait pris l'autre chambre, celle qui donnait sur le côté arrière de la maison, sur le versant de la montagne, le pré en pente qui venait buter aux murs, entre deux pommiers à hauteur de fenêtre. À l'orée d'un bois qui commençait un peu plus haut, à quelque distance à peine des abords de la maison, se dressaient les premiers bosquets de fayards et de noisetiers.

Pendant que le soleil se levait sur le lavoir, le matin, l'ombre fraîche de la bâtisse demeurait longtemps dans le feuillage des pommiers. C'est dans la fraîcheur d'un de ces matins, avant que tout le village ne se mette en route, qu'il était allé enfouir, à la demande de sa mère, au pied d'un fayard, un petit coffret métallique enveloppé de toile cirée, dans lequel elle avait mis quelques bijoux, des papiers, et une liasse de billets qu'elle lui avait montrée. « Si jamais les Allemands viennent jusqu'ici », lui avait-elle donné comme raison. « On ne sait pas ce qui peut arriver, non, on ne sait pas. Si jamais tu te retrouvais seul, avec ta sœur, tu sauras où trouver quelque chose pour t'aider un moment. Et surtout n'en parle à personne. » Dans la fraîcheur du matin, au-dessus du village et de la combe silencieuse à ses pieds, il avait enfoui le trésor dérisoire. Puis caché le trou rebouché sous des pierres, des herbes, des feuilles sèches. Sur le village, sur ses jours, comme les fumées matinales sur les toits des fermes, planaient toujours les « si » des futurs incertains. Le monde était plein d'hommes-loups qui voulaient égorger, fouiller, arracher. En bas, depuis la cuisine, il pouvait surveiller le grand fayard où, au pied, il avait mis un peu de son avenir en terre.

La cuisine, elle, s'ouvrait à l'extérieur sur un pas de porte composé de larges pierres plates, d'où partait, accompagnant la pente du terrain, un escalier de pierre. Au rez-de-chaussée, en bas de l'escalier, s'alignaient trois espèces de caves, ou débarras, encombrés de vieux outils, de sacs, de cercles de tonneaux. Au fond du débarras du milieu, qui avait dû servir en son temps d'étable pour les bœufs de la ferme, une vieille mangeoire de bois était fixée au mur, avec, au-dessus d'elle, accrochés, d'anciens chapeaux sans forme, des lanières de cuir usées et craquelées, des bouts de fil de fer rouillé. Les vitres du fenestron de cette ancienne étable étaient rendues opaques par les saletés, les couches de chiures de mouches et d'épaisses toiles d'araignée. Le Paul lui avait vite fait découvrir qu'elle servait de cachette idéale pour y fumer du bois fumant. Fumeux bois fumant qui fumait si lentement et brûlait la langue et les gencives. Mais sous son béret, et bien calé contre la mangeoire, Paul avait l'air de tout autant savourer son âcre bout de bois qu'au restaurant de Lyon l'oncle Jean son cigare. Lui aussi était un homme. Et Jeannot contemplait la fumée qui s'élevait, sous les toiles d'araignée, comme montait celle de l'opium sous les plafonds noircis des fumeries d'Asie, s'il en croyait les photos du livre feuilleté chez sa grand-mère.

Nade, pour se ravitailler, demander des bricoles, papoter, se rendait souvent chez la mère de Paul. Cette dernière, blonde, le visage rond, un peu rougeaude, s'était vite montrée la gentillesse même, enchantée de cette présence inattendue. Elles n'arrêtaient pas de parler ensemble dans la cuisine de la ferme, bourdonnante de mouches, ou bien dans l'appentis attenant, où la mère de Paul l'avait initiée à tous les secrets du barattage pour fabriquer du beurre. Paul était ravi d'avoir Jeannot comme compagnon de chaque heure du jour. Il avait le monde, c'est-à-dire sa combe, à lui apprendre. Le père de Paul, lui, avait Josette.

Tanné, amaigri par les durs travaux d'été — faucher les champs à la faux, charger les chars à la fourche —, il avait l'air tout excité et ragaillardi par cette jeune présence féminine, et comme animé par de nouvelles forces. Quand il remontait sa culotte rapiécée, tenue par une large ceinture de cuir, et qui glissait sans cesse de son ventre creux, quand il essuyait la sueur dans l'échancrure de sa chemise usée où l'on pouvait apercevoir son torse à l'ossature saillante, et que sa femme le plaisantait devant Nade et Josette sur sa maigreur, il faisait souvent à Josette un clin d'œil malicieux, qui avait l'air de vouloir dire, en réponse à sa femme : « Cause toujours. » Ce clin d'œil se voulait aussi un rappel de ce qu'il avait répondu, un soir, quand son épouse en riant avait déclaré à la ronde : « Il aurait bien besoin de se remplumer, mon pauvre homme, c'est bientôt plus qu'un tas d'os ! », et qu'il avait lancé, en blaguant, en regardant bien dans les yeux Josette : « Peut-être bien, mais les bons coqs, i'sont maigres ! » Sa femme avait pouffé, et, prenant le bras de Nade : « Ça, c'est sûr, mais le mien il est tellement crevé qu'il dort le soir à l'heure où les poules se couchent ! » Et tout le monde avait ri, sauf le Paul, qui avait haussé les épaules et glissé en douce à Jeannot : « Le paternel, il croit quand même pas qu'il va grimper la Josette !... »

Pourtant, à la fin de la semaine, lorsque le jour du pain fut venu, pain que le père de Paul pétrissait et cuisait lui-même deux fois par mois dans son four personnel, en face de chez lui, de l'autre côté de la rue, et alors qu'il avait commencé de sortir les premières miches qui craquetaient et répandaient partout dans l'air l'odeur capiteuse et apaisante du pain chaud, il n'avait pu s'empêcher de remettre ça, avec ses petites blagues convenues.

Il les avait tous invités au défournement. Chez Nade, personne n'avait vu ça, la naissance du pain. La joie de respirer, de voir enfin du vrai pain, chaud, chantant, doré, levé, les excitait comme des enfants. Tous les yeux brillaient. Le père de Paul se montrait fort content de son petit effet. Heureux aussi de les aider et de leur vendre quelques pains de sa fournée.

Lorsque des miches eurent commencé à refroidir hors du four, sur une grande planche, il sortit l'Opinel de sa poche, prit un gros pain tiède contre lui, et le trancha en deux : « Regardez-moi ça, annonça-t-il à la ronde, comme ça a l'air à point, comme ça a l'air appétissant ! » Puis, à Josette plus précisément, avec le clin d'œil coquin, pattes-d'oie plissées : « Ça a l'air bon comme l'amour ! », et il ajouta : « Et tout blanc, tout tendre comme une vraie jeune fille ! » Le rouge monta aux joues de Josette.

La mère de Paul apporta des noix, qu'ils mangèrent avec le pain chaud. Jeannot n'avait jamais rien dégusté d'aussi savoureux. Le père de Paul amena une bouteille de sa piquette. Ils trinquèrent plusieurs fois. Nade avait les joues tout enflammées. Josette avait une drôle de manière de renverser la tête en arrière et de repousser sa chevelure.

Le four peu à peu s'éteignit dans le soir. Par sa gueule ouverte, on pouvait voir les braises rouges lentement se noircir et devenir cendres. Dans le ciel, sur la crête, la grosse braise du soleil, se voilant, finissait aussi de se consumer. Jeannot, Josette, Nade et sa fille se décidèrent à rentrer chez eux. Josette portait à bout de bras une miche, Jeannot une autre contre son torse. En montant, quand ils passèrent devant le lavoir, l'odeur de l'eau fraîche se mêla dans l'air à celle du pain chaud.

Jeannot ne voulut rien manger d'autre qu'une grosse tranche de pain tiède avec du lait. Il eut l'autorisation d'en emporter une autre plus petite dans son lit. C'était le plus beau jour de sa vie. Il mâchait son pain frais dans le noir, corps du Christ, corps de Josette, son pain blanc dans la nuit. L'odeur du pain se mêla dans ses narines à l'odeur du foin venue de la grange au-dessus. Le pain, le foin devenaient dans son être le goût du monde en paix. Aujourd'hui, il avait vu autour de lui les gens rire.

Et juste avant qu'il ne ferme les yeux, il vit, au bord de la fenêtre, que la lune s'était prise, comme une grosse pomme lumineuse, dans les branches des pommiers.

CHAPITRE XXIV

On l'a envoyé chercher un broc d'eau à la fontaine du lavoir. Il pose son broc sur les deux barres de fer parallèles qui traversent la largeur de l'abreuvoir au-dessus de l'eau. Le broc se remplit. Dans la vasque, de longs filaments de mousse blonde ondulent sous le mouvement de l'eau. Il est cinq heures de l'après-midi, la fournaise s'apaise. Pendant que l'eau monte dans le broc, Jeannot regarde les champs. Son regard tourne sur la combe. Et là-bas, vers le nord, au-dessus de la vallée devinée derrière le rebord de la combe, il voit monter la fumée. Un immense panache, noir, s'élevant dans le ciel, incliné par la brise. Qui se boursoufle, s'accroît, se met à occuper l'espace. Jeannot n'a jamais vu d'aussi grosses volutes de fumée. Il remonte le bloc plein à la maison. Il raconte ce qu'il a vu. Il doit y avoir un sacré incendie.

Sa mère et Josette, qui préparaient des haricots, se précipitent dans la chambre de Josette. De sa fenêtre, on voit toute la combe. Le panache de fumée a encore grandi. Il se gonfle, bouillonne, se déforme, dans les ascensions d'air chaud. Toutes les deux ont leur regard fixé sur la vallée. « Qu'est-ce qu'ils ont encore inventé ? » demande à voix basse Nade. Et Josette, se tournant vers elle : « Vous croyez qu'il y a eu des combats ? » Ils se taisent tous les trois, ils regardent la fumée noire s'étaler dans l'espace. Josette et Nade retournent effiler les haricots verts. Plusieurs fois, tantôt l'une, tantôt l'autre, elles sont retournées à la fenêtre surveiller l'évolution de l'immense panache. Après le repas, ils sont tous allés s'asseoir sur les marches de pierre de l'escalier. Quand la nuit est venue, le rebord noir de la combe, vers Someyetan, était délinéé d'une lueur rouge.

« Ça brûle encore, dit sa mère. — Qu'est-ce qu'ils ont encore fait ? dit Josette. — Qu'est-ce qu'ils ont encore fait ? reprend Nade. Ils n'ont quand même pas mis le feu à toute la ville ? » Sa mère n'y tient plus. Elle décide d'aller voir sur place demain matin. Il y a peut-être des blessés, des gens à aider ? C'est à peine à deux heures de marche, une dizaine de kilomètres, ou moins, autant dire rien. On ne peut pas rester comme ça, rien qu'à regarder. En tout cas, elle, pas. En elle, la princesse de l'aide s'est remise en route. Elle ira demain. Josette gardera sa fille. Elle emmènera avec elle Jeannot. À deux, c'est plus prudent. Jeannot est fier, avec lui sa mère a moins peur.

La fraîcheur est tombée. Ils rentrent dans la ferme. « La nuit ce soir a vraiment des lueurs de braises », dit Jeannot. Il a mis ses mains dans ses poches et scrute l'horizon, comme un homme.

Ils sont partis dans la matinée. Jeannot a dans le dos un petit sac tyrolien. Ça fait soldat. « Où vous allez ? leur a demandé la mère de Paul quand ils ont passé devant sa ferme. — On va voir, a répondu Nade. Vous avez vu cette fumée, hier ? On va voir. » Après être sortis de Chatonnex, au sommet de la première légère colline, ils sont redescendus, en suivant la route poussiéreuse vers la combe dégagée dont le rebord se relève, là-bas, à deux ou trois kilomètres, au-dessus de la vallée qu'ils ne voient pas. Au rebord de la vaste cuvette, dans le ciel, de la fumée monte encore, à peine. Arrivés presque au fond de la combe, ils ont quitté une route absolument vide, et pris un sentier plus discret, plus camouflé, qui longe des bosquets et un fond marécageux. Ce sentier coupe pour aller à Someyetan. Quand le ruisseau, freiné, se dégage des marécages, il rejoint un autre petit cours d'eau qui prend la descente avec des allures de torrent. Le sentier le suit. Ils suivent le sentier. Après un ou deux kilomètres ils ont retrouvé un chemin empierré étroit qui mène, à travers des prés et des sapinières, pendant quelques kilomètres encore, vers la route de Someyetan. À un détour du chemin, une grosse bâtisse au grand toit incliné, dans son pré, au bord de la rivière, s'est offerte à leur regard. « Tu la reconnais ? » Il répond à sa mère que bien sûr, c'est celle du dimanche passé à la campagne, à la fin du mois de mai. La terrasse de la philosophie. *Ich denke also bin ich.* « Tais-toi, dit sa mère, cette langue me dégoûte. »

Ils approchent, on n'entend rien. Rien dans les alentours. Rien dans la maison non plus. Pas de voix, pas de bruits de machines qui tournent. La scierie est silencieuse. Ils l'atteignent. Il y a une murette. Au bout de la murette, un gros massif d'hortensias en fleur. Des abeilles bourdonnent autour du massif. À trois pas, une grosse tache lumineuse, nacrée, cachée par les herbes, attire le regard.

Ils s'approchent. C'est un homme, à genoux, tête en avant au sol, mains liées dans le dos avec du fil de fer, en chemise déchirée à moitié arrachée. Il a le cul en l'air, à l'air. On lui a baissé la culotte. On voit les fesses. Leur chair est blanche dans le soleil. L'homme ne bouge pas. Plus. Totalement immobile. Ils s'approchent encore. Autour, un vrombissement soutenu de mouches. Le visage est tourné de côté. La langue sort de la bouche, violette entre les dents. Sur les pierres de la murette, il y a aussi du sang, des débris sanglants. À l'arrière de la tête, un gros trou vers la nuque. La balle a défoncé le crâne. À bout portant. Il y a un autre trou dans la joue, comme un étrange orifice naturel. « Mon Dieu ! » gémit sa mère.

Cet homme, ils l'ont reconnu. C'est le fils du patron de la scierie. Le jeune philosophe. Le futur professeur. Le « je pense donc je suis ». Le gentil parleur de la terrasse sous la treille. On lui a abaissé son pantalon, qui reste tiré sur ses jambes. Jeannot et sa mère sont paralysés d'horreur. La voix supprimée. Ils se tiennent l'un contre l'autre. Ils tremblent. On lui voit l'anus en sang. Le goulot d'une bouteille enfoncé dedans. De la sanie à longs filets a coulé sur les cuisses blanches. Des mouches bleues volent et s'affairent sur les caillots de sang dans les poils. Nade prend la

182

tête de Jeannot dans ses mains, détourne son regard. Elle l'entraîne vers l'extrémité de la murette, vers le hangar, vers les grandes planches de coupe mises à sécher, empilées sur des cales. « Ne viens pas avec moi, dit sa mère. Reste derrière ces planches. » Jeannot obéit sans un mot. Elle traverse la cour. La porte de l'entrepôt est demeurée ouverte. Elle entre.

Derrière ses planches, Jeannot surveille l'entrée. Il entend un cri, un hurlement. Un « non ! » crié, hurlé, étranglé en même temps. Sa mère réapparaît. Elle s'appuie au mur en plein soleil, à côté de la porte. Adossée au mur, elle se laisse glisser à terre, assise, jambes repliées, la tête courbée. Elle l'enfouit entre ses bras et ses genoux. Jeannot court vers elle, vers la porte ouverte. Sa mère tente de repousser la porte du pied, d'un écart de sa jambe. Elle n'y arrive pas. Jeannot est déjà sur le seuil du hangar. L'intérieur en est violemment éclairé par la lumière d'été entrant par les hautes baies et le grand portail du fond qui est ouvert. Dès les premiers pas, il s'arrête. Autour de la grande scie circulaire à ruban, la sciure, sur le sol, est sombre. Rouge sombre. La scie, son plateau, sont couverts de sang. Parsemés de flaques épongées. La sciure a bu et paraît gluante. Des giclures zèbrent les planches. D'amas de larges planches découpées, poisseuses, gisant au sol, sortent une jambe et son pied, un bras, ou des bras, des mains. Combien de corps, il n'en sait rien, Jeannot n'ose plus regarder. Ne fait que regarder. Des milliers de mouches tournent, s'acharnent, s'envolent, reviennent, disparaissent, dans une odeur d'excrément, de sang et de chair pourrissante. La même odeur que celle de l'abattoir, à Miyonnas, où l'avait entraîné un après-midi le fils du boucher. Odeur de sang remplissant les seaux. De boyaux. Odeur fade et pénétrante de la mort.

Dans cette odeur-là, sur sa planche, posée, la tête. Cheveux rouquins aux boucles ensanglantées, visage jaune, blême, aux yeux de souffrance mi-clos, grotesque sur son étagère. Infernale. Précise. Accaparant l'espace. Et qui semble attendre. Dominer l'espace, le juger. Encore du sang, sur sa face, marquant les rides, les traits, et qui a fait flaque sous elle. La vision de la tête atteint Jeannot comme un coup de feu, en pleine poitrine. Ça brûle, ça serre, un jet d'acide jusqu'au cœur. Il lui semble que les yeux de l'instit vont continuer de s'ouvrir sur la planche, sa bouche se desceller pour hurler, l'instit. Pourtant tout est si muet, si calme, dans le vrombissement des mouches, les planches maculées, la répugnante odeur. Jeannot recule. Recule dans ce monde arrêté, inébranlable. Définitif dans son monde de la mort. La tête sur sa planche, dans la lumière, le regarde. Oui, le regarde de ses yeux vitreux à moitié clos. Jeannot ne peut en détacher son regard, pendant qu'il recule. Trois pas, deux pas. Au-dehors, la porte haute est lourde à repousser. S'arracher. Fermer. Repousser. Sa mère, à demi allongée à même la terre poussiéreuse, vomit. Jeannot, soudain trahi par son corps qui se met à trembler à ne plus pouvoir le soutenir, tombe lui aussi à genoux. Tout tourne autour de lui, les murs, les planches, les arbres. Il ferme les yeux.

Quand il les rouvre, il aperçoit près de la porte, vers les gonds et près de fragments de fil de fer sectionnés, un écusson de tissu bleu marine tombé au sol, piétiné dans la poussière, un insigne sombre. Avec le cercle d'argent, la cravache repliée, le serpent fou qui mord. Le gamma de la milice.

CHAPITRE XXV

« Pourquoi Dieu nous abandonne ? Pourquoi ? » Voix. Dans l'église incendiée, la voix s'élevait entre les murs noircis, parmi et au-dessus des poutres calcinées. Les pourquoi, alourdis, désespérés, montaient presque sans résonance dans l'église sans toit, vers le ciel libre et bleu, indifférent. C'était la première voix qu'ils entendaient depuis leur entrée dans la ville. Elle les fit s'arrêter et porter leurs regards vers l'intérieur de l'église.

Jeannot et Nade avaient abandonné, pour ne pas dire fui, la scierie. Que pouvaient-ils faire, avec leurs quatre mains nues et leurs corps terrorisés ? Rien. Il leur fallait continuer. Ils abandonnèrent l'idée, qu'ils avaient envisagée un moment dans l'affolement de la peur et de l'horreur, de faire demi-tour et de reprendre le chemin de Chatonnex. Mais Nade s'était ressaisie et, le courage reperçant sous le désarroi, s'était refusée de le faire. S'entêtant dans un sursaut, elle avait décidé de poursuivre jusqu'au bout. Une odeur de brûlé traînait dans l'air de la vallée encaissée, malgré ce vent du sud qui soufflait depuis deux jours. Nade voulait voir, savoir, en avoir le cœur net. Ils avaient donc repris leur marche, bien que ce fût toujours dans la peur. Le silence sous les arbres, le choc qui les avait fait vaciller après la vision des corps martyrisés de la scierie les faisaient se taire, marcher avec le moins de bruit possible. Au moindre bruissement de feuillage, au moindre changement de lumière sous les frondai-

185

sons, ils scrutaient les ombres des bords de la route, comme ils scrutaient encore bien davantage devant eux son avancée vide dans le paysage. Ils traversèrent un bois, descendirent la dernière partie de la vallée, et les premières maisons furent atteintes sans qu'ils aient rencontré âme qui vive. Depuis leur départ, ce matin, cette voix, s'élevant seule dans l'église, était le premier bruit d'être vivant qu'ils aient entendu. Qui parlait ainsi dans le cœur des ruines ? Car autour d'eux, depuis l'instant où ils avaient commencé à pénétrer dans la ville, tout était ruines.

Ruines noires, les premières maisons, le long de la vallée étroite par où ils étaient arrivés. Ruines, les façades serrées de chaque côté de la rue encaissée qui descendait vers le cœur de la ville. Ruines, le cœur incendié de la ville, où se rejoignaient deux vallées. Portes et fenêtres béantes. Murs dressés dans les cendres, traces de flammes sur les pans de murs, murailles des façades alignant leurs plaies noires. Partout dans les prés, les jardins, sur la route, traînaient des meubles éventrés, brisés, éparpillés ; et des vêtements découpés, lacérés, jonchant au hasard le sol. La terre des jardins était éventrée, retournée, comme s'il y avait été cherché quelque chose ; et Jeannot pensa aussitôt au coffret de Nade qu'il avait dû enterrer au pied du fayard. Parfois, dans le creux noir d'une demeure, des éclatements tardifs de braises, des chuintements étouffés continuaient doucement à se faire entendre. Des restants de poutres encore chauds finissaient de fumer. Des poutrelles d'acier, tordues par la chaleur, demeuraient suspendues au-dessus de l'intérieur calciné des hangars. Pas une seule bâtisse, pas un seul garage, n'avait été épargné. Une folie de fureur dans un silence de rêve. Tout avait été incendié, pillé, vidé, détruit, éparpillé. Tout parlait de mort, de rage, d'acharnement. Jeannot remarqua que les croix de Lorraine tracées à la peinture blanche sur des murs, sans doute par des résistants un mois auparavant, avaient été modifiées en rouge, et transformées en croix gammées. La petite ville entière avait disparu vers le ciel, aspirée par les flammes. Restaient ses débris. La ville était devenue une ville creuse.

Jeannot, il avait eu des caries. Il se souvenait bien d'une dent creuse, soignée chez le dentiste. Les bords irréguliers coupants, le bout de la langue toujours dedans, à vérifier le trou. Les maisons sur le bord de la route avaient l'air de grosses caries dégagées par un dentiste fou. Les rues, leurs courbes, s'étendaient comme des mâchoires entières de grosses dents creusées. Les fenêtres des étages supérieurs des maisons s'ouvraient sur leur vide intérieur, sur le ciel, sur l'absence de toit. Des volets à moitié consumés pendaient parfois à un dernier gond solide, en équilibre instable au-dessus de la rue. Des gravats calcinés, tombés des fenêtres ou des toitures, s'entassaient au pied des façades, barraient parfois presque en entier la rue, déjà encombrée de casseroles, d'assiettes brisées, de poussettes d'enfant, de tonneaux, de ferrailles, de fragments de meubles, de pierres, de moellons, de carcasses de voitures incendiées.

Au cœur de la ville, et quasiment en son centre où se rejoignent les deux vallées qui la forment, se dressait, elle aussi, fardée de la suie des flammes, elle aussi vaincue, dans ses gravats, la vieille église du village. Sur les marches de pierre qui menaient à son porche, au centre, une large tache sombre de sang déjà séché. Plus haut, le portail entrouvert, poussé, une moitié intacte, l'autre passée au feu, charbonneuse, en partie consumée, toujours debout. Et c'est alors que, venant de l'intérieur où s'entassaient, entre les murs noircis par les flammes, bancs brûlés, morceaux de poutres, résidus de chaises, était montée, au moment où ils passaient devant le porche, cette voix : « Pourquoi Dieu nous abandonne ? Pourquoi ? »

Ils ont monté les marches, pénétré dans l'église, dans son enceinte de décombres. Vers l'autel couvert de gravats, un homme en soutane. Il repoussait, soulevait, cherchait du regard autour de lui. Les entendant entrer, il s'est retourné. Nade lui a fait bonjour de la tête. Le curé avait l'âge de Dad à peu près, un homme dans sa maturité. Son visage était marqué de traces de suie. Ses yeux clairs étincelaient sous son front charbonneux et en sueur. Avec ses mains noircies, sa soutane noire, il avait l'air, à part ses yeux, d'être une ruine noire de plus parmi les ruines. La lumière lui tombait dessus. Quelques dernières fumées, derrière lui, s'élevaient dans les rayons du soleil.

« D'où venez-vous, demanda-t-il. Des bois ? Vous étiez cachés avec les autres ? » Nade lui expliqua que non. D'où ils arrivaient. Pourquoi elle avait voulu venir. Le prêtre se tut un moment. « Moi non plus je ne suis pas d'ici. Moi aussi je suis venu pour aider. J'ai trouvé le curé de la paroisse sur les marches de l'église. Ils l'ont tué. Je venais souvent le voir. Ils l'ont abattu malgré ses soixante-dix ans. Il n'avait pas voulu quitter son église. Je l'ai enterré ce matin dans son jardin, derrière la cure, juste là derrière, en attendant. » D'un coup de menton sur le côté, il indiqua vaguement le fond de l'église. Puis il les regarda longuement. Il s'adressa à Nade. « Allez au château, là-haut, sur la droite à la sortie de la ville. Il y a des femmes. Elles auront besoin de vous. Vous n'avez plus à craindre les Allemands. Ils sont partis hier. Ils se replient. Allez au château. Vous verrez. Vous verrez ce que le mal veut dire. »

Son regard se porta sur Jeannot, comme s'il le jaugeait, comme s'il vérifiait quelque chose. « Oui, même pour lui, dit-il à Nade en lui indiquant d'un léger coup de tête son fils. Même pour lui. Allez voir ce que l'homme peut faire à l'homme. »

Nade hésite. Elle aurait envie de lui dire que maintenant, c'est déjà trop tard, il a déjà vu. Qu'est-ce que l'homme peut faire de plus à l'homme que de le scier vivant entre des planches ? Elle a été au bord de lui parler de la scierie, de ce qu'ils avaient découvert. De lui dire que le plus terrible c'était qu'avec les Allemands il y avait sans doute eu des Français. Peut-être n'y avait-il eu même que des Français ? Mais elle s'est tue. À cause de l'air fébrile du prêtre, de ses yeux brûlants, de son air égaré parmi les ruines. Elle lui a simplement dit : « Mon père, dans cette guerre, il a déjà beaucoup vu. » Et elle n'a rien dit de la scierie. Puis elle a gardé le silence. Peut-être aussi tout simplement à cause de sa gêne avec les prêtres : elle était divorcée, ils l'avaient chassée de leur église.

Mais le prêtre ne lui avait d'ailleurs même pas laissé le temps de lui dire quoi que ce soit, il continuait dans une exaltation sourde : « Votre fils, c'est votre fils ? Il faut qu'il le sache, qu'il se souvienne à jamais. Du mal. De l'emprise du mal. L'homme est une bête, une vraie bête. Pire. Quelque chose au-dessous de l'animal. » Il s'était repenché sur les gravats, faisant peut-être semblant de chercher. Il releva la tête : ses yeux, assombris, brillaient intensément. Encore plus fort. Fièvre, larmes, égarement, épuisement : difficile de deviner exactement pourquoi. Dans sa face souillée de cendres, émaciée, ses yeux faisaient peur. « Ah pourquoi Dieu nous abandonne, pourquoi ? Peut-être pour ça, parce que l'homme est une bête sauvage ? Parce que nous sommes au temps des monstres ? Parce qu'ils ont tout envahi ? Mais nous, qu'avions-nous fait ? Et ceux qui sont morts l'autre nuit ? Pourquoi Dieu dans son dégoût lie la victime au bourreau ? Parce que les victimes ont laissé grandir les bourreaux ? croître les monstres ? »

Son regard survola les décombres de l'église, comme s'il y cherchait une réponse. Puis, changeant de ton : « C'étaient même pas des S.S. : la Wehrmacht. Ils sont arrivés par les champs de blé qu'ils ont écrasés sur toute la longueur de la plaine. Ils ont pillé la ville pendant huit jours. Huit jours. » Puis, encore, en les quittant : « Allez au château, allez-y. Votre visite fera du bien. » Il s'éloigne, maigre et noir, parmi les poutres calcinées. Poutre brisée parmi les autres.

Lorsqu'ils reprirent la rue qui montait sans doute vers le château, ils entendirent venir, entre les ruines, un bruit de roue cerclée de métal. Dans la longue courbe de la rue apparut une vieille femme en noir. Elle poussait devant elle une brouette. Sur la brouette des objets, des habits, récupérés sans doute dans les ruines. La roue de la brouette tressautait sur le goudron et les gravats répandus sur la route. Entre les maisons brûlées, dans la rue vide, la femme en noir avançait, le regard dur. Elle leur jeta tout de même un bref coup d'œil alors qu'ils allaient la croiser. Nade en profita pour lui demander où était le château. Sans s'arrêter, la vieille femme en noir, d'un mouvement de tête, leur indiqua derrière elle une vague direction. Elle avait le bord des yeux rougi, comme à vif. En s'éloignant, elle marmonna, à moitié pour eux, à moitié pour elle : « Vous, au moins, vous les entendrez pas hurler. » Elle continua sa route et, après la courbe, disparut dans la descente. Jeannot et Nade entendirent encore un moment, dans le silence des ruines, tandis que la brouette emmenait vers nulle part la femme en noir et ses débris de misère, le bruit solitaire de la roue cerclée de fer.

CHAPITRE XXVI

Le château, ils l'ont trouvé.

Il était là, à la sortie du village, sur le côté de la route nationale, en hauteur, à moitié caché par les frondaisons de très hauts arbres. Au bas de la courte allée montante qui menait à son portail, stationnaient trois tractions avant, intactes, et qu'on devinait arrivées ici depuis peu de temps. Le portail était ouvert. L'allée, sous les grands arbres, verte et calme, pleine d'ombres et de lumière, conduisait, en s'élevant, vers le corps du château. Lorsque Nade et son fils passèrent devant les grilles, leur attention fut attirée par une pancarte, accrochée aux barreaux, sur laquelle une feuille avait été collée. Ils s'approchèrent pour lire. Le texte était écrit à la main, maladroitement, d'une manière appliquée, lettre à lettre.

En contrebas, la petite ville étalait ses toits effondrés et calcinés, ses ruines noires enchevêtrées, les dernières fumées légères des feux qui s'éteignaient.

Sur le côté et derrière le château, un parc, enclos d'un vaste mur, s'étendait sur tout l'arrière du terrain et une partie du flanc de la montagne, selon des terrasses irrégulières descendant vers un torrent qui encerclait leur pied. Le château n'était pas brûlé. Il se détachait sur le ciel, intact. Avec ses tourelles, ses fenêtres aux encadrements en pierre sculptée, ses toitures d'ardoise. Sur sa façade, blanc et vieux rose passé, sur sa terrasse-perron : soleil et silence. Autour, lumière mousseuse et dorée de juillet sur les pelouses chaudes, ombres bleutées sous les feuillages denses, fraîcheur sous les buis taillés. Et ce calme d'été, profond, suspendu, lorsque l'homme a disparu.

L'affichette était rédigée en français. En haut de la feuille, en en-tête, tamponné, un aigle tenait entre ses serres une croix gammée dans un cercle. Puis en gros caractères, en annonce, éclatait : « À la population française ! » Suivait, en plus petit : « Quoi-que ce château servait pour les terroristes comme fortresse et refuge les troupes d'occupation l'ont conservé considérant que c'est un monument d'un valeur culturelle considérable. » Signé : Le Commandant. Le « *quoi-que* » faussement scindé, le « *servait* », le « *fortresse* » sans *e*, et le teutonesque « *d'un valeur* », mis au masculin, faisaient sonner l'armée étrangère.

« Les porcs, explosa Nade, les sales porcs, toujours leur cynisme de crapules, leur ricanement dans les mots ! Tristes porcs ! » Avec sa bouffée de haine, le sang lui était monté au visage, ses yeux flamboyaient. Après les tortures de la scierie, la ville en cendres et pillée, cette affiche à prétention culturelle lui levait manifestement le cœur. Elle entraîna son fils avec force pour franchir le portail, et ils montèrent vers le perron du château.

Les portes du hall d'entrée, comme le portail, étaient ouvertes. Devant le vestibule qui paraissait désert, ils hésitèrent un instant. Mais du fond, dans l'ombre, de deux portes entrouvertes, leur parvinrent des chuchotis, des bribes de phrases, des voix étouffées. Ils entrèrent.

Sa mère s'est dirigée vers cette pièce du fond, celle d'où parvenaient les voix retenues. Après avoir frappé à la porte entrouverte, sa mère a pénétré dans la pièce. Jeannot est demeuré dans le vestibule, à côté de la porte. Il s'est assis sur une longue banquette de bois sombre d'où il aperçoit, en diagonale, une partie de l'intérieur de la vaste salle. Par de hautes fenêtres la lumière y pénètre tamisée au travers de volets à demi fermés. Des matelas sont étendus à même le carrelage. Quelques femmes y sont couchées. Sur l'un d'eux, dans l'angle, assise contre le mur, une femme, en grande chemise de nuit blanche, muette, le regard absent, peigne sans fin ses longs cheveux.

Ceux qui parlaient derrière la porte, deux hommes, des femmes, ont encouragé Nade à les rejoindre, et l'ont accueillie. Jeannot entend leurs voix, proches, à quelques pas du chambranle. Il les entend s'adresser à sa mère, lui parler d'enquête, de témoignage. Sait-elle quelque chose ? On lui demande si elle était cachée dans le village au moment du pillage. Et des viols. Oui, toutes violées. Ils baissent un peu plus la voix. Oui, même les femmes âgées. Ils parlent de femmes revenues, qui ont voulu sauver quelques biens. Ils lui expliquent. Précisent : elles avaient caché de l'argent et des bijoux dans leur corsage et leur soutien-gorge. Au moment de la mise à sac. Les Allemands les ont arrêtées. Des Allemands, et des Russes ; des Russes qui combattaient avec eux dans l'armée allemande. Ils les ont fouillées. Leur ont ouvert le corsage, arraché le soutien-gorge. Après ils les ont... À plusieurs. Certaines ont des morsures sur tout le corps. Ils les ont enfermées plusieurs jours dans le château, pour, enfin vous comprenez. Le plus effroyable, pour elles, ça a été, avec ce qu'elles ont subi, d'entendre, pendant les deux dernières nuits, toute la nuit, et pendant deux jours entiers, les cris, les hurlements des résistants torturés. Pendant qu'ils —.

Nade est ressortie dans le couloir. Elle est blanche. Elle demande à Jeannot de s'éloigner, d'aller dehors, de l'attendre sur le perron. On a un peu besoin d'elle ici, elle en a encore pour un petit moment. Ne reste pas là, tu seras mieux dehors. Va au soleil. Va.

Dans la pièce, au moment de partir, il aperçoit la femme assise dans la pénombre, dans son coin, sur son matelas. Elle se peigne toujours. Elle regarde toujours droit devant elle. Elle a de très longs cheveux blancs.

Il s'éloigne des murmures, des voix. Il laisse dans son dos cette pièce qui garde sa dizaine de femmes couchées, prostrées, et où règne, dans son obscurité, un mélange stagnant de douleur, de gêne, de choses tues, de secrets attachés à la souffrance des femmes. Dehors, sur le parc, le soleil est éblouissant. Il ne faudra jamais que les Allemands prennent sa mère. Ni Josette. Jamais.

C'est la fin de juillet, c'est le milieu de l'après-midi. De grandes ombres tranchées commencent à zébrer le flanc de la montagne et à progresser dans la vallée. Jeannot s'est appuyé à la balustrade de pierre. Il a bientôt treize ans. On lui en donnerait plutôt douze que quatorze. Ce n'est pas un costaud, un grand gaillard, un « en-avance-pour-son-âge ». Malgré son côté vif, joueur, malicieux, c'est un replié, un attentif. Un meurtri. Il regarde la ville calcinée. Ce qui l'intrigue, s'insinue en lui, c'est que malgré les ruines, le village incendié, les pans de murs aux traces de flammes, le monde devant ses yeux semble n'offrir... qu'une absence, un creux, un rongement. Malgré ce qu'il vient d'entendre dans la chambre des femmes, malgré, devant ses yeux, ce décor de poutres brûlées, de murs écroulés, flotte sur les choses l'étrange impression que rien ne s'est passé, que quelque chose a été de trop, qui a été emporté. Comme dans un lit de torrent encombré de troncs arrachés, de souches charriées, ne coule plus, après une crue furieuse, qu'un mince et unique filet d'eau qui serpente. La vie reprend son soleil, son ciel, ses brouettes à pousser, son bruit de rivière. Son filet d'eau entre les pierres. Ses enfants rêveurs appuyés aux balustrades des châteaux.

Je pourrais me dire : rien ne s'est passé, pense Jeannot. Je le dis : rien ne s'est passé. N'a passé. Je le dis. Il ferme les yeux. Il revoit en un éclair la tête tranchée de l'instituteur sur son étagère. Sous le sang, son air lointain. Ses yeux à demi fermés qui semblent aussi lui dire : je suis las, j'ai sommeil, rien ne s'est passé. Il dit les mots : rien ne s'est passé. Il rouvre les yeux : la vallée est vide. Pleine de ruines noires. La vallée est creuse. Comme ses maisons brûlées. Le monde et le temps tanguent dans une espèce de folie, une incertitude qui déchire. Tout s'avance déjà vers l'effacement. Il s'arrache à la vision du village, il s'arrache à ce vacillement en lui.

De l'angle de la terrasse où il est allé inspecter les alentours du château, à l'arrière de la bâtisse, il découvre le parc, sa descente en partie en pente, en partie en terrasses, vers le fond du torrent, et le mur d'enclos, ses modestes allées de gravier disparaissant sous les arbres, entre des massifs de buis plus ou moins taillés, des bosquets de plantation à l'abandon. Sa mère n'est toujours pas ressortie du château. Au bout d'un moment, attiré par la curiosité et des voix qu'il lui semble percevoir, il traverse l'esplanade et se dirige vers les frondaisons du parc.

Le parc est bleu, noir, avec des lumières folles. On entend des bruits de pelles et de paroles dans le soleil.

CHAPITRE XXVII

Il commença de s'enfoncer dans l'allée pour gagner les premiers arbres et les terrasses du dessous : en approchant, l'allée qu'il avait prise (il y en avait trois au départ) se rétrécit, remonta, les graviers firent place à l'herbe, et les bosquets qui bordaient le rebord de la première terrasse s'épaissirent. En les longeant, il pouvait apercevoir entre les branches la terrasse en dessous qui suivait la même déclivité du terrain. Cette terrasse inférieure se transforma assez vite en un petit pré, un peu à l'écart, caché par les arbres, presque invisible depuis le château, dont il n'était, derrière son rideau de feuillage, qu'à une centaine de mètres.

Sur cette terrasse surplombée Jeannot remarqua, le long du bord le plus proche du flanc de la montagne, de jeunes troncs d'arbre, d'une grosseur de poteau, qui avaient été brisés à hauteur d'homme. Les brisures de leur bois éclaté étaient ensanglantées. Le sang avait ruisselé, et les troncs de ces arbres-poteaux en étaient couverts jusqu'au pied. Sur quelques troncs, des liens, des fragments de fils de fer étaient restés accrochés, parfois comme incrustés dans l'écorce des arbres.

À cette vision, Jeannot fut repris par cette angoisse, comme souterraine dans sa chair, qui à la fois le défaisait, le desserrait, et le repliait à le rendre infime. Ce n'était pas la peur, la peur seulement c'était un mouvement d'instinct pour se diminuer, comme on rentre la tête sous les claques pour se réduire, pour disparaître. Mais il ne le pouvait pas, l'odeur était déjà là. Qui l'assaillait, qui le tirait, qui l'envahissait. La même odeur que celle de la scierie, tyrannique et insupportable. Et au même moment, il perçut clairement les voix et vit quatre hommes dans le pré.

Il reconnut aussitôt celui qui semblait diriger les trois autres. Son air pâle, doux et distant ; son côté implacable et froid ; et cette manière modeste de presque s'excuser d'être vivant. C'était le commandant de la mort, l'officiant de tous les enterrements, le croque-mort de Miyonnas. Partout où il fallait se taire, avoir l'air grave et ne plus bouger, il était là. Les enfants, impressionnés par ses pouvoirs et ses organisations villageoises des « pompes funèbres », se taisaient devant lui. Il était là, dans le pré, noir et doux comme toujours, et inspectait les cadavres. Il faisait prendre des notes à l'un de ses aides. Les autres étaient penchés sur une fosse ouverte.

Tout à leur tâche, lui et ses hommes n'avaient ni vu ni entendu, sur le rebord supérieur de l'autre terrasse, approcher Jeannot, caché qu'il était par les arbres des bosquets, les acacias, les hauts massifs de buis, et attentif à ne pas faire de bruit. Depuis ce matin, comme un animal menacé, il se méfiait de tout. Jeannot sentit aussitôt qu'il serait de trop s'il se montrait. Qu'on le ferait déguerpir. Qu'on lui dirait que ce n'était pas sa place. Mais c'était la seule place que lui avait trouvée la fureur des hommes cet été. Il se cacha avec plus de soin derrière les branches, remonta encore un peu le chemin, et se faufila davantage dans un bosquet pour être moins vu et mieux voir. Il attendrait le moment propice pour se retirer sans qu'ils s'en rendent compte. D'où il était, il avait une vue plongeante sur le pré, comme d'un gradin sur une scène.

Ce qu'il vit le terrifia un peu plus, le fit se replier comme une bête apeurée dans les ombres de son massif, pour échapper à leur regard, à tout regard. Il a compris.

Il voit, près des hommes dans le pré, une fosse ouverte, de la terre remuée, des pelles. Plus près d'où il se tient caché, presque au pied du surplomb, presque à ses pieds, il aperçoit une autre fosse. Encore pleine. Avec des cadavres entassés pêle-mêle, sur lesquels ont été lancées quelques rares et insuffisantes pelletées de terre. Les corps ne sont même pas recouverts en entier. De cette fosse, de son mince linceul de terre, émergent deux bras comme s'ils venaient de percer le sol de leurs mains sanglantes. Dans leur parage, une face informe qui n'est que plaies, à peine enterrée, aux orbites déchirées et creuses, sans yeux, paraît elle aussi être remontée des profondeurs à la surface de la terre ; remontée de l'enfer, sanglante, terreuse, déformée et mutilée. Pendant une longue minute, sous le choc de cette vision qui lui fait mal dans tous les nerfs, aspiré par la vision de la souffrance absolue, Jeannot ne peut en détacher son regard.

Mais les hommes se parlent. Son attention est alors de nouveau attirée par leur travail. Ce qu'il a compris, c'est qu'ils ne sont pas en train d'enterrer des cadavres, mais de les déterrer. Ils ont déjà vidé une fosse, et une autre plus petite, peut-être une simple tombe, à l'écart des autres. Ils n'ont pas encore touché à celle qui est pleine, qui se trouve à ses pieds, et que domine ce visage aux deux yeux arrachés.

Le croque-mort, qui était penché sur les morts, se relève et dicte à son aide : « Ils ont été torturés attachés aux arbres un peu plus bas. Leurs cadavres ont été montés et tirés dans le chemin jusqu'à la fosse. Le chemin était plein de sang. On les a tirés avec un fil de fer passé aux chevilles et au moyen d'un palonnier fixé à l'autre extrémité. Note : fils de fer et palonnier trouvés encore fixés au cadavre n° 9. Note aussi : scalps. Des torturés ont été scalpés. Un scalp trouvé dans le pré. Note : presque pour tous, le fil de fer a pénétré dans les chairs jusqu'à l'os. Soit sous l'effet de la douleur en se débattant. Soit sous un effet de torsion pour sectionner. Note. N'oublie rien. Je veux établir un rapport complet sur ces atrocités. Tu as noté ? Note encore : pour corps n° 3, face enfoncée, écrasée sous un choc violent (barre, rondin), maxillaires, os nasal, en contact avec occiput. Oreilles décollées sous le choc. Aucune trace de balles. » Il marque une pause. Se tait. Regarde devant lui, dans le ciel. « Note : corps n° 5. Je le connais, identifié par mes soins, Roger Zunpo, dix-neuf ans, fils de monsieur Zunpo. Présente des signes d'asphyxie. A peut-être été enterré vivant. » Et Jeannot revit, le jour où il avait réussi son examen, monsieur Zunpo, le gros Zunpo, ce père dont on parlait, au café, portant un toast « à la victoire », et le jour du défilé, debout sur le lavoir, en train d'agiter son foulard rouge. Le croque-mort continuait : « Note aussi, pour l'ensemble des corps, aucune mort par balle. Mort remonte à quarante-huit heures environ. Lésions encore apparentes. Décomposition peu avancée de tous les corps des résistants torturés ; sauf celui de la tombe unique, putréfaction avancée. Aucune vérification possible. »

Jeannot était totalement immobilisé sous ses branches. Les mots l'atteignaient avec une violence de balle, une netteté, une précision agrandie, une puissance décuplée, comme si ces mots éclataient dans une salle vide qui aurait été sa tête. Ses mains serraient une branche. Il les retira : le feuillage tremblait trop. Il s'accroupit et tint ses genoux.

Il vit deux hommes de la fosse s'approcher du croque-mort pour lui montrer quelque chose. L'un d'eux tenait du bout des doigts, au-devant de lui, un vague objet pendant, translucide, qu'il lui présenta :

« Regardez, j'ai trouvé ça dans l'herbe, près de la fosse : qu'est-ce que ça peut être ? »

Le croque-mort observa l'objet, lui aussi, en le tenant à distance, puis le présenta lentement au soleil, pour l'observer en contre-jour.

« Vous savez ce que c'est ? Je vais vous le montrer.

— On dirait un gant retourné, dit l'un de ses hommes.

— Justement je vais essayer de le retourner. »

Le croque-mort tournait le dos à Jeannot. Celui-ci vit simplement qu'il s'attachait à faire ce qu'il avait dit. Il présenta de nouveau l'objet dans la lumière.

« Vous voyez ? Regardez bien : c'est la peau d'une main. Et regardez bien au bout des doigts : avec tous ses ongles. La peau a été sectionnée au-dessus du poignet, puis... Vous vous rendez compte ? Vous vous rendez compte ? »

Le croque-mort se retourna vers son aide. « Note : peau entière d'une main avec ses ongles, trouvée dans le pré, entre les poteaux et la fosse. Coupée au couteau à partir du poignet. Note. Il faudra qu'on sache. Que ça les poursuive dans l'histoire. Qu'ils ne s'en tirent pas comme ça. »

Il déposa la peau sur un corps : « À enterrer avec les cadavres. On verra avec les corps de la deuxième fosse. Il doit y en avoir encore cinq ou six. Il faudrait s'y mettre. Il faut qu'on ait terminé ce soir. On ne pourra pas attendre plus longtemps. Ça va être dur, mais il faut attaquer l'autre fosse. »

Ils étaient en train de commencer à s'organiser lorsque Jeannot, dans l'allée de la terrasse du dessous, vit sa mère qui s'approchait. Il ne put supporter l'idée de voir sa réaction, son visage devant les fosses, les cadavres ; d'entendre ses questions ou ses cris, d'écouter de nouveau les détails, si le croque-mort lui parlait. Il se retira doucement de dessous les branches, s'éloigna dans les arbres, fit un grand détour sous les frondaisons par le flanc de la montagne, et redescendit vers l'arrière du château, d'où il rejoignit le perron.

Il s'assit sur les marches d'entrée, caché dans l'encoignure de la balustrade. Il ne voulait plus rien voir, plus rien entendre. Il regarda plusieurs fois ses poignets, frissonna, puis mit ses mains dans son dos. Il offrit son visage au soleil. Il ferma les yeux, son refuge. Les rayons faisaient sous ses paupières une lumière opalescente et rouge, en transperçant leur peau. Leur peau translucide. Il rouvrit les yeux en grand. Ses yeux étaient devenus arrachables, sa peau arrachable. Il ne savait plus où regarder, ni comment s'éviter. Il resta un long moment contre les pierres chaudes des marches, de ces marches sauvées par souci du patrimoine culturel. Les vieilles pierres valaient plus cher que lui. Que l'instituteur. Que tous les gens qu'il connaissait. La « culture » le dégoûta, en un éclair. Et tous ceux qui s'y pavanent, et tous les phraseurs de l'art, cachés sous des casquettes visibles ou invisibles, et la vieillesse sacrée du monde, plus respectable que la chair saignante des hommes. Il se demanda où il pourrait fuir.

Devant ses yeux, parmi le village calciné, les ombres s'étaient faites peu à peu plus longues et obliques.

Tout à coup sa mère fut là. Elle le regarda. Elle regarda le village. Lui dit : « Il va falloir rentrer. Pour le moment il n'y a plus grand-chose à faire ici. » Elle le regarda de nouveau, comme si elle cherchait à lire quelque chose. « Où étais-tu ? Je ne t'ai pas trouvé en sortant. » Elle regarda sur le côté du château, attendant la réponse. Celle-ci ne venant pas, elle lui demanda, comme avec des précautions, des hésitations, s'il était allé de ce côté, là — elle montrait vers le pré –, ou de l'autre, et si, pendant qu'il l'attendait tout à l'heure, il n'avait rien vu dans le parc, rien du tout. Il lui répondit qu'il était allé se promener de l'autre côté — il montra l'endroit du parc opposé à celui du pré — et que non, il n'avait rien vu dans le parc.

Il lui avait dit non, qu'il n'avait rien vu, comme si cela eût pu être une faute d'avoir vu, comme si ce qu'il avait vu n'aurait jamais dû être vu. Non, rien vu, pourquoi ? Son mensonge le gêne et le surprend. Comme si ce qu'il savait était un secret, un secret du mal, qu'il valait mieux ne pas connaître, comme s'il y avait en lui une innocence qui aurait dû être préservée. Il devine bien ça, même s'il ne le comprend pas clairement : là encore, devant sa mère, c'est l'instinct, l'instinct devant le mal, qui lui a fait répondre, sans savoir exactement pourquoi, que non, il n'a rien vu.

Il détourne la tête et son regard ; il fait semblant de regarder avec sa mère la ville incendiée, pendant qu'elle lui parle du chemin du retour, qu'ils vont sûrement arriver avec la nuit, là-haut, à Chatonnex, et qu'elle lui demande s'il n'est pas trop fatigué, s'il n'a pas trop faim, s'il pourra tenir pour le retour. Lui, il pense à autre chose : non, rassure-toi maman, je n'ai rien vu. Comme ça tu peux croire encore que je ne sais rien du venin des hommes, du gouffre d'horreurs qu'ils transportent en eux. Que je n'ai pas encore été flétri, comme dit le curé à la messe. Flétri. Mais je le suis pour toujours. Face à l'homme, aux hommes, je n'ai plus d'innocence. Je n'ai plus confiance. Plus d'innocence, mère, mais tu ne le sauras pas. Pas aujourd'hui. Pas encore cela, en plus, pour toi, aujourd'hui.

Ils se sont levés, ont retraversé les ruines, repris la route. Ils n'ont pas pris le raccourci qui mène à la combe, afin d'éviter la scierie. La scierie leur faisait peur, surtout à la tombée de la nuit. Ils ont suivi la route, même si elle rallonge leur retour. Arrivés sur la route de la combe, le noir est venu, et la lune. Sur la route blanche, ils marchent le plus vite possible, en silence, dans le bruit léger des graviers sous leurs sandales. Jeannot ne le dit pas, mais il lui tarde d'être à l'abri dans la maison du village. Loin des arbres noirs, des champs qui brillent. Il a peur maintenant de ce qui pourrait sortir des ombres. Scieurs de planches, fracasseurs de visages, violeurs, arracheurs d'yeux, scalpeurs, dépiauteurs de peau de main. Braillards, hurleurs. Des fauves aux yeux bleus de sang et de lune. Brûlant de vieilles haines. Défenseurs de vieux châteaux. Ah ! pensait Jeannot en marchant derrière sa mère le plus près possible, en regardant sans cesse derrière et autour de lui la vieille campagne noire et lunatique : où les fuir, tous, où fuir tout cela ? Tout était vieux autour de lui. Vieux à ses yeux, hanté de vieux. Comme sa grand-mère. Les Trois-Poils. La vieille femme en noir. La douloureuse aux cheveux blancs. Le croque-mort. De vieux paysans décharnés. De vieilles demeures, forteresses, églises. De vieilles rues. De vieilles habitudes, guerres, douleurs. De vieux feux. De vieux mensonges. De vieux radotages, querelles. De vieux généraux. De vieux maréchaux. De vieux drapeaux. Rouges. Noirs. À croix, à vieilles croix, à vieux sigles, brandis, traînés, fabriqueurs de morts. De vieux lycées, vieux profs. De déjà vieux élèves filant de note en note vers le notable, notaires, docteurs, doctrinaires. Ah oui, pensait Jeannot dans son bruit de gravier giclant sous ses sandales, mes sandales iront gicler ailleurs. Je partirai de cet étouffoir. Je quitterai ce radeau de la vieillesse. Oui, il se jetterait dans les eaux du monde. Comment serait la lune sous d'autres cieux, sous d'autres fleurs ?

Ils se rapprochaient de Chatonnex, et les marais qu'ils avaient longés sur l'autre bord ce matin scintillaient sous la clarté de la lune, et les plumeaux des roseaux cerclaient leur bord d'un trait mousseux, à la fois noir et lumineux, comme une côte au loin, ou un paysage brumeux.

Ah oui il rejoindrait un jour des côtes où la vie lui serait plus neuve ! Où les gens seraient plus inattendus, différents, avec autre chose dans leur tête. Avec peut-être des élans, des naïvetés, des vigueurs, bien loin des élans toujours morts-nés aux parapets de nos vieux ponts. Il abandonnerait, sur ces terres abordées, sa peur, son angoisse qui réduit, comme on laisse tomber un vieux manteau pourri. Ah il serait neuf, ou tenterait de l'être, ah il serait fou, ou tenterait de l'être, ah il oublierait le sang, le sang des vieilles vengeances, des vieilles haines qui tuent ! Ouais, tiens, il avancerait sur des routes larges dans une grande auto découverte ! Et une fille, contre lui, de son bras lui tiendrait le cou. Ah il y aurait la mer (c'était comment, la mer, qu'il n'avait encore jamais vue ?), des mers, larges, vastes, odorantes, des horizons inconnus, des paysages sans arrêt changeants. Avec des fleurs étranges, des soleils, et chaque soir, ou souvent, des cœurs ridicules et naïfs. Naïfs, il y tenait. Bien purs, bien naïfs, ceux dont on se moque, bien loin des malins ricaneurs d'ici. Ah il oublierait le sang, l'odeur des grands charniers qui flottent sur tous les vallons, sur tous les villages, et sur tous les vieux mots hurlés de ce pays de guillotineurs. Il respirerait le parfum de la vie qui se fout de tout, qui va de l'avant. Comment ? Il ne savait pas, il n'en savait rien. Il trouverait. Sûr. Il en était certain. Pendant qu'il marchait dans les pas de sa mère, il se le promit dans la nuit. Promesse vieille comme le monde. Dans une nuit vieille comme lui.

Ils atteignirent le panneau qui indiquait le nom du village : Chatonnex. Sa mère s'arrêta. Elle s'assit sur la pierre d'une murette basse. « Viens t'asseoir à côté de moi », ordonna sa mère. Elle lui parla lentement, calmement, pour bien souligner l'importance de ce qu'elle demandait. De se taire. De ne pas parler de la scierie à Josette. De l'instituteur. « C'est important, tu comprends ? Il faudra que ce que tu as vu, tu le gardes pour toi, pour le moment. Fais bien attention de ne pas te trahir. Il ne faut rien dire à Josette, pas ces jours, pas comme ça, tu comprends ? »

Une fois de plus, il lui fallait tout enfouir en lui. Se charger des douleurs, des secrets du monde. Ne rien dire du parc à sa mère ; ne rien dire de la tête de l'instituteur à Josette ; ne rien dire des dénonciations ; ne rien dire des femmes nues, des étreintes des couples ; ne rien dire de l'argent. Ne rien dire. Enfouir. Il promit. Ses épouvantes et ses surprises étaient à lui, à la folie. « C'est bien, dit sa mère, mais tu pourras parler des maisons brûlées de Someyetan. »

La côte grimpée et la maison atteinte, du bas de l'escalier, ils s'annoncèrent. La porte de la cuisine s'ouvrit. Josette se découpa dans la porte. « Ah vous voilà enfin, je me faisais un souci monstre ! » Éclairée par-derrière par la faible ampoule électrique de la cuisine, ses longs cheveux blonds moutonnant illuminèrent doucement la nuit, comme un soleil d'une autre terre. Elle serra Jeannot contre elle. Pour éviter son regard, il lui rendit son accolade. Se blottit, s'étouffa contre elle. Pendant qu'il la serrait, il entendit, sous son corsage, battre son cœur. Et, au-dessus de sa tête, sa voix qui lui disait : « Alors, pas trop dure cette journée ? Tu as dû en voir des choses ! »

Et Nade commença de raconter les incendies.

CHAPITRE XXVIII

« Ça nous a souciés, de vous savoir partis là-bas. Des fois, on est allé à pied à Someyetan, mais tout de même, hier, on n'y serait pas allé quand vous. » La maman de Paul essayait de faire parler Jeannot, qui esquivait, en restait à l'incendie, comme convenu avec sa mère. Pour le moment, il ne pouvait s'empêcher de remarquer que la maman de Paul avait dit d'un seul coup trois choses qu'il ne fallait pas dire, s'il en croyait ce que lui répétait sa grand-mère de Lyon ; et qui ne se disaient, à tort, insistait-elle, qu'à Miyonnas et dans sa région : que « ça soucie pas quelqu'un », que « des fois », c'est parfois, que « quand vous », c'est avec. La langue française le rattrapait jusqu'à Chatonnex, entre les mouches et le souvenir des morts. Mais Jeannot se contenta de rester silencieux. Il regardait les mains de la maman de Paul et le casse-croûte qu'elle leur préparait, pain, saucisson, noix, poires, petite topette de vin et d'eau mélangés, pour aller garder les vaches dans les vergers et le pré du bas. Pour Paul et lui, c'était fête de ne pas rentrer déjeuner en famille, de rester entre eux, de manger sur le pouce, sur des pierres, dans l'ombre d'un pommier — le noyer, il fallait pas, l'ombre était trop fraîche et donnait des pleurésies, vérité issue de la science et de la bouche de Paul, et qu'il soutenait « mordicus ».

La matinée s'était bien passée : les brouteuses, tranquillement, sans escapade, avaient brouté. Eux venaient de finir de cassecroûter. Le Paul fumait avec application un de ces petits morceaux de bois fumant, dont la fumée montait dans l'ombre du pommier. Il voulait savoir, il y revenait, ta Josette, tu l'as pas vue à poil, ou à moitié à poil, dans la cuisine, quand elle fait sa toilette, t'as même pas vu ses nichons, il voulait pas le croire.

Il en était là de ses questionneuses errances, et Jeannot de ses silences, quand l'air du verger ombreux fut fracassé, déchiré, par le tir d'une rafale. Des sifflements de balles, un bruit de feuilles et de branchettes hachées au-dessus de leurs têtes les jetèrent à plat ventre derrière la murette de pierres sur laquelle, assis, ils étaient en train de converser. Les vaches se sauvèrent, parsemant leur fuite de ruades affolées.

« Les cons, les cons, dit Paul, mais qui c'est ces cons ? » Il chercha son béret, le renfila ; Jeannot et lui, avec précaution, centimètre par centimètre, relevèrent la tête et tentèrent de voir, là-haut, en haut du verger, vers la route, d'où venaient les tirs. C'étaient des soldats. Vert-de-gris. Des Allemands ? Deux d'entre eux apparemment leur faisaient signe, ou ordonnaient, en hurlant, quelque chose. Mains en l'air, sur la tête, sur leur casque, portées plusieurs fois. Et les gestes, *kommt, kommt*, demandant d'approcher. Les *schnell schnell* perçaient d'autres mots inconnus.

« Je crois qu'ils veulent qu'on sorte de derrière le mur, et vite fait », dit Paul, la voix un tantinet étranglée. « Avec les mains en l'air », compléta Jeannot. La terreur, au souvenir d'hier et des choses tues, l'envahissait. Ils s'arrachèrent à leur abri, lentement, agitant les bras, enjambèrent la murette, et, les mains en l'air, commencèrent à monter la pente du verger. Quand ils furent à mi-côte, les soldats, sans doute à la vue de leurs culottes courtes, de leur blouse, de leur béret enfoncé sur la tête, se mirent à rire et à lancer quelques plaisanteries tout en continuant de les surveiller, du bord de la route, l'arme au bras. « *Kinder*. » Jeannot, il répète, en arrivant sur la route, les bras de plus en plus en l'air. « *Kinder*. » Il mobilise ses bribes scolaires d'allemand. « *Ja*, enfants, mais peut-être petits salopards quand même », réplique en français un Allemand, un gradé, à la casquette fatiguée et poussiéreuse, mais impressionnante malgré tout. Le chef. « Habiter où ? — Ici », disent en chœur Paul et Jeannot en montrant d'un doigt, au-dessus de leur tête, sans trop bouger, le village. Contre le mur d'une ferme qui borde la route, les Allemands ont renversé cinq ou six grandes charrettes, des tombereaux et même des voitures à bras. Au pied de la rue du village, Jeannot aperçoit des véhicules allemands, deux ou trois camions, deux voitures découvertes, un side-car. Il entend des cris dans le village. L'Allemand à la casquette, d'un signe de pistolet qu'il tient au poing, leur montre, d'un air fatigué, les maisons toutes proches : « Rentrez chez vous, allez, *schnell.* » Ils se sauvent en courant. Juste avant de prendre la rue, ils entendent une longue rafale assourdissante qui les arrête net. Ils se demandent si c'est sur eux qu'on a tiré. Non. Ils s'en assurent. Non, les soldats ne les regardent même plus. Derrière eux, sur la route, les Allemands ont placé une mitrailleuse. Seconde longue rafale, bruits de planches qui craquent, explosent, déchiquetées : les Allemands tirent, avec de grandes vociférations joyeuses, sur le fond des charrettes retournées, sur les roues, tout le long du mur. Des bouts de bois volent en l'air. L'odeur de la poudre se répand. Jeannot et Paul reprennent leur course à toutes jambes, gravissant la rue au milieu des poules affolées. Chez Paul, toutes les portes sont ouvertes : des Allemands sont à l'intérieur.

Jeannot continue. Lavoir. Escaliers. Chez lui aussi, porte ouverte. À l'intérieur ça parle allemand. Au moment où il entre dans la cuisine, sa mère, qui était contre le mur, près de la porte, avec sa fille et Josette, se précipite pour attirer Jeannot contre elle. « Mon fils, mon fils », explique-t-elle comme on donne une excuse. Fils. Elle fait un geste du bras, un va-et-vient de la main, qui va d'elle à son fils, « *verstanden ?* ». Elle a appris ça, Nade, de la langue des maîtres qui la dégoûte.

Ils sont quatre soldats dans la cuisine, deux avec des fusils, un avec une mitraillette, un avec un pistolet à la main. Ce dernier fixe aussitôt Jeannot. Qui fait le même geste que sa mère et : *Kin-*

der, *Kinder, Mutter*. Le soldat au pistolet : « Et père, *Vater*, où, hein, où ? » Par chance, Jeannot ne sait pas dire déporté. Il a bien cherché, il n'a pas trouvé. Le seul mot qu'il sache, qui lui vienne, sans savoir à quel mode de déclinaison, genre, pluriel ou singulier, il le crie. « *Kriegsgefangenen*. » Le redit, et le reredit. Comme si ce mot, en dernier espoir, allait établir une complicité, une communauté, et par conséquent, sans doute, une protection. Le soldat se penche, le regarde, lui pousse un peu le pistolet dans le ventre : « *Kriegsgefangenen ? Ach so !* Prisonnier ? Pas terroriste, vrai, pas terroriste ? » Lui aussi n'est pas rasé, et ses dents sont toutes jaunes, et sa bouche sent mauvais, si proche, au-dessous de ses yeux si transparents, si clairs sous le rebord de son casque.

Pendant ce temps un soldat a monté l'escalier-escabeau du fond de la cuisine, et du bout de la courte baïonnette de son fusil a soulevé la trappe du plafond qui donne sur la grange à foin. Il tient la trappe légèrement soulevée, puis glisse par en dessous un regard dans la grange, sans s'exposer davantage, ni avancer plus loin dans son inspection. « *Nicht Terrorist.* » Ça suffit. Il laisse retomber l'abattant de la trappe. Les bottes, maladroites, cloutées, redescendent les marches. « *Nichts.* » Rien. Jeannot n'a pu s'empêcher de remarquer que l'inspection, si rapide, avait été marquée surtout par la peur. Le soldat n'a pas dû voir grand-chose dans la grange emplie de montagnes de foin. Il n'avait pas l'air, en tout cas, de vraiment vouloir savoir si quelque chose, ou quelqu'un, s'y trouvait caché.

Le soldat à la mitraillette, lui, revient des chambres. Il a fait son tour, fouillé le peu qu'il y avait à fouiller. En revenant dans la cuisine, il fait non de la tête. Il quitte son casque, ses cheveux sont collés par la sueur, s'assied sur une chaise, pose son arme sur ses genoux. Ses yeux se plissent. Son regard se met à détailler Josette. Les deux soldats au fusil ont mis leur arme en bandoulière. Ils se servent un verre d'eau, prenant le pot à eau sur la table. En reposant leurs verres, ils disent quelque chose, en s'esclaffant, au soldat qui regarde Josette.

Celui au pistolet est allé inspecter le dessus de la grande cheminée campagnarde. Au milieu de quelques babioles, pierres, fleurs, vieilles cartes postales des anciens propriétaires (une de Lourdes, une d'Algérie, que Jeannot avait voulu garder à cause des palmiers et de la mer atrocement peinte en bleu), Nade avait mis son réveille-matin, apporté de Miyonnas. Précieux. Rond, sur un piédestal, en cuivre rouge. Comme de l'or roux. Le soldat le saisit, l'inspecte, le raye contre l'arête en pierre de la cheminée. « *Gold ? Gold ?* » demande-t-il en se tournant vers Nade. Puis montrant les murs à l'entour de la pointe de son pistolet : « *Gold ? Gold ?* » Nade, avec un sourire terrorisé, refait non de la tête, qu'elle incline de côté comme une excuse. Le soldat repose le réveil sur le dessus de cheminée. Commence à traverser la pièce, semblant réfléchir. Et brusquement se retourne, vise le réveil, tire. Le réveil explose.

Tout le monde a baissé la tête. Puis les soldats éclatent de rire. Pas d'or, argent peut-être ? Le soldat au pistolet se rapproche du groupe de Nade. La petite fille de Nade se met à pleurer, veut partir. Josette se penche pour l'arrêter. Quand elle s'incline, dans l'échancrure de son corsage, ses deux seins se resserrent et se gonflent. Ses cheveux épais et crépelés, comme une masse, glissent de son épaule, en avant. Les deux bottes du soldat au pistolet se sont arrêtées devant elle. Argent peut-être. Il regarde le renflement du corsage. Caché peut-être. Les deux soldats au fusil se rapprochent aussi. Celui à la mitraillette met la mitraillette sur la table, dans la direction de Nade, de Jeannot et de sa sœur. Nade vient de la prendre dans ses bras. Le soldat fait couler lentement de l'eau dans un verre, en soulevant très haut le pot. Le soldat au pistolet tourne la tête vers lui, et joue à dire en français boiteux : « Argent caché, même endroit toujours, hein *Vögel* ! » Il a fait monter et tonner sa voix sur : *Vögel*. Les deux soldats au fusil bondissent sur Josette, lui saisissent chacun un poignet, lèvent ses bras, et s'aidant pour leur effort, d'un coup de genou de chaque côté, dans son ventre, la plaquent tout entière en un éclair contre le mur. Le soldat au pistolet glisse le pistolet dans son étui. Josette avec sa tête se débat encore. Il lui saisit d'une main les cheveux.

À pleine main, en pleine épaisseur. Il lui immobilise la tête. Ses yeux clairs, ses dents jaunes, sont très près du visage de Josette.

« Alors argent ici peut-être. Française beaucoup d'argent ici toujours. » Il dit ; et, de sa main libre, déboutonne le premier bouton du corsage. Puis s'arrête. Dirige sa main sur son sein, sans toucher, puis vers l'autre, qu'il empoigne, et se met lentement à palper à travers le tissu. Jeannot voit la pression de la main sur le volume du sein, les doigts aux ongles frangés de noir. La palpation se fait plus enveloppante, plus dure, plus serrée. Il dit, aux deux soldats qui la maintiennent, imitant celui qui avait inspecté la grange, mais d'une voix un peu plus aiguë : « *Nicht Terrorist ! Nichts !* » Leurs rires éclatent, puis s'arrêtent tout de suite. La main continue. S'éloigne. Tâte l'autre sein. Remonte. Défait trois autres boutons. Josette se met à hurler, tente de se débattre. Les deux mainteneurs lui collent des coups de genou dans le ventre. L'autre tire plus fort les cheveux, au maximum, à l'arrière et de côté, comme pour casser le cri dans la gorge. Son autre main rampe. Ongles noirs sur la chair blanche. Glisse. S'enfonce. S'engouffre. Fouille dans le soutien-gorge. Le cou de Josette se gonfle. Au sein soulevé de Josette, la main s'attarde et pétrit. Sous la toile, dans le corsage à moitié ouvert, on voit les mouvements de la main.

Le soldat à la mitraillette est venu se poster devant Nade et ses enfants. Il braque sa mitraillette sur la tête de Jeannot. Malgré cette présence métallique si proche, sa menace violemment perçue, Jeannot ne voit que ces mouvements entêtés de la main sous la toile du corsage. Et le soldat qui vient de se coller, par à-coups, au corps de Josette. D'impuissance, de honte, de rage, de peur aussi, il tourne la tête, colle son visage contre le mur. Au moment où il ne veut plus voir, le traverse, brutalement, la vision des femmes du château. Et de cette femme au regard fixe, muette, assise, qui sans fin, comme un automate, dans la pénombre, peignait et repeignait ses longs cheveux blancs.

CHAPITRE XXIX

Miyonnas, devant ses pas, se déroulait comme une ville étrange. Vide. Vide et pleine. Peu de personnes dans les rues. Ses habitants demeuraient encore cachés dans les alentours. Peut-être. Ou se terraient toujours chez eux, prudents. Quelques rares passants, sous le soleil, disparaissaient, accaparés. Ville vide. Étrange. Et trop pleine. Encombrée : le long de la Grande-Rue, et de quelques petites rues adjacentes, des files de voitures, récentes, anciennes, de toutes les marques, de toutes les formes. Alignées, le long du trottoir. Capots ouverts, moteurs brûlés, plastiqués, pilonnés, offrant des entrailles confuses de câbles et de cendres gluantes, de noirceurs, d'arrachements. Vitres pulvérisées. Banquettes souillées, déplacées, déchirées. Et les portières laissées ouvertes. Défoncées. Parfois pendantes. Tout au long de la rue.

Leurs opérations de représailles terminées dans la région, les Allemands se sont repliés. Les soldats finissent toujours par repartir. Ceux de la colonne de Someyetan. Ceux de la colonne de Bellegarde. Ceux du Sud. Après leur convergence, ils sont redescendus dans la plaine, sur leur grand axe de retraite aux abords maintenant assurés, les maquisards tenus à distance, frappés, repoussés sur les monts les plus reculés du Jura. Avant leur repli, huit jours d'acharnement, de folie, dans Miyonnas sans défense. Toutes les voitures que les Allemands ont pu trouver, débusquer de leur cachette, ils les ont mises méthodiquement hors d'état de marche. Plastiquées, achevées à coups de masse. Après leur départ, rien ne devait pouvoir rouler, servir à se déplacer. Rien. Après les voitures, ils se sont acharnés sur les bicyclettes. Cadres tordus, roues voilées, pliées, aux pneus tailladés. Qui s'entassent, rassemblées, en deux énormes amoncellements baroques. Qui montent jusqu'aux premières branches des arbres du parc et de la place de la Gare, pyramides de rage et de folie, sculptures étranges de l'entassement. De la répétition. Du détruire. De la force déchaînée. Des coups. Sur les mécaniques. Sur ce qui résiste. Sur le métal, l'acier, les tôles. Briser. Taper. Cogner.

Dans le ventre. Il les revoit quand ils ont commencé à taper. Josette a plié. Ils lui ont retourné les bras. Ils l'ont arrachée au plancher. Sortie de la cuisine. Traînée dans l'escalier. Tirée dans le débarras du bas, celui du milieu, de la mangeoire, des lanières, de l'établi. Josette n'arrêtait pas de crier. Le soldat à la mitraillette a poussé aussi, dehors, sur le palier de pierre, Nade et ses enfants. Il les a fait s'accroupir. Nade, avec sa fille serrée contre elle entre ses jambes, Jeannot les mains sur la tête. Josette hurlait dans le débarras, hurlait. Les trois soldats, on le devinait, tentaient de la maîtriser, de la plaquer contre la mangeoire. L'horreur était blanche. Creuse. Immense. Dans la tête de Jeannot. Au soleil. Sur le palier de pierre.

Les horreurs. Presque tous les jours, à Nade et à Jeannot revenus à Miyonnas, les gens racontent. Les fusillés, plus de soixante, en trois groupes, dans la forêt, là-haut, dans un virage. Dans la plaine. Vers les marais, après les usines. Les déportés, aussi. Plus de trois cents. Tous des jeunes, des adolescents de dix-sept, dix-huit ans, des enfants du pays qui traînaient par là. Arrachés des maisons, à leurs parents. Leur convoi, dans la ville, sur les camions, leurs visages encore d'enfants. À peine plus âgés que votre fils. À peine, disent-ils. Et les résistants prisonniers emmenés pour être torturés à Someyetan. Les horreurs. Jeannot, quand des gens de Miyonnas parlent à Nade, est muet. Il se tient dans l'ombre de sa peur, dans l'ombre de sa mère. Quelque chose est brisé en lui. Arraché. La confiance, l'assurance, la paix avec le monde. Arraché. De plus en plus muet. Il marche de plus en plus dans Miyonnas, dans cet étrange chaos vide et plein de Miyonnas. À la recherche de rien. Pour marcher. Pour marcher seul. Il reste assis de longues heures avec sa petite sœur, qu'il fait semblant de garder, dans le parc municipal, où il n'y a personne. L'été. L'été dans le grand marronnier. Cerclé de postes fracassés. L'été finira.

Sous l'immense parasol que forme le grand marronnier, encerclant son tronc et s'élevant jusqu'à ses branches, une autre folle sculpture demeure, qui s'entête à rester là, sous le regard, un entassement, un énorme amas vaguement conique de postes de TSF, crevés, éclatés, sans doute à coups de bottes et de marteaux. Les Allemands ont contraint les habitants de la ville à les apporter aux deux endroits prévus, au parc et sur la place de la Gare. Sous peine de représailles, si, plus tard, des postes étaient découverts chez eux au cours de fouilles. Après les voitures, les vélos, Miyonnas s'est vidé de ses postes. Qui aurait pu imaginer tant de postes de TSF dans une si petite ville ? Et maintenant, ils sont là, amas enchevêtré de boutons, carcasses, cadrans, lampes, fils. Boîtiers crevés. Parole ôtée. À Miyonnas, il ne fallait plus rien savoir. Rien connaître de ce qui se déroulait ces jours, au loin, en Normandie, en Russie, en Italie : les maîtres allemands en train de plier. Rien entendre, rien savoir. Rien dire. Le pur amour de détruire. Le pur amour de la mort. La mort. Jeannot regarde les postes, leur parole ôtée. Étouffée.

Sur le palier de pierre, sous la mise en joue de la mitraillette, immobilisés, ils n'entendent brusquement plus le cri de Josette. Comme si on venait de l'étouffer avec un chiffon. On n'entend plus que des cris assourdis, des gémissements, des bruits de lutte, et quelques vociférations en allemand. En bas, la porte du débarras n'a même pas été repoussée. Des coups, la lutte, Josette encore qui se débat, ça continue. Puis un grand cri en allemand, d'un soldat, et d'autres cris, des autres soldats. Et Josette, dans l'encadrement de la porte, est apparue. A jailli. S'est sauvée. S'est sauvée.

Dans Miyonnas, pour Jeannot qui avait demandé à y revenir et à quitter Chatonnex où il ne voulait plus rester, où il ne voulait plus aller chercher de l'eau au lavoir, il n'y avait nul endroit où se sauver. Partout ça parlait de mort, sentait la mort. Les carcasses de voitures, les épaves de vélos, les postes éventrés. Sur le haut de la ville, les traces de bombardement. Les rumeurs. Les derniers cadavres, découverts dans les chemins des forêts, qui venaient d'être ramenés. Des mères, en noir, les yeux rougis. Et le soir, le modeste appartement familial, leur demeure, plus silencieuse, un peu comme la ville, sans Dad. Et sans Josette. Même se coucher pour s'endormir réveillait les souvenirs, les visions. Ouvrir son lit. Avec, devant soi, ce drap qui s'ouvre, qui découvre. À l'autre bout du couloir, dans l'appentis, le petit lit de Josette. Vide. Avec sa couverture tendue. Son drap bordé.

Le drap qui s'ouvre. Qui découvre. Le soleil transperce les arbres du cimetière. Il n'y avait pas de cercueil dans le village. Il ne pouvait être commandé ailleurs. Il a bien fallu. Les gens du village l'ont mise dans un drap de Nade. Il n'y avait pas de curé, celui de Someyetan avait été tué. Un autre curé, ailleurs, on ne savait pas. On l'a mise délicatement, avec respect, dans le grand drap blanc. On l'enterrerait à Chatonnex. Plus tard, on verrait. Plus tard. À la fin de la guerre. Et quand on l'a soulevée, le drap s'est ouvert.

Fatigué par ses kilomètres dans Miyonnas, il tombe, sous le drap, dans le sommeil. Sa main, comme sous les pins, cherche une place. Il s'agite. Ses jambes se plient, se déplient, énervées. Ses jambes courent. Il rêve qu'il fuit. Se sauver. Loin. Il faut qu'il téléphone. Il ne s'est jamais servi d'un téléphone. Il voyait Dad téléphoner. Il se tourne contre le mur, Dad, en téléphonant. Allô ; Allô. Il marche dans la campagne. Au bord de la route, il y a un panneau, c'est marqué : Scierie. Dans cette campagne, lui, Jeannot, il sait qu'il y a un téléphone accroché contre un mur. Qui est devant lui. Qui barre le chemin. Alors, il fait comme Dad, se tourne contre le mur pour parler. Le mur s'ouvre, et c'est de nouveau les champs. L'herbe est brûlée tout autour du téléphone. Allô, Allô, c'est toi Dad ? *Nein*, dit une voix. Doucereuse, trop polie, crémeuse comme un gâteau. De Vienne. *Nein*. Il se sauve. Il court le long de la rivière de la combe. Une bosse blanche sort de l'eau. C'est le cul du philosophe. Un visage sanglant aux orbites creuses, dans la rivière, monte à la surface. Jeannot sait qu'il faut courir, fuir. Il glisse. Il glisse longtemps. Il est tombé. À l'eau ? À l'eau ? s'enquiert dans la musique la voix qui disait *Nein*. Dans l'eau, il y a de longs et épais cheveux blonds. Lorelei. Lorelei. Le seul or qui loin de moi s'en aille. Qui le peinent, qui le gênent. Il se retourne dans l'eau. Il voit du sang qui monte doucement vers la surface, qui se dilue en s'élevant, lentement. Sa mère s'approche, le sort, le serre, l'essuie : on va te laver. À l'eau du lavoir. Enlever le sang.

La fontaine-lavoir de Miyonnas où des femmes d'ouvriers viennent encore laver du linge, avec son bruit d'eau qui coule sans cesse, comme à Chatonnex, l'eau ruisselante des montagnes. La fontaine-lavoir devant le cinéma, à proximité du café du pépé Belgrot, du bâtiment des ateliers où travaille Zunpo, la fontaine-lavoir où s'abreuvent les dernières vaches de Miyonnas au retour des champs, la fontaine-lavoir où, avant, pas un seul jour ne se passait sans qu'il aille y faire un tour, maintenant, il s'en écarte, il s'en détourne. Il ne va plus boire à son jet d'eau, dans les paumes de ses mains serrées en coupe. Il ne va plus agiter l'eau des bassins du lavoir, en regarder le fond, pour tenter de découvrir une bille, une pièce, un soldat de plomb qui y serait tombé. Ni discuter assis sur son rebord. Il ne s'y arrête plus. Il la tient à distance, la fontaine ; passe au loin. Il ne veut plus regarder dans l'eau des lavoirs.

Elle s'est sauvée. Josette a eu le temps de courir jusqu'au lavoir tout proche. Son corsage est ouvert, sa jupe est déchirée. Les deux soldats l'ont rattrapée au bord du bassin, sous le toit du lavoir. Ils l'ont saisie par les cheveux, ils la collent contre une poutre-pilier, ils lui tordent les poignets. Le troisième soldat arrive derrière eux, en courant et en finissant de se renculotter. Il est en chemise, sans vareuse, sans casque. Il est contre elle, il écarte son corsage, il hurle, les autres tordent les bras, les poignets, tirent : on voit saillir les seins de Josette.

Tout à leur action, ils n'ont pas vu surgir dans la rue, attiré par les cris, et venant de la ferme de Paul, le gradé à la casquette cassée et poussiéreuse, le chef. Il a une courte cravache à la main, il arrive dans leur dos, il frappe, il frappe les épaules et la tête des soldats, il hurle, on entend *Schwein Schwein*, il les injurie, il les traite de tous les noms, cochons, porcs, honte de l'armée. La « schlague » siffle, resiffle. Les soldats lâchent Josette, saluent, tentent de s'expliquer. Le gradé les fait taire. Porcs. Les soldats repartent au pas de course, remontent vers la maison, vers le débarras. Le soldat à la mitraillette abandonne Nade et ses enfants, dégringole l'escalier. Du sommet des marches, du palier, se voient la rue dans le soleil, le lavoir à quelques pas, Josette contre le pilier qui tient devant elle son corsage défait, et le gradé, seul, dans la lumière de la petite rue caillouteuse. Puis tout va vite, si vite, fondu dans le temps de quelques secondes. Le gradé vient de faire demi-tour. Il commence juste à descendre. Josette est appuyée contre le pilier, et sur sa poitrine tient serré son corsage. Et de la ferme voisine, en face de celle que Nade et ses enfants occupent, monte un cri d'homme, un hurlement de femme, des bruits de coups, d'objets et de vaisselle renversés. Dans la rue, il n'y a plus que ce hurlement de femme qui reprend son élan. Celui de trop, qui s'ajoute, qui fait basculer. Alors Josette, contre son pilier, dressée, déchirée, méprisante, profère : « Sales Boches ! Sales nazis ! », en direction du dos tourné du gradé qui s'en va. Le gradé à la casquette poussiéreuse, celui du bord du verger, d'un bond, se retourne. On lit sur son visage émacié, pas rasé, épuisé par la guerre, cet incendie froid, cet air excédé qui le submerge et l'emporte. Il a au poing, au bout de son bras tendu, son revolver. Et il tire. Plusieurs coups. Rapprochés. Qui s'acharnent. Sous l'impact des balles, le corps de Josette est projeté en arrière. Et Josette se renverse, tombe sur le dos, les reins ployés sur le rebord du bassin, tête et torse dans l'eau, jambes écartées et pendant au-dehors, le ventre offert. Cheveux déployés, son visage sous l'eau s'enfonce.

Dans Miyonnas presque déserté, le temps est long. Les copains, Paco, Riri, il ne les a pas trouvés. Disparus de la ville. Le café des Passagers où trônait monsieur Raoul reste obstinément fermé. Dans Miyonnas, il n'y a plus de monsieur Raoul, plus de miliciens, plus de gendarmes. Plus rien. Plus de maquisards non plus. La vie de la ville traîne. Il fait implacablement beau. Bleu. Sec. Autour de Miyonnas, les collines et les prés ont jauni. « Amuse un peu ta sœur », a dit sa mère. Dans le petit jardin à côté des jeux de boules qui s'alignent devant les caves du pépé Belgrot et de ses parents, Jeannot, avec des planches de caisse, décide de faire une cabane, un abri de jeu pour sa sœur. Il commence par creuser quatre trous pour planter des poteaux, avec une petite pioche. Le sol résiste, la terre est dure, sèche. Le piochon vibre.

Le père de Paul avait creusé la tombe. La terre était sèche, dure. C'était pas facile. La sueur coulait sur les côtes de son torse, dans l'échancrure de la chemise. Plusieurs fois il a dû relever son pantalon. Toujours sa maigreur de coq, bien sûr. Quand il a eu fini, d'autres villageois ont transporté le corps sur une charrette à bras qui avait échappé au massacre. Ils ont posé le corps par terre. Et les fleurs. Nade avait fait un gros bouquet des marguerites qui poussaient le long du mur de la maison. La maman de Paul avait mis aussi des roses, coupées au rosier grimpant de la façade de la ferme. Jeannot avait mis une branche de pin. Quand le père de Paul et un autre paysan ont soulevé le corps enveloppé pour le glisser dans la tombe creusée, à droite du portail rouillé du petit cimetière, le drap a glissé, le drap s'est ouvert. Le père de Paul, qui avait saisi le corps sous les aisselles, ou les épaules, ne pouvait pas lâcher sa prise. Il a attendu. Il a fait signe. Pour que quelqu'un vienne refermer le drap. Le drap ouvert laissait voir une épaule, l'amorce du torse, la chair blanche, son visage livide, ses lèvres mauves, un peu de ses cheveux moutonnants. Elle était parfaite. Elle était partie. Les yeux fermés. Le visage incliné. Terrible et attirante comme une nuit d'étoiles.

Derrière elle, derrière le père de Paul qui la soutenait, Jeannot apercevait les arbres qui dépassaient le haut mur, et dans l'ouverture du portail, là-bas, sur son épaulement de pierre et son socle, à l'entrée du village, à la fourche des deux routes, le crucifix de fer qui se découpait, noir sur ciel bleu.

Il avait vu cette scène, il avait l'impression de la revivre, de la voir réapparaître. Il l'avait vue. Comme si elle était dessinée en lui. Ce visage, ce corps mort dans un drap soulevé et ployant entre deux hommes, et même ce crucifix. Ces frondaisons. Et tout à coup il se souvint. Le livre de littérature, des premières, au lycée, qu'il avait trouvé et qu'il gardait dans son pupitre pour sans cesse le feuilleter. Pour, sans cesse, à cette gravure s'arrêter, attiré par la femme, ses formes devinées et impénétrables, la mort, et l'entaille du ciel, clair et nostalgique. Atala. Les Indiens. L'Amérique. La reproduction du tableau. Atala morte. Femme, et belle, et morte. Émergeant de son drap. De sa tunique-drap. Son visage incliné. Et le même crucifix dans l'échappée d'une lumière qui venait toucher, oblique, la poitrine jeune et drapée.

Jeannot regarde, il ne dit rien ; il ne sera même pas, de cette morte, l'Indien laissé seul, enserrant les jambes de son Atala et courbé à ses pieds. Nade a refermé le drap sur le renflement de la gorge, sur le visage, sur les cheveux. Tout devint blanc sous le soleil. Et dans la terre ouverte, ils ont laissé tomber le corps.

CHAPITRE XXX

De ce mois de juillet en train de s'achever, il ne restait que le soleil, le ciel bleu et sa tristesse, silence sans fin sur une ville presque morte, sous une éternelle menace, vague, qui rôdait. Dans Miyonnas, aucun bruit de camion, aucune présence armée, aucun représentant d'aucune autorité. Aucune ; mais qui pouvaient toujours, toutes, un beau matin resurgir. La mort dans ses chargeurs. Avec le dernier mot sur la vie, au hasard. Une combe, un château, une route, un pilier de lavoir.

La moitié du mois d'août se passa, à vie contenue, dans l'attente, le vide et la prudence.

Un matin, la nouvelle se répandit : un deuxième débarquement, le jour de la Vierge Marie, venait d'avoir lieu. En Provence, vers Toulon. Près d'un petit port de pêche tranquille, qu'ils cherchèrent sur la carte, Saint-Tropez. Des cactus, des rochers. De petites maisons pauvres mangées de soleil, quelques barques de pêcheurs, c'était beau. Un peu de rêve et d'attendrissement avait passé dans la voix de Nade. Elle, le doigt sur la carte : « Ton père était marin, à Toulon, pour son service militaire. J'allais le voir, pendant nos fiançailles. Pendant ses perms, on allait en car le long de la côte. » Sa mère, pour la première fois, lui parlait de sa jeunesse. « Un jour, quand nous serons libérés, nous irons tous à Saint-Tropez, avec Dad. » Quand nous serons libérés. Le mot gagnait, la liberté se rapprochait, ce serait bientôt la libération. La liberté, elle allait venir par les Alpes, la vallée du Rhône. Plus proche, plus respirable, plus palpable qu'en Normandie. À portée de fleuve. À portée de ciel. Qui touchaient ceux d'ici. Cette fois, c'était sûr.

Quelques jours plus tard, réapparurent des autos de maquisards. Des tractions avant noires, des 305 Peugeot, avec des FFI peints en blanc sur les portières, qui passaient à toute allure, et disparaissaient. D'autres encore, marquées FTP, mitraillettes aux fenêtres. Il se murmurait, par des clientes, au magasin de Nade, que certains, parmi les FTP, étaient de vrais brigands. Ils faisaient, précisaient ces dames un peu plus bas, la justice et les coffres, en même temps. Pour ceux qui avaient « fricoté » avec l'Allemagne, il valait mieux ne pas tomber entre les mains de ces francs-tireurs partisans. Nade leur répliquait, en faisant semblant de plaisanter, que ça purifiait l'air.

Les Allemands tenaient toujours la préfecture et n'avaient pas encore repris le chemin de l'Allemagne. De nouveaux combats avaient éclaté en différents endroits du département. À Miyonnas, qui commençait à redresser l'échine, la Résistance avait réinvesti le grand lycée professionnel, assez peu touché, finalement, par les bombardements du début du mois. Les grands dortoirs, l'infirmerie avaient été de nouveau transformés en hôpital. Mais la vaste école, depuis peu, servait aussi de prison. Dans ses caves et ses sous-sols techniques, croyait-on savoir. Il se racontait que lorsque des miliciens étaient arrêtés, c'est là qu'ils étaient d'abord conduits. C'est ce que Jeannot avait appris, un après-midi, dans l'échoppe du cordonnier qui le dépannait souvent. Il en avait même appris davantage. Jeannot avait dû faire réparer les lanières d'une de ses sandalettes. Pendant qu'il attendait son tour pour sa réparation, le cordonnier, avec un de ses clients dont il finissait de reclouer une semelle usée et précieuse, s'entretenait de ces rumeurs-là. Le client racontait : que là-haut, à l'école, si les miliciens y étaient conduits, c'était pour se faire remuer un peu, et cracher ce qu'ils avaient à cracher avant de se retrouver peinards entre les mains d'une justice qui serait bien assez clémente. Trop clémente. Il valait mieux régler les comptes avant. Jeannot, pour la première fois de sa vie, entendit parler d'hommes interrogés à l'électricité. Aux douches, paraissait-il, qu'ils étaient chatouillés, les miliciens. Avec des fils électriques. Que ça les faisait un peu danser, ces salopards. Avec tout ce qu'ils avaient fait. Chacun son tour. Il paraissait aussi, toujours par l'homme à la semelle déclouée, que les résistants, emportés par la fureur après la découverte des tortures qu'avaient subies leurs compagnons, avaient expédié *ad patres* – l'homme faisait claquer, bien détaché, *ad patres* – des soldats allemands, et des miliciens, qui s'étaient rendus. *Ad patres*, d'une rafale de mitraillette. Toujours ça qu'il n'y aurait pas à juger. Le Père éternel s'en occuperait.

Jeannot l'a laissé parler. N'a posé aucune question. N'a rien demandé. Il a regardé sa sandale, les lanières cassées. Il a attendu. Gêné. De quoi, il ne le savait pas exactement, mais gêné. Depuis peu, pourtant, la haine de l'homme pour l'homme ne l'étonnait plus. Fil de fer, fils électriques, scie, poignard, tout était possible. Château, lavoir, douches. Partout.

Il feuilleta une revue pendant que les deux hommes continuaient de discuter. C'était une revue de guerre, ou de photos de guerre. Une photo l'arrêta : des soldats passaient, lourdement armés, poussiéreux, en arrière-plan. Au premier plan, une jeune femme était photographiée, sur le bord de la route, sous le vague abri d'un restant de toit. Elle allaitait son enfant. Elle était penchée au-dessus de lui. Elle l'abritait du soleil, de la poussière ; de la guerre peut-être ; tendant entre sa main et sa tête, au-dessus de lui, et de son sein de femme découvert qu'elle semblait aussi vouloir protéger des regards, un foulard, que transperçait la lumière. Qui tombait, tamisée, calmée, sur son sein gonflé et suspendu touchant de sa caresse la joue ronde du bébé. Derrière eux, hirsutes, épuisés, harnachés d'armes, s'en allaient les soldats. Elle, à part, à l'écart, s'entêtait doucement à transfuser la vie, joue ronde de son sein contre joue ronde de l'enfant. Peau douce contre peau douce. Tendres. Fragiles. Fermés. Semblables. Et les autres, derrière, si loin, si maudits, donneurs de mort, offerts à la mort, guerriers, marchaient vers leurs carnages. Jeannot pensa à Josette, à ses seins étoilés de sang lorsqu'elle fut tirée du lavoir. La mort avait eu raison de la vie. Le néant des soldats l'avait rattrapée. Elle, et son corps sans enfant, étaient dévorés par la nuit, la nuit de la terre, dans son drap refermé. Misérables. Ignorés. Chair de peu.

Il entendit d'autres propos. Ailleurs. Dans la bouche d'autres personnes. Le temps des vengeances était venu. De la justice. On disait.

La mère de Jeannot allait aider à l'école, là-haut, à l'hôpital provisoire. Elle était pour son pays, pour la victoire proche, pour le retour de Dad. Et – Jeannot le sentait bien dans son regard plus dur et indifférent – pour les vengeances. Alors elle aidait. Elle se liait à son pays, aux petits, aux chairs de peu qui souffraient. Cette aide lui permettait aussi des contacts, de savoir, d'être moins isolée, parmi les événements qui allaient si vite.

Un jour elle lui dit qu'elle avait eu des informations sur les camps de déportés. Par des résistants qui avaient accueilli dans leur maquis des soldats russes, qui avaient, c'était compliqué, déserté l'armée allemande, où ils avaient demandé à être enrôlés pour fuir les camps de déportation dans lesquels ils avaient été jetés pendant la guerre. Les nouvelles n'étaient pas bonnes ; elle avait peur, de plus en plus peur. Ces camps étaient très durs, impitoyables ; vivre, survivre tenait du miracle. Ce qu'en avaient laissé entendre les Russes paraissait, lui avait-on dit à l'école, difficile à croire. Les Russes avaient dû sûrement exagérer. Mais elle avait peur : Dad n'était pas un athlète, il voyait mal, il avait plus de quarante ans. Elle avait peur. Il n'avait plus la jeunesse pour endurer, pour résister. Elle s'appliquait, pour ses enfants, à paraître gaie. Mais son regard, ses joues plus creuses indiquaient assez que l'angoisse, qu'elle portait en elle enfouie, jour et nuit la rongeait. Elle était lasse ; lasse de combattre, de trembler, de souffrir, lasse de ne plus dormir. Elle voulait tellement que tout cela cesse. Elle rêvait d'être de nouveau, un jour, une femme comme avant la guerre. Elle ne voulait plus voir autour d'elle des gens mourir, souffrir, disparaître. Elle ne voulait plus lutter toute seule. Protéger toute seule. Décider toute seule. Elle lui avait même avoué : « J'en rêve, Dad me prend dans ses bras, et je m'endors pour longtemps contre son épaule. » Pourtant elle continuait, à sa manière, sa lutte. Elle continuait à monter là-haut pour aider à soigner les blessés. Peut-être pour pouvoir enfin dormir longtemps, plus longtemps, demain, en paix, sur une épaule qui l'abriterait.

Jeannot comprenait ce besoin d'attention qu'elle avait. C'est pourquoi, lorsqu'elle aidait, il montait, à midi, ou le soir, l'attendre à sa sortie. Il savait qu'elle était contente qu'il soit là, qu'il lui prenne la main pour redescendre à la maison. Ils se parlaient, ils traversaient le parc. Jeannot avait mis le couvert. La fille de Nade dormait dans son lit d'enfant. Un instant, il essayait de lui faire croire qu'elle était moins seule.

Un soir, alors qu'ils redescendaient, elle lui dit : « Ton monsieur Raoul, tu sais qu'ils l'ont arrêté ? » (Il remarqua le « ton », le reproche voilé qui s'y était glissé.) « Arrêté ; et emprisonné à l'école depuis deux jours. S'ils ont besoin de renseignements, je pourrai leur en donner. Et *je* leur en donnerai. » Elle avait insisté sur le *je*. « Des renseignements qui lui coûteront cher. » Jeannot, plutôt que de s'attarder sur le sort de monsieur Raoul, se demanda où avaient disparu Riri et Paco, et qui c'étaient, ces « ils ».

Sa mère lui tira sur la main, en deux ou trois légères secousses : « D'ailleurs, il n'y a que toi qui l'appelais monsieur Raoul. Ce que ça m'agaçait. Barrucci. Barrucci Raoul, ça c'était son nom. Sbire de la milice, chéri de la Gestapo. Je savais bien qu'un jour nos routes se recroiseraient. »

Elle a parlé tranquillement, de très loin. Hirondelles et martinets, dans le parc, tournaient en criant autour du grand marronnier et de son amas de postes. Quand ils débouchent dans la Grande-Rue, sur les vitres des fenêtres exposées au soleil couchant, il y a plein d'éclats de lumière rouge. Dans les yeux de sa mère aussi.

Le lendemain soir, « ils » sont venus à la maison. Des résistants. Jeannot ne les avait jamais vus dans Miyonnas. Nade les a fait entrer. « Nous sommes venus pour les précisions que vous souhaitez nous donner », qu'ils ont dit. Elle les a fait asseoir au salon. Elle a demandé à Jeannot de rester à la cuisine, de finir de manger et de monter se coucher. Le salon et la cuisine n'étaient séparés que par un galandage de vitres dépolies. Elle s'est installée dans le fauteuil où elle était demeurée assise face au placard vide, le matin de la rafle, quand les Allemands et les miliciens avaient emmené Dad. Elle a croisé les mains sur ses genoux. Droite dans son fauteuil. On aurait dit un juge. Jeannot a fermé la porte. Quand il a recommencé à manger dans son assiette, avec sa fourchette, il a essayé de faire le moins de bruit possible.

À côté, ils ont parlé longtemps. Les hommes ont posé et reposé des questions. Elle a expliqué la dénonciation de Dad. Oui c'était Barrucci. Elle a expliqué encore. Comment elle l'avait su. La liste, celui qui l'avait vue. À la poste. Comment Barrucci, aux premières heures de la rafle, était venu vérifier, ou contrôler. Comment il accompagnait les Allemands de la Gestapo, dans l'auto. Elle l'avait vu. Chez elle, ils l'avaient tous vu. C'était lui qui avait surveillé Dad, qui l'avait dénoncé, fait arrêter, c'était lui. Pourquoi ? C'était peut-être pas difficile de savoir pourquoi. L'aide que Dad apportait à la Résistance. Leur poste ça suffisait. Mais peut-être tout simplement aussi, en même temps, les femmes, des histoires de jalousie, les deux sœurs autour de Barrucci. Bien sûr, de jalousie. Et puis, à un moment, elle a dit qu'il y avait surtout eu la scierie. À Someyetan.

Jeannot, dans la cuisine, avait fini depuis longtemps son assiette. Il n'était pas monté se coucher. Il était resté à table. À écouter. À regarder gonfler une boulette de mie de pain noir qu'il avait mise dans l'eau de son verre. Il a cessé complètement de bouger. La scierie. Il a tendu l'oreille. Sa mère, de l'autre côté des vitres dépolies, s'était mise à parler moins fort.

Elle mentait. Elle était en train de mentir.

Elle raconte ce qui n'a pas eu lieu. Qu'avec son fils, ils sont arrivés par hasard au moment où le massacre du hangar s'achevait. Qu'ils avaient dû rester cachés dans les buissons aux abords de la scierie. Qu'ils ont vu les miliciens qui étaient avec les Allemands. Qu'elle a bien reconnu Barrucci. Qu'il y était. En uniforme. Qu'il est entré plusieurs fois, sorti plusieurs fois du hangar. Qu'elle en est sûre, c'était lui. Ils les ont vus partir, presque tout de suite après, monter dans les camions, les voitures. Qu'ils ont eu tout le temps de bien les voir. Qu'aux miliciens, Barrucci semblait donner des ordres. Oui, ce matin il était là. Oui, il a participé.

Jeannot sait bien que lui et sa mère n'ont rien vu, à part l'insigne de la milice dans la poussière, à la porte. Qu'ils sont arrivés lorsqu'il n'y avait plus personne, depuis longtemps. Dans la cuisine, Jeannot, immobile, est brûlé par le mensonge de sa mère. De l'autre côté du galandage, assise droite dans un fauteuil, elle rend sa justice, la justice à son idée, et elle ment. Peu après, les hommes se sont levés pour partir. Et ils l'ont remerciée de son aide. Quand, après les avoir reconduits à la porte dont la haute vitre était toujours fendue depuis l'irruption des soldats le matin de la rafle, Nade est revenue dans la cuisine, son fils n'était plus là. Jeannot était monté se coucher. Se cacher. Il ne voulait pas que sa mère soit obligée de se rendre compte que son fils savait qu'elle avait menti. Il ne voulait pas de ses explications, faire face à ses justifications. Il n'avait pas voulu affronter ses yeux. Lorsque sa mère passa dans sa chambre pour vérifier s'il s'était couché, il fit semblant de profondément dormir.

Deux jours plus tard, dans la grande cour du lycée technique qui s'emplissait de la première ombre du soir, assis au pied d'un haut pilier carré en pierre, au bord du préau principal, il attendait la sortie de sa mère. Il était là depuis un moment, à contempler, caché de l'entrée et lui tournant le dos derrière son pilier, la valse des martinets au-dessus de la cour ; mais surtout à écouter les propos déroutants, à quelques piliers de lui, d'un jeune résistant chargé de monter la garde près de la porte menant aux soussols. Chemise saharienne beige, brassard, cheveux blonds longs et gonflés, vaste short kaki, il avait l'air très jeune. Il proférait, tout en faisant les cent pas, des paroles, que rien, dans la cour, n'exigeait, n'expliquait. Des paroles de fou. Pourtant le jeune homme avait l'air parfaitement calme, et amusé en même temps, comme s'il répétait une leçon. Tout en conservant sa mitraillette à l'épaule, il donnait parfois l'impression de jouer à déclamer sur une scène. Il répétait des mots, de plus en plus vite. « Je veux et j'exige d'exquises excuses. » De plus en plus rapidement : « Tortue dors-tu tordue », jusqu'à trébucher sur les mots. « Si six scies scient six saucissons six cent scies scieront... » Le jeune homme fit claquer ses doigts. Raté. Il se mit à sourire. Repoussa en arrière ses épais cheveux blonds. Et reprit. « Tortue dors-tu... » Deux autres hommes sortirent de l'entrée du sous-sol. Ils se mirent à parler tous les trois. L'un des nouveaux venus le salua d'un : « Alors, le comédien, alors mon petit Mino, ça va ? » L'autre : « L'année prochaine, vous verrez, finie la guerre. Direction école de théâtre. » Les deux autres lui répliquèrent de la terminer entier, la guerre. S'il voulait monter sur les planches, qu'il se démerde à pas la finir entre quatre, de planches, le petit Mino. « T'occupe, lança le jeune garde, terminer entre quatre planches, ça va être pour les autres, maintenant.

— Ouais, la saison a commencé. La preuve : t'as vu pour ce salopard de Barrucci ? » a dit l'un de ces deux nouveaux arrivants venus du sous-sol, en s'adressant à celui qui en était sorti avec lui. Le nom de Barrucci avait claqué aux oreilles de Jeannot, amplifié par la cour aux hauts piliers et aux longs murs de ciment. Les trois hommes, en se parlant, s'avançaient vers la sortie.

« Ce maquereau de la milice, après tout ce qu'on a appris sur lui, on va pas le plaindre. Il a peut-être été secoué un peu fort dans les douches, après son arrestation. Si on veut. Mais à côté de ce qu'il a fait à la scierie de Someyetan.

— En tout cas, il va plus nous gêner, ce rebut. On reverra plus sa sale gueule. Il reviendra plus jamais emmerder personne. »

Les trois hommes s'arrêtèrent à l'abri d'un pilier pour allumer une cigarette. Pendant que le jeune garde, celui qui avait été appelé Mino, finissait en dernier d'allumer la sienne, les deux autres lui demandèrent s'il avait su que Barrucci avait été fusillé hier au soir. À la Sapinière. Oui, hier au soir.

Puis, devant le silence de Mino, le dernier qui avait parlé reprit la parole :

« Vous vous souvenez de Lenoir ? Vous savez, le Polack qu'on avait appelé comme ça, parce que son vrai nom... Et qui a été fusillé par les miliciens en juillet.

— Tu veux dire l'ancien des Brigades internationales ?

— Oui. Tu sais ce qu'il m'avait dit, la veille du combat où il a été fait prisonnier au défilé des Gorges ? Il m'avait dit, si je suis pris, si je suis tué, ne me pleurez pas, vengez-moi. Je l'entends encore. Alors avec Barrucci, là-haut, hier soir dans la Sapinière, c'est un peu lui et tous les autres qui ont été vengés. Il faut se dire que ça valait peut-être mieux que de les pleurer.

— Les larmes, ça nettoie rien.

— Rien », dit Mino. Avec un petit décalage. Comme s'il avait songé à quelque chose, à propos de la faiblesse des larmes. Les deux autres revinrent à Barrucci. Que pour lui en tout cas c'était fini, jugement, coup de grâce et trou dans la forêt.

« Ils l'ont monté en voiture, mon petit Mino, dit l'un des deux hommes en lui tapant sur l'épaule, et ils ont oublié de le redescendre. Ça économisera de la salive dans les tribunaux.

— Oui, ça économisera », a dit l'autre, en soufflant longuement sa fumée.

Les hommes étaient arrivés au bout de l'alignement des piliers. Derrière le sien, Jeannot, invisible, ne bronchait plus. Il ne put s'empêcher de penser à sa mère, assise droite dans son fauteuil, comme un juge, l'autre soir dans le salon. En deux jours, ses mensonges avaient pris une vitesse de balles. Il revit aussi le croque-mort de Miyonnas tenant élevée, dans la lumière du parc de Someyetan, la peau arrachée. Dad, et ses lunettes cassées, embarqué dans le camion, sous la neige, sur la place de la Poste. La tête de l'instit dans la lumière de la scierie. Josette s'enfonçant dans l'eau ensanglantée du lavoir. Mais sa mère avait menti. Tué à sa manière. Tueuse. Il hésitait à faire apparaître clairement le mot. Il se sentit poussé à enfermer, malgré lui, sa mère dans ces quelques lettres : tueuse ; et les visions resurgies s'étaient levées, dans sa mémoire proche, comme des excuses appelées.

Les deux hommes disparurent par la grande porte d'entrée. Mino, l'apprenti comédien à la chevelure blonde et gonflée, retourna reprendre sa garde. Il remontait l'allée couverte que bordaient les piliers, articulant d'une voix haute et juvénile dans l'ombre tiède du soir, mitraillette à l'épaule, au bord de la cour vide dont le long mur du fond faisait écho, l'une de ses formules curieuses que les cris stridents des martinets, qui viraient sur la cour et les sommets des premiers sapins de la Sapinière dépassant des toits, semblaient presque redire et multiplier à l'infini : « Oui je veux et j'exige d'exquises excuses oui je veux et j'exige d'exquises excuses. »

CHAPITRE XXXI

C'était le soir. C'étaient les informations. Sa mère leur avait demandé : « Tenez-vous tranquilles », à Jeannot et à sa sœur. Quand le bouton était tourné et que la radio commençait à crachoter, il fallait toujours ne plus parler, ne plus bouger. C'est ainsi qu'il y avait quelques jours, dans l'immobilité requise, comme ce soir, ils avaient appris que Pétain, sur l'ordre des Allemands, avait dû quitter Vichy. Pour l'Allemagne. Dans un château. « C'est sa place, avait commenté Nade, et ceux qu'il a fait envoyer en Allemagne le retrouveront plus vite. » Aujourd'hui encore, ça crachota-grésilla. Siffla un peu. Sa mère, penchée sur le poste, affinait la longueur d'onde. Et ce fut là.

Des cris. Des vivats. Un grondement de ville, un grondement de foule. Et cette voix. Hommes et femmes   nous sommes ici nous sommes ici chez nous. « Écoute écoute, dit sa mère, c'est de Gaulle — De Gaulle, le vrai de Gaulle, qui parle ? » s'assura Jeannot. La curiosité, pouvoir entendre enfin sa voix, l'avait fait accourir. Il se mit contre elle pour écouter la voix qui enflait, s'affirmait, martelait : Dans Paris   levé debout   pour se libérer   et qui a su le faire   de ses mains.   Non   nous ne dissimulerons pas   cette émotion   profonde et sacrée. Sa mère, qui le tenait par l'épaule, le secoua. « C'est à Paris ! Il est à Paris. Cette fois Paris est libéré ! Tu te rends compte ! Libéré ! Les Allemands, partis, déguerpis ! »

De Gaulle parlait de minutes   nous le sentons tous   qui dépassent   chacune   de nos pauvres vies — « Nos pauvres vies », répéta sa mère, dans un silence, avant que s'élève : Paris   Paris outragé   Paris brisé   Paris martyrisé mais Paris (la voix, ici, sur Paris, descendue, changeant de ton, s'était faite tendrement affectueuse) libéré !

« Nos pauvres vies. » Pendant que les informations sur la libération de Paris continuaient, les combats, les soldats de Leclerc, les Champs-Élysées, le clocher de Notre-Dame, événements supplémentaires tombant dans ce chaos accéléré et déroutant qu'étaient devenues les heures de chaque jour, Jeannot, dans ces trois mots, « nos pauvres vies », mettait aussi, bizarrement incapable d'en écarter son esprit depuis hier, et bien qu'en ces heures de gloire gaulliste il n'eût surtout pas dû le faire, la face pitoyable et touchante du pépé Belgrot. Dans sa cuve emplie de vin. Mwakéféverdun.

Il avait entendu arriver la voiture. Elle avait descendu le petit pont. S'était garée sur l'un des jeux de boules. Les portières avaient claqué. Jeannot était dans la cave. Il était venu d'assez bonne heure ce matin afin de trier et d'ouvrir des cartons, préparer des marchandises, ce qui risquait de prendre du temps. Sa mère, qui en avait besoin pour l'ouverture du magasin, lui avait demandé ce service, elle devait remettre la main sur certains objets. Leur cave faisait partie d'un ensemble de locaux distribués de chaque côté d'une vaste entrée d'accès et d'un passage qui conduisait au premier étage, où se trouvait le café du pépé Belgrot et le magasin de Nade. Leur cave était munie de deux fenêtres aux volets toujours fermés, car les caves, côté jeux de boules, étaient en rez-de-chaussée, et avaient servi d'écuries à chevaux, tandis que celles du fond, creusées dans le sol et sans fenêtres, étaient en sous-sol côté rue, sous le café, et munies de soupiraux. Plus de la moitié des caves étaient celles du café, pour le vin, les tonneaux, les bouteilles, les casiers, les grandes cuves en bois où le pépé Belgrot, dans le large espace de l'entrée, nettoyait ses bouteilles et soufrait ses barriques, près de la grande porte ouverte sur le soleil et les jeux de boules.

Jeannot, dans sa cave, celle de l'abattage du mouton, celle de l'agonie de la chèvre, était en train de déplacer et de manipuler les cartons maternels. Lorsqu'il entendit claquer les portières, parler à voix basse les hommes, là, si près, si présents, de l'autre côté des fenêtres ouvertes et des volets fermés, Jeannot cessa son travail et s'approcha sans bruit pour regarder, entre les fentes des volets, ce qui se passait à l'extérieur. Sur l'arrière de la voiture, il crut lire F T P. Ou ce qui avait dû être F T P. Ressemblant presque à F F I. En tout cas peu lisible, comme effacé hâtivement à grands coups de chiffon et, de toute façon, à moitié disparu sous une poussière épaisse. Les cinq hommes qui étaient descendus de la voiture étaient armés de pistolets. L'un d'eux, au centre, donnait apparemment aux autres des instructions, ou des indications. Là, si proche, de l'autre côté des volets, Jeannot le reconnut parfaitement, celui qui avait levé son verre à la victoire, avec Dad, le père du jeune torturé identifié par le croque-mort dans la fosse de Someyetan, Zunpo, le grand Zunpo.

La grande porte d'entrée des caves n'était jamais fermée. C'était une habitude. Le passage servait pour aller des jeux de boules au café, et de raccourci aux habitants du quartier. Zunpo et ses hommes s'engouffrèrent, contournant la grande cuve en bois et les casiers emplis de bouteilles que le pépé Belgrot avait déjà mis en place pour son travail de la matinée. Jeannot, dans sa cave, dont il fermait toujours la porte à clé quand il y travaillait, pour être en paix, ou échapper aux curiosités du terrifiant Mwakéféverdun, les entendit se diriger vers le fond des caves et prendre l'escalier pour monter au premier étage. Sans parler, maintenant et, semblait-il, le plus en silence possible.

Très peu de temps après, des cris retentirent. Les fenêtres de l'appartement du pépé Belgrot, au premier, donnaient sur les jeux de boules. Les cris en provenaient. Ils ne durèrent pas longtemps. De nouveau ce fut le silence.

Puis, dans l'escalier, des pas précipités. Des trébuchements, des bousculades, des geignements étouffés. Déboulement dans la cave. Jeannot, derrière sa porte, entend le bruit de bouteilles qu'on vide dans la cuve, encore des coups, encore des bouteilles qui coulent, qu'on jette, qui roulent, pas un mot, seuls les glouglous accélérés, multiples, des bouteilles vidées. Des bruits de pieds qui se débattent dans les graviers de l'entrée, un grognement, ou plainte, ou cri étouffé, puis un gargouillement, un bruit de lutte, d'éclaboussures. Et deux coups de feu. Plus de lutte. Des pas encore, tout autour. Une seule voix : « Mets-lui là. » Tout redevient immobile dans l'entrée. Portières. Démarreur. Un essai. Deux essais. Le moteur renâcle à partir. Part. Accélération nerveuse à vide. La voiture démarre en trombe. Quelque chose de sa carrosserie cogne en sortant du pont. Virage dans la rue. Le bruit du moteur s'éloigne. S'éteint. Le silence. Encore le silence. Il n'y a personne dans la rue.

La fraîcheur du matin entre par les fentes des volets fermés, par les fenêtres ouvertes à l'intérieur de la cave. Jeannot écoute encore à la porte. Le froid le gagne. Rien. Tout est silencieux dans les caves. Il tourne doucement la clé pour dégager le pêne. Qui claque. Deux coups aussi. Sortir.

Ce qu'il a vu d'abord : le gros cul sur le bord de la cuve en bois. Le pantalon à rayures grises et noires. Le pépé Belgrot. À genoux devant la cuve. La tête dedans. Le cul levé. Les bouteilles vides jetées tout autour.

Après, sur son derrière, sur le fond de pantalon souillé d'une large tache fraîche, il a vu, posé, le grand béret. Et sur le béret, déposé avec soin au centre, l'insigne d'argent, la francisque de la Légion. La lumière matinale, s'annonçant dans l'arc de l'entrée de la cave, l'attrape, la frappe. Elle brille, la francisque. Elle brille. Elle jette un rayon. Un nuage, le soleil a passé : elle s'éteint.

Les coups de pistolet, la totale, lourde immobilité du pépé Belgrot, tête dans sa cuve, disent bien assez, une fois de plus, la mort. Cadavres, horreurs, depuis un mois à peine Jeannot a tellement vu, tellement entendu. Cadavres de chair de moi. Sang collé de sang de moi. Peau de peau de moi. Les mêmes. Tellement affronté, tellement aperçu. Tellement laissé entrer en lui, de force, que ses capacités d'émotion, de réaction, de souffrance se sont anesthésiées, se sont ensommeillées. Il ne connaissait plus que l'esquive, le repliement, et le silence. Enkystée en lui, la douleur le faisait taire. Aussi, simplement, après avoir refermé sa cave, a-t-il entrepris de sortir, de s'éclipser, contournant avec précaution la cuve et son cadavre, évitant les bouteilles vides répandues sur le sol. Il ne peut toutefois s'empêcher, deux secondes, trois secondes, avant de s'enfuir, de s'arrêter pour, tendant le cou, se penchant en avant légèrement, voir l'intérieur de la cuve. Reposant sur un bras enfoncé dedans, la tête du pépé Belgrot se présentait de côté, à peine immergée dans un fond de vin. Deux trous dans la tempe, d'où le sang continuait de couler. Se mêlait au vin rouge dans ses moustaches blanches. Un chiffon en boule, enfoncé dans sa bouche grande ouverte et tendue, dégorgeait, rougi, sur son menton. Dans son visage tourné de côté, un seul œil était visible, affleuré par le vin. Rond. Ouvert. Marquant l'effarement. Un étonnement sans borne.

Au pied de la cuve, appuyé contre elle, face à l'entrée, un grand morceau de carton ondulé. Avec, écrit en noir, dessus, en lettres capitales et hâtives : JUSTICE DU PEUPLE.

Tu ne penseras plus, plus rien. Ce n'était pas à lui qu'il se le disait, dans le jardin des voisins où il était allé se réfugier, réfléchir à ce qu'il allait raconter, ou ne pas raconter, faire, ou ne pas faire. Assis sur le banc de curé que les voisins, les gentils émigrés grecs, avaient installé sous un griottier, le long des groseilliers, de l'autre côté du mur qui clôturait les jeux de boules sur toute leur longueur, il s'était souvenu soudain du jeune philosophe, lui aussi à genoux, lui aussi le cul en l'air, mais dénudé, violé, mais le cul en l'air, au bord des hortensias de la scierie, contre la murette. Dans sa prière d'homme mort. Tu ne penseras plus, plus rien. L'époque décidément aimait faire plier, prosterner, soumettre. Humilier. Faire bouffer la poussière. Abaisser. Faire éclater la tête. Tu ne penseras plus, plus rien. Je vais t'éclater la tête. La haine de la tête. De ses mots. Qui tournent dans la tête. Qui peuvent en sortir. Ou s'y cacher. Ce plaisir d'humilier la tête en s'acharnant sur le cul. Cul par-dessus tête. Plus haut que la tête. Renverser l'ordre. Fin du manège, des prétentions, de la dignité. Je t'éclate. Mots de gardes-chiourme, de jeunes cons. À la tête du philosophe éclatée par les fascistes, répondait la tête du pétainiste éclatée dans la cave. On abaisse, on dénie, on proclame : tu n'es que viande et trou à merde. Histoire de mâles qui se prennent le cul. Sur son banc, Jeannot les haïssait, dans son silence, à froid, les héros, les mâles, les sportifs, les musclés, les costauds, les mecs, les tueurs. Parce qu'ils le menaçaient, tous, et tout le monde. Les cons, les gros cons, pensait Jeannot rageur dans la fraîcheur du matin de ce jardin de curé. Les distributeurs de mort : tu dis je pense, je te dis trou à merde. Tu ne penseras plus. Tu n'es plus. Le temps que les vers aient fini leur travail, tu ne seras même plus merde. Et leur doigt sur la détente appuie. Quand ils tirent, c'est une manière de cracher : ta cervelle éclate, tu l'as dans le cul, cocu, petit con, merde de rien. Jeannot, contre eux, sentait monter une haine que sans doute plus rien ne calmerait, qui lui donnait une envie à jamais de s'éloigner des hommes, d'être le moins possible de leur clan, de les laisser à leur délire. Même de ceux qui pensaient avoir plus que d'autres des excuses. Des raisons.

Les informations venaient de se terminer. Sa mère arrêta le poste. Jeannot s'arracha à sa vision fugace du pépé Belgrot et au souvenir si récent, qui l'avait traversé, du jardin matinal d'hier, du banc vert sous le griottier, et de la larme d'adolescent qui s'était mise à couler sur sa joue, tout à coup, d'épuisement nerveux, larme liant d'un seul coup le jeune homme sous les hortensias au vieillard dans son pinard, le jeune philosophe cartésien en chemise blanche au cafetier à large béret qui avait fait Verdun. Pour leurs pauvres vies.

Dans Miyonnas, on parla beaucoup de l'exécution du pépé Belgrot, dans sa cave, un matin, au milieu de ses vins. On ne sut jamais exactement, bien qu'on eût quelques idées, qui l'avait exécuté. Et qui c'était, la Justice du Peuple.

CHAPITRE XXXII

Bref. Trop bref. Une fois de plus, l'impression que ça ne s'était pas passé. Dix minutes, un matin. Une buée de songe. À peu près au même endroit. Au bord du même trottoir, où il s'était trouvé pour le défilé des maquisards, le 11 novembre. Ce matin de fin août, un groupe grondant, indiscipliné, montait la Grande-Rue. Qui arrivait, qui s'avance, avec des cris, des éclats de voix. Flanqué de deux maquisards armés, qui l'encadrent vaguement. Groupe peu imposant d'une cinquantaine de gamins, d'hommes, de femmes. Qui ricanent, s'esclaffent, brandissent le poing, s'agitent tout autour ou suivent deux pas en arrière. Qui, de temps en temps, s'enhardissent, poussent, donnent des bourrades, rejettent au centre de la chaussée. Salopes. Un autre petit groupe est au centre du leur. Trois femmes. Trois. Sans cheveux. Tondues à la va-vite. Avec des traces de tondeuses. Peinte sur leur crâne, en traits qui ont coulé, la croix gammée. Trois femmes. L'une : en robe à rayures de couleur. L'autre : en corsage blanc et jupe à fleurs. La troisième : en veste de toile grise, avec un corsage blanc à collerette, bien serrée autour du cou. Au cou de toutes les trois : pute. L'écriteau pendu.

Jeannot sortait de l'épicerie. Il s'est arrêté, dissimulé à moitié derrière des curieux. Il tient dans ses bras, serrée contre lui, une laitue dans un sac papier garni de pommes de terre. Il n'y a que ses yeux qui dépassent de la laitue, comme s'il avait encore voulu se réfugier derrière. Le groupe passe devant lui. Tout de suite, en un éclair, de ces femmes tondues, il en reconnaît deux. Autour de lui, autour d'elles, ça crie et c'est silencieux. L'une des femmes est sa voisine. Déjà âgée, très gentille, toujours, très effacée, soucieuse de tout, toujours, des avis des autres, du curé, de la loi, de l'opinion, et pour Jeannot, c'est à n'y rien comprendre, elle est là, c'est elle qui s'avance, terrorisée, sa tête de petit oiseau frêle dépassant de sa collerette blanche, ne regardant que ses pieds et les pavés de la chaussée, toujours. L'autre, la deuxième qu'il ait reconnue, celle en robe d'été, qui essaie de demeurer digne (au contraire de la jeune fille au corsage qui pleure et supplie du regard de tous côtés), qui tente d'afficher une espèce d'indifférence à ce qui se passe, et qui soudain croise, avec insistance, son regard à celui de Jeannot derrière sa laitue, s'y accroche deux secondes, et le lui fait baisser par sa tristesse muette, c'est la mère de son copain, la maman de Riri. Qui était belle, sentait bon le sent-bon de Paris, et tenait le café que fréquentaient les miliciens.

Le groupe est arrivé au bout de la rue. Il la traverse, et la petite place qu'elle forme peu avant le monument aux morts. Le groupe se dirige vers l'escalier qui mène à la mairie. Où les deux gardes aux brassards F T P apparemment conduisent les trois femmes tondues. Au moment où elles commencent à monter les marches, des gens les frappent, les poussent, veulent s'acharner sur elles. La maman de Riri tombe violemment sur l'escalier de pierre. Le jeune garde F T P, d'un brusque mouvement de colère et d'énervement, repousse du plat de sa mitraillette ceux qui voulaient la molester. Et Jeannot l'a vu : il a tendu la main à la maman de Riri pour l'aider à se relever. Il la relève. Il lui dit quelques mots pendant qu'elle se remet debout. La maman de Riri, sa main encore dans la sienne, s'accrochant encore à lui, sourit à son garde. Un sourire bref, splendide, sur le fond des faces haineuses. Les deux maquisards armés et les trois femmes tondues finissent de monter l'escalier. Le groupe des repoussés, des refoulés, au pied des marches, continue de hurler. Salopes. Putes. Vendues. Vendues ! La porte de la mairie s'est refermée.

C'était fini.

CHAPITRE XXXIII

La queue qu'il a   la vache   la queue qu'il a. Pensait
Jeannot pendant que très timide et très petit, entre les deux
protège-vue de sa place d'urinoir municipal, il essayait par
son appendice, si modeste en comparaison, de vider sa vessie.
Car il ne s'agissait pas de la sienne, d'excroissance, mais de
celle du soldat. Noir. Saoul. Américain. Et libérateur. Titube-
ments   bredouillements   voix caverneuse dans la caverne
de l'urinoir souterrain : le guerrier occupait l'espace. Une
comme ça   t'en verras jamais plus. Il le proclamait en deux
langues entrecroisées. *Never. Ever.* Jamais. Toujours. *Like this one.*
À la vue de l'argument avancé, c'était facile à croire.

Le soldat se tenait campé au fond et au centre de la pissotière,
dans l'axe de la petite allée. Tanguant, débraguetté, offrant au
regard public, à l'air, son lance-flamme, son bazooka charnel, en
pleine érection. Il tentait de rentrer l'arme. Bredouillait. Abandonnait. La regardait avec surprise et incompréhension. Tout à
coup garde-à-vous, saluait, son artillerie tout entière en avant.
Vaillant héros d'une armée surgie sur ses jeeps, ses half-tracks,
ses camions à grande étoile blanche, un après-midi chaud des
premiers jours de septembre. Ils étaient arrivés, ils étaient passés,
ils étaient partis. Poussière. Magnifiques. Le cœur battait la cha-
made pour eux. Vive la France, vive de Gaulle, vive l'Amérique,
Vivent les Ricains, remontés à marche forcée de Provence, en

quelques jours de Grenoble, pendant que les Français remontaient la vallée du Rhône, les plaines, tous fonçant vers le nord, courant après l'armée allemande enfuie, en fuite. Nettoyé l'horizon. Vive ! Des industriels de Miyonnas avaient tout prévu, et déjà mis en vente le matin partout de petits drapeaux en plastique, quatre petits drapeaux en barrette avec broche, le russe, l'américain, le français, l'anglais, qui s'étaient retrouvés en quelques heures épinglés à tous les corsages, chemises, revers de veste, bérets, et vive, vivent la vie et les couleurs, vivent les cris, vivent les excès de la vie.

Jeannot avait couru avec les autres derrière les jeeps et les camions, tendant les mains vers les chewing-gums, les cigarettes lancées, les petites tablettes de chocolat qui tombaient du ciel, du vent, de la vitesse, du ronflement des moteurs, des bouquets de cris. Vive. Baisers des femmes — renversées, redressées — aux héros qui s'arrêtaient et repartaient vers leurs batailles.

Pourtant, le soir, une partie de cette troupe avait été mise en repos pour quelques jours à Miyonnas, cantonnée dans des usines abandonnées de la plaine, aux abords de la gare, sur la route des marais, des collines, celle de la morte dans son champ de pommes de terre. Et le soir des GI s'étaient mêlés à la foule, au bal sur la place, à la griserie d'être libres, et de pouvoir crier, et de pouvoir être fou. Les pieds raclaient sur les pavés aux paso doble de la nuit. Et la boisson avait coulé.

Le lendemain matin, Jeannot avait voulu aller voir le cantonnement des GI, leurs armes, leurs véhicules, leur monde venu d'un autre monde. En passant par la place de la Gare, il était descendu soulager une envie pressante à la pissotière publique. Il y avait en bas déjà deux ou trois autres personnes ; et ce GI, noir, appuyé au mur du fond, vers le dernier emplacement, et qui, complètement saoul, parlant à voix haute en tenant des propos incohérents dans sa langue, et parfois avec des mots de français, avait finalement tenté de reprendre le chemin de la sortie, et de refermer, ou remonter, ou remettre en place son pantalon ouvert dans lequel il essayait désespérément de faire rentrer ce qui était brusquement bien trop déployé pour y trouver une place. *Me Lousiana.* Qu'il disait. *Me. Lousiana.* Qu'il répétait en allongeant le *Lou.* Et il se tapait sur le thorax. Oh lala la France. J'aime. Puis empoignant, exhibant la gloire mauve et gigantesque de son braquemart en batterie, il prenait à témoin, par le biais de ceux qui se trouvaient là, gênés, et qui faisaient comme s'ils ne voyaient pas, l'humanité tout entière, *shit, war* et *glory,* il resaluait, *fuck and glory,* il se la rempoignait, puis menaçait, son argument au poing, les femmes allemandes d'attaques dont elles se souviendraient, bang bang, et les petites Françaises, et *charming* petites Parisiennes, de récompenses, *good,* très bon, qui les feraient pleurer, pour les consoler, longues privations, longues privations, et il se caressait l'air attendri la verge comme un violon, puis resaluait, et montrant la sortie de la pissotière, criait, titubant d'alcool sur ses jambes incertaines, pointant la direction du bout de son gland : *To Berlin for Victory ! O shit, O God, fuck everywhere,* ça allait chier !

Jeannot, qui s'égouttait, et n'osait même plus sortir de peur de se trouver dans les parages ou dans l'axe du grand Noir en extension et d'une indécence terrorisante, trouva, se souvenant de la scène dans son école du portrait compissé du maréchal, étrange que la guerre, sa guerre, ait pour ainsi dire commencé par une histoire d'organes mâles d'écoliers se défoulant contre le portrait du maréchal, et qu'elle soit en train de se terminer avec celui de ce GI noir finissant de cuver, dans cette pissotière pour lui inconnue, l'alcool mérité de sa victoire. Je la sors je te tue. La loi, en somme. En avoir ou pas, l'argument final. La guerre laissait paraître au coin des bois, des hortensias, des écoles, des châteaux, des urinoirs, sans doute ses vraies batteries cachées. Le grand soldat américain allait ainsi encore devoir pilonner partout, merde, jusqu'à la victoire, ô Dieu !

Jeannot finissait de remettre en place son pacifique attirail d'adolescent naissant, guettant le bon moment tactique où il pourrait remonter à l'air en évitant les dangers de la Louisiane triomphante derrière un autre pisseur libéré. Il y avait à côté de lui un employé de la SNCF qui finissait son affaire, et qui lui dit en lui faisant un clin d'œil et en souriant gentiment : « Qu'est-ce qu'il a éclusé comme picrate français, le Négro ! Il en tient une ! » Et il ne faisait pas allusion à ce que le GI était en train de tenir. Cet employé avait sous le nez une petite moustache rectangulaire, aux poils taillés ras. Jeannot pensa, en lui rendant son sourire de connivence, qu'il avait la même moustache qu'Hitler. Hitler lui fit repasser à toute vitesse dans la tête les têtes de Goering, d'Himmler, de Goebbels, qui avaient traîné si longtemps dans les revues, les journaux, et dans le hall du journal local, pendant toutes ces années, devenant presque des figures familières de leur vie. Le temps d'un éclair, touché par l'esprit philosophique qui s'empare vaguement, et presque de force, de tout mâle qui pisse, fût-il jeune, il se demanda si ces grotesques chefs teutons, le gros bouffi Goering, le nerveux boiteux Goebbels, l'asticot blafard Himmler, ce pathétique tressautant maniéré Hitler, n'auraient pas tout simplement été conduits dans leur danse de mort par des problèmes de verge. De jalousies mal digérées, mal conduites, de jalousies refoulées, de haines obscures cadenassées, contre les queues des Français, ces chauds lapins, et contre celles des Juifs, de ces Jude, Juden, obsession des Allemands dont tous les discours, et ceux de Vichy, leur rebattaient sans fin les oreilles et dont pourtant à Miyonnas, autour de Jeannot, on ne parlait jamais, de ces Juifs inconnus mais réputés, s'il en croyait les révélations tortueuses de quelques copains trop bavards lors des longues nuits de dortoir, à être davantage capables, du fait de leur circoncision, qui les endurcissait, d'affoler plus longtemps les femmes. Ces pâles figures germaniques de cauchemar qui avaient soumis le monde à leurs caprices de tueurs avaient bien des têtes à n'être que des mâles délabrés rendus furieux, furieux à massacrer sans fin, dans le silence étouffant de leur impuissance, des peuples réputés grands raboteurs devant l'éternel. Sans doute. Allez savoir. Enfin l'idée brilla comme ça dans son urinoir. Et s'éteignit. Il allait falloir sortir, on ne peut pas pisser une éternité.

Jeannot se souvint encore que leur jeune professeur d'histoire, pour susciter un peu plus leur éveil, leur avait rapporté en riant qu'une des causes déterminantes des victoires de Bonaparte dans la campagne d'Italie, c'était sa hâte et son souci de reconquérir une Joséphine qui le rendait fou, mais le trompait à Paris avec un petit capitaine idiot à rouflaquettes frisées. Ah la marche aux canons ! En avoir ou pas ! Plon Plon et grosse castagne, c'est celui qui en a le plus qui gagne. Les fûts bandants dressés crachant leur foutre dans le cul sombre du monde et de sa nuit. De toutes les nuits. Puis, comme dans une tragédie classique, au cinquième acte, tout retombe en morceaux, l'humanité mâle se la retire, se rembraguette, c'est le temps des pleurs et des hontes rentrées. Des excuses. Des fraternités hypocrites. Et paix sur la terre. Paix jusqu'aux prochaines furies des couilles du mal, des mâles, vidées. Paix. Paix du sang. Paix du sang sur les cendres, les squelettes dans les fosses. Paix. Jeannot se demanda quand, enfin, elle allait être vraiment signée, la paix.

Un pisseur se mit en route pour sortir. Jeannot lui emboîta le pas. Le GI, au fond, au centre, l'arme mauve toujours à l'air, continuait ses imprécations imbibées et trébuchantes. Dans l'escalier qui menait à l'air, quatre pieds apparurent. Chaussures montantes, noires, lacées, cirées, serrées sur des pantalons kaki étroits. Deux soldats américains au casque blanc marqué MP — « Ceux-là c'est des spéciaux costauds », avaient dit hier les gens au bal — descendaient les marches. Une longue matraque blanche balançait à leur côté, accrochée à la ceinture. Quand Jeannot, qui s'était empressé de finir de grimper, arriva à l'air libre, il entendit, en bas, des cris, des hurlements en anglais, une série de violents coups étouffés.

Peu après, ils réapparurent. Traînant entre eux, d'un bras passé sous les aisselles, le GI noir, tête pendante, et muet. La braguette de son pantalon était fermée. Les MP lui avaient rangé sa grosse matraque. Ils en avaient une plus longue que la sienne. Plus dure. Problème réglé. Au bord du trottoir, une jeep et son chauffeur attendaient. Les deux MP chargèrent le lourd corps du

Noir dans la jeep. Sa tête brinquebalait. Un MP lui passa les menottes qu'il fixa à son poignet. Ils s'installèrent de chaque côté, calant de leurs matraques le soldat assommé. La jeep démarra, tourna sur la place et, après avoir franchi en cahotant les voies ferrées du passage à niveau grand ouvert, disparut à toute allure, du côté du cantonnement.

Les fêtes sont brèves. Les rêves de puissance aussi.

CHAPITRE XXXIV

La paix n'était pas venue. N'était pas signée. La guerre continuait. L'Allemagne se débattait encore, tuant encore dans ses
soubresauts. Dad devrait passer un hiver de plus dans son camp,
dans sa neige, dans cette Autriche musicale, pâtissière, et sans
pitié. Le lycée avait rouvert ses portes, les études continuaient.
Nade resta seule dans sa montagne qu'elle détestait, avec sa fille,
déballant ses caisses sur le trottoir, sous la pluie, dans le vent,
dans le froid revenu, loin des soleils de son Midi. Le pain était
toujours noir, et toujours rare.

Demeurer enfermé au lycée, à traîner, en blouse sale
d'interne, finissait par plaire à Jeannot et à lui convenir. La solitude, dans l'écart et la crasse, lui devenait presque plaisir. Parfois,
plus d'un mois passait avant qu'il ne se décide à reprendre le chemin de Miyonnas. Où le malheur, comme un autre sang, semblait battre dans les veines de sa mère ; comme une autre odeur,
s'incruster dans les murs de la maison. Tout était éteint, tout était
pénurie sous leur toit. Au lycée, s'abandonnant à ses songes
informes, il laissa filer l'année. Il n'était rien, enfant de rien, sans
rien. S'enfoncer, couler doucement, lui paraissait devenir sa fatalité. Il reprit aux mains des gerçures. Il lui semblait parfois que sa
vie entière n'était qu'une gerçure. L'âme ouverte, douloureuse,
lui cuisait.

Jugé trop chahuteur, il fut changé de dortoir. On le fit coucher dans celui des grands, devant la cabine du surveillant. Le surveillant général avait recommandé pour lui une surveillance particulière. « Fais gaffe à tes fesses, lui avait glissé son grand voisin, c'est un pédé ce salaud. » Il lui avait fallu partir à la recherche du sens de ce nouveau mot. Le surveillant général lui faisait peur. Il arrivait le soir, au dortoir, en silence sur des grosses semelles de crêpe, un chapeau sur la tête, en manteau serré à la taille. Dans l'ombre du rebord étroit du chapeau, derrière ses lunettes métalliques d'officier, ses yeux brillaient, perçants. Quand Jeannot était couché dans son lit, le surgé s'approchait, se penchait sur lui, tripotait le rebord de la couverture, tentait de glisser une main sous le drap, parfois le soulevait pour s'enquérir à voix chuchotée : « Alors, il est sage notre petit rebelle ? » Ses yeux de loup sous le rebord du chapeau. Leur approche révulsait Jeannot. Replié, recroquevillé, il tentait d'éviter tout contact, toute amorce de contact ; de se tenir loin de cette chafouinerie mielleuse, de cette lueur derrière les lunettes, de ses doigts fureteurs. Il avait plus peur de cet homme que des Allemands dans la ferme de Chatonnex. Cette brûlure de peur, de rage, s'ajoutait aux autres.

En même temps, tout autour, sur les bords de son être, il était comme anesthésié. Absent. Il était trop sous le coup des coups de l'été. Les premiers mois de l'année scolaire se déroulèrent comme s'ils n'existaient pas, et rien ne réussit à fustiger son endormissement, qui n'était que son besoin obscur, profond, d'endormir au fond de lui des visions insupportables. Il commença à dérader, à se séparer des autres. Où il était, il était seul, et il comprit de plus en plus que la solitude était en train de devenir sa vraie demeure, une malchance qui ne le quitterait plus. Les jeux, les blagues, les matches, les cartes, tous ces centres d'intérêt des autres élèves qui tout d'abord l'indifféraient, il se mit à les détester. Ou alors il se jetait dedans avec un excès douteux, il en rajoutait, hurlait plus fort, provoquait davantage. Mais ces périodes d'excitation intense et faussement euphorique laissaient brutalement place le lendemain à des périodes lourdes, sans lumière, muettes. Il collectionnait les punitions puis, conséquences dominicales, les promenades tristes en rang par deux le long des chemins de forêts pleins de brouillard et de givre où bizarrement il pouvait savourer, plié de froid, la noire grandeur d'être maudit, victime, et malheureux. Il découvrait chaque jour un peu plus en lui un creux, un manque : celui d'une énergie à vivre que donnent seuls les jours heureux, et dont sa vie était étonnamment privée. L'année, le monde glissaient, laissaient au pied des ruines leur vieille peau.

Ce fut six mois plus tard, lors d'un dimanche à Miyonnas, qu'il s'aperçut que le Français, le café du pépé Belgrot, venait d'entrer dans une ère nouvelle. Il avait été vendu. Repeint, il s'appelait maintenant le café des Travailleurs. On était fin avril. Il faisait beau. Par la porte laissée grande ouverte, on voyait la salle préparée pour ce dimanche matin. Elle était encore vide. Jeannot s'arrêta pour jeter un coup d'œil à l'intérieur. Les chaises étaient posées à la renverse sur les tables, pieds en l'air. Le sol balayé de frais, avec, encore, sur le plancher, les lacis des traces de l'eau. Derrière le comptoir, il y avait un nouveau portrait. Ce nouveau moustachu dans un nouveau cadre, Jeannot le connaissait bien, par les photos, par sa légende. Autres moustaches, autre casquette, autres étoiles. C'était Staline, le chef des armées russes. « Le petit père des peuples », disaient les journaux. Au fond de la salle, sous son étoile rouge sang, il avait l'air d'attendre : d'autres hommes, d'autres temps. Jeannot se demanda, en reprenant sa marche, si un jour d'autres enfants, d'autres écoliers, le jetteraient par terre et pisseraient dessus.

Il rencontra dans la rue son copain Riri. Il était réapparu dans Miyonnas. La vie, insensiblement, les poussait sur deux pentes différentes, qui s'éloignaient. Ils parlèrent un peu. Ils n'avaient plus grand-chose à se dire. Riri lui annonça tout de même que sa mère avait vendu elle aussi son café. Le local servirait pour un autre commerce, il ne savait pas vraiment lequel, de fringues, disait-on. Avec sa mère, ils avaient déménagé. Puis, après une petite hésitation, il lui annonça qu'elle s'était remariée. Avec un résistant. Un FTP. Qui l'avait protégée, quand elle avait été arrêtée. Il lui précisa même, à moitié gêné, à moitié goguenard, que ce jeune FTP avait été son gardien, à la prison, où elle avait été enfermée deux mois. Après encore quelques propos incertains, ils se séparèrent. Jeannot ne lui avait rien demandé au sujet de monsieur Raoul. Quant à Riri, il ne s'était enquis d'aucune nouvelle au sujet de Dad. Chez eux aussi, la gêne glissait des blancs de plus en plus nombreux dans des mémoires de plus en plus prudentes, et déjà oublieuses. La vie essayait d'endormir elle aussi l'insupportable ; et reperçait, se redéployait, sous d'autres feuilles hésitantes. La vie se montrait brutalement simple : elle ne voulait que renaître.

Mais elle allait devoir percer une nouvelle couche de cendres. Depuis le début d'avril, couronnant l'intolérable, étaient venues les photos. Dans les halls des journaux, sur les panneaux de presse : les photos. Des yeux immenses dans des visages de squelettes, qui vous suivaient, qui vous regardaient partout. Les photos des camps. Des tranchées de cadavres, des montagnes de cadavres, des cadavres abandonnés partout, à même le sol. Les bassins réduits aux os, les trous entre les jambes, les orbites, les côtes sous la peau. Comme l'armée américaine entrant dans Buchenwald puis dans les autres camps, le monde entier, la parole ôtée, reculait d'horreur. Les êtres humains finissaient de mourir, nus, hébétés, décharnés, entassés dans les châlits de leurs baraquements. Qu'on regardait, qui vous regardaient. Au cinéma, aux actualités, il y eut ce bulldozer repoussant de sa pelle vers la fosse commune cette vague de cadavres aux os perçant la peau, ces bras, ces sexes, ces jambes sans chair aux gros genoux, ces corps désarticulés, ces têtes rasées aux bouches ouvertes, aux faces de momies, basculés, roulés en masse comme un tas de détritus vers le trou, vers la chaux, vers l'indifférente paix blanche de la mort infinie. Détritus de la guerre par la guerre jetée. Maintenant on avait vu. Maintenant on savait.

Dans le silence de la salle de cinéma, sur l'écran, resurgis de la pellicule rayée qui défile, ils voient les Allemands obligés d'assister à l'évidence, d'affronter la puanteur, en uniformes fatigués, en civil, un mouchoir sur le nez, le regard qui veut échapper à la caméra ; et qui baissent la tête, qui la détournent ; pour enfin, gênés, se tenir tout simplement là, sur un pied, sur un autre, impénétrables et raidis, comme s'ils ne voyaient pas, comme s'ils n'y étaient pour rien.

Dans le hall du journal, Jeannot, les premiers temps, resta longtemps devant les photos de presse punaisées aux panneaux. Il les scrutait, les regardait en détail, et comme d'autres à côté de lui tentant de retrouver par hasard sur elles un visage connu, cherchait s'il ne voyait pas Dad. Avec de tels visages, il se demandait s'il pourrait seulement le reconnaître. Mais les photos ne concernaient toujours pas Mauthausen. Sans doute pas encore libéré, toujours hors d'atteinte des troupes alliées. Buchenwald, Dachau, Ravensbrück, Dora ; d'inquiétants noms apparaissaient sur les panneaux, mais pas Mauthausen. Au bout de quelques semaines les photos disparurent.

C'est alors qu'apparurent sur les cahiers de brouillons, sur les cahiers de textes de Jeannot ces dessins de chiens, crocs découverts, d'êtres humains squelettiques, de miradors, de croix gammées, de sigles SS qui proliférèrent, et envahirent les pages de garde, les marges. Peu à peu, le contenu des marges passa dans les rêves de ses nuits. Qui s'emplirent de gardes-chiourme, de menaces, de terreurs paralysantes, de barbelés qui l'accrochaient, le retenaient, allaient le livrer à la mort, à la souffrance, à la torture. La guerre qui s'épuisait dans le monde reprenait en lui racine, et transformait en lui, la nuit, tout être humain en menace ennemie. L'Allemagne vaincue tenait là, dans ses songes d'enfant où il tentait de fuir écrasé de peur, son obscure et réelle victoire. Quand cesserait-elle, lui et les autres, de les hanter ?

Puis vint le jour. Un après-midi, en étude, les élèves entrèrent en délire. Le ton peu à peu était monté, de parole haute en brouhaha, de brouhaha en cris. Des projectiles s'étaient mis à siffler dans l'air, dont les élèves se protégeaient avec des livres, des cahiers, en guise de boucliers. Derrière les longues tables noires, plates, où ils étaient habituellement alignés sur des bancs, l'agitation était à son comble. Sur l'estrade, à son bureau, leur vieux répétiteur bedonnant, dénommé Touqss, et qui d'habitude les terrifiait, pétainiste acharné et radoteur pendant les années sombres, essayait, menaçant, derrière ses fins lorgnons d'or posés au bout de son nez, de mater ce chahut inattendu, fébrile, qui le débordait, en distribuant des volées de punitions. De ses conjugaisons à faire, à tous les temps, à tous les modes, qui pleuvaient, les élèves se moquaient : ils attendaient l'annonce de la victoire. Elle allait être proclamée officiellement cet après-midi. Ils le savaient tous : ils venaient de l'apprendre des externes. Dehors le soleil était étincelant, le ciel bleu. L'odeur des glycines entrait dans l'étude. Les élèves étaient devenus impossibles à tenir.

Le voisin de Jeannot, « Dobeulyou », longiligne escogriffe un peu fou, aux réactions toujours surprenantes, au surnom dû à la prononciation à l'anglaise de « Double-U », à cause du W de ses jambes raides et encombrantes, toujours repliées sous des pupitres trop bas, venait d'atteindre les sommets de l'excitation délirante et une nouvelle raideur, qui ne concernait en rien ses pauvres jambes brimées. Il avait ouvert sa braguette et sorti son sexe. Qui bandait. Et qu'il contemplait avec une application béate, sourire aux lèvres. Peu de temps auparavant il avait pris soin de dessiner, colorer, découper un petit drapeau tricolore, croix de Lorraine dans son V, bordure, pompons dorés, qu'il avait collé avec minutie sur une fine allumette servant de hampe. Or, il venait, à l'instant, d'en introduire l'extrémité émincée dans le trou écarté de son gland. D'où le bonheur dans sa contemplation. Alors, se tenant en extension maximum, prenant appui sur son banc, se cambrant, jambes déployées dans l'allée, ventre soulevé et collé sous la table, il réussit, malgré sa position acrobatique, à faire surgir, par le trou du support d'encrier de sa place, son vit virilement décoré en son sommet du drapeau gaulliste de la victoire.

Le branlant dans le trou, chair rose fleurie dans le bois noir, il se mit à crier : « Touqss ! Touqss ! Nom de Dieu ! Vive la

France ! Touqss ! Vive de Gaulle ! » Tous les élèves autour de lui, s'étouffant de rire, applaudirent la prouesse. Le vieux répétiteur, qui avait tout d'abord tenté de distinguer quelque chose au milieu de cette agitation rugissante, puis avait vite compris, lui répondit, avec un geste désespéré et un peu dégoûté, que, oui, d'accord, vive la France si ça te fait plaisir, mais pour de Gaulle, et pour la tienne, de gaule, on en reparlera un peu plus tard. Pourtant le petit drapeau à croix de Lorraine, au bout du gland, continua de le narguer en dansant dans le trou d'encrier. Pour la première fois, et la dernière sans doute, Jeannot entendait, et voyait, le nom du général associé à un jeune vit guerrier français rendu fou par la victoire. Arborant son drapeau décoré, Dobeulyou, écarlate d'effort, ressemblait de plus en plus, pensa Jeannot, à un ancien combattant rougeaud au monument aux morts.

Tout à coup, les sirènes se mirent à hurler sur la ville et couvrirent les bruits du chahut. Un grand élève, venant de l'extérieur, ouvrit la porte à toute volée. « La paix est signée ! C'est la victoire ! Tous au monôme en ville ! » La volée des cloches sur la ville, tombant des clochers de la cathédrale, vint se joindre aux sirènes. Les élèves étaient debout sur les tables. Sauf Dobeulyou qui, sous la sienne, continuait de pousser sa queue en drapeau dans tous les sens du terme, et à hurler, pris d'hystérie, à chaque fois s'arquant violemment et heurtant sa table à grands coups de bassin : « Vive la France ! Touqss ! Vive de Gaulle ! Touqss ! » Puis, péremptoire, dans un dernier râle et dernier soulèvement : « L'Allemagne l'a dans le cul ! » Toujours la même histoire. Ce que l'Allemagne avait dans le cul, la sienne, à Dobeulyou, ou celle du monde, on ne savait pas exactement, à entendre son cri.

Mais le héros finit par s'effondrer, remballa en toute hâte son oriflamme, sans oublier toutefois d'en ôter la parure, pendant que tous, sautant, piétinant bancs et tables, s'enfuyaient déjà de l'étude. Ils traversèrent au galop toutes les cours du lycée, bousculèrent le concierge, dans la grande entrée, s'opposant à leur passage, et prirent la direction du centre de la ville. Abandonnant, seul, dans la salle d'étude où résonnèrent encore un moment leurs cris montés de la rue, le répétiteur aux cheveux blancs, à la veste noire lustrée, aux fins lorgnons dorés qui, derrière son bureau, dans le calme revenu, un peu plus las se voûta un peu plus, et lentement referma devant la salle vide son registre noir inutile.

Dehors, dans la rue, Jeannot, mêlé à la ruée des lycéens, avait suivi l'élan. Ils débouchèrent dans le cœur de la ville et commencèrent à remonter l'avenue centrale, qui allait de la cathédrale au lycée de filles. Ils formèrent un monôme. Bientôt, celui-ci zigzaguait à travers la chaussée, pénétrait dans les cafés, en ressortait, changeait de trottoir, étirait par l'avenue sa sarabande excitée. Des lycéens soulevèrent quelques rares voitures présentes, les déplacèrent, et les déposèrent sur les trottoirs au milieu des hourras. Des voitures. Sur le trottoir ! Ça parut d'une audace folle. Des policiers tentèrent d'intervenir, puis abandonnèrent. Sous les quolibets, les cris. « La police ! À Vichy ! » Les policiers disparurent. Le monôme parvint au sommet de l'avenue. Il commençait à se faire tard. Les visages ruisselaient, les voix devenaient rauques. Quelqu'un, monté sur un capot de voiture, proposa une action d'éclat. Avec volupté, dans une frénésie qui le débordait, Jeannot se joignit au commando. Ils étaient des Français, des Français libres, ils allaient donner l'assaut au lycée de filles.

En une demi-heure, porte enfoncée, murs escaladés au moyen d'échelles, la citadelle est prise. Ils grimpent comme une troupe de choc jusqu'aux dortoirs. Les filles hurlent, s'enfuient, ravies. Ou rêvent de l'être, entraînant les garçons derrière elles. Des lycéens bondissent sur les lits, d'autres les renversent. Cuisse ! Cuisse ! Les filles sont poussées vers la sortie. La liberté ! La liberté ! Dans le soir, dans les couloirs, les filles crient, crient.

C'était la victoire.

CHAPITRE XXXV

Dans l'immense chantier de la vallée encaissée, des trompettes d'alarme retentirent. Une mine explosa, qui fit trembler l'air. Un gros nuage de poussière monta dans le ciel clair et chaud de ce mois de septembre finissant. Gonfla, se dissipa, retombant en poudre blanche sur les baraquements du flanc de la gorge qui en étaient déjà recouverts. Le vacarme des machines, des moteurs, des marteaux piqueurs reprit. Dans le baraquement, il fallut élever un peu plus la voix pour s'entendre parler. L'homme sans âge, aux rides que marquait la poussière blanche, incrustée, tête ronde, yeux fatigués et délavés, aux joues anormalement gonflées, appuyé des deux coudes sur la table rudimentaire de la pièce, semblait gêné de répondre à Nade, et, regard baissé, poussait à petits coups, du bout de ses doigts calleux, son briquet cabossé ; d'un côté, puis de l'autre ; puis le faisait tourner doucement devant lui sur la table. Non il ne savait pas exactement quand, il ne se rappelait pas la date, il se souvenait seulement que, votre mari, oui, il avait été malade, il pouvait plus travailler, il avait fallu aller à *Revier*, à l'infirmerie, après, non, il l'avait plus revu dans leur groupe, mais que ça voulait pas dire qu'il était – parce que parfois on nous remettait sur d'autres chantiers, à d'autres travaux, on perdait vite la trace de quelqu'un parmi les milliers de déportés, et les morts, les Allemands ils les – enfin bon on savait pas, non, on ne savait plus, c'était difficile, très. De savoir.

Et pourtant, Nade, c'était ce qu'elle voulait : savoir. C'est pour cela qu'elle avait osé sortir la Celta Quatre, osé prendre le volant, qu'elle était là avec son fils, dans ce chantier d'un immense barrage en construction près de la Suisse, dans ce baraquement perché à flanc de montagne. Pour y rencontrer un ouvrier qui y travaillait, un émigré polonais qui avait été déporté à Mauthausen, qui avait paraissait-il, d'après les renseignements qu'elle avait pu obtenir, connu Dad, ou tout au moins, fait partie de la même chambrée, du même block. Jeannot avait écrit au chantier. On leur avait ménagé ce rendez-vous. Ils étaient là devant lui. Et Jeannot regardait les lourdes mains cornées du Polonais, aux fissures imprégnées de poussière de ciment, qui faisaient tourner doucement le briquet. Il y avait aussi derrière ce visage, aux sourcils saupoudrés, aux cils et narines frangés par la poussière blanche du chantier, une grande lassitude, une impossibilité à parler. Nade et Jeannot les percevaient. Parce que cet homme, ce Polack, comme on leur avait dit, et même s'il était déjà là en France avant la guerre, oui, l'usage de cette langue française peut-être cela gênait-il encore pour vraiment s'exprimer, raconter. Pourtant affleurait dans la maladresse de ses mots autre chose que cette gêne à manier la langue. Son regard affrontait le leur, une seconde, deux secondes, si bleu délavé, si bleu déchiré, et se détournait, vite. Il leur avait un moment simplement précisé, montrant les parois de la gorge entaillée par les coupes dans la roche, et un grand escalier de pierre qui s'y trouvait aménagé, vous voyez, c'était un peu comme ici, il y avait aussi un grand escalier de pierre, beaucoup de marches, bien plus qu'ici, on avait aussi des pierres sur le dos pour les monter. Après un nouveau silence il répéta, comme une excuse à ne pouvoir en dire davantage au sujet de Dad, de leur vie : Faut savoir : c'était difficile. Dad était entré à l'infirmerie, on ne l'avait plus revu, voilà. Au moment où ils allaient partir, l'ouvrier polonais, se souvenant brusquement de quelque chose, leur a donné le nom d'un autre Français de leur block, quelqu'un d'instruit. Son nom, il était pas sûr comment ça s'écrivait. Un éditeur croyait-il, qui devait habiter à Lyon. Le service d'accueil à Paris connaissait son adresse, sûrement. Ils se serrèrent la main. Ils virent descendre le Polonais vers le chantier, ses épaules découpées sur l'horizon de pierre, de machines, et d'échafaudages.

Après cinq mois de repos, il était passé, depuis la libération du camp, sans transition, des pierres de Mauthausen à celles des bords du Rhône.

Nade avait décidé qu'ils continueraient jusqu'à Genève. Ils étaient si près de la frontière. Un an après la libération, les restrictions étaient encore si dures en France. Ce serait si bon, un après-midi au bord du lac, dans une ville qui n'avait même pas su ce qu'avait été la guerre. Ils se retrouvèrent enfin, après quelques émotions, l'angoisse de passer la douane – c'était leur premier voyage « à l'étranger » –, assis à une terrasse d'un glacier sur les quais, à deux pas de l'eau, des vaguelettes clapotantes du lac. De légers nuages pommelés traînaient haut dans le ciel de Genève. Comme, sur les glaces, de la mousse de crème. « De la chantilly », avait dit Nade. Pour Jeannot, ici, aujourd'hui, dans cette ville où rien n'était compté, flottait sur toute chose un goût de chocolat au lait, de crème, de glace. Il avait rassasié ses premières envies, ses premiers étonnements. Raclé le fond de sa deuxième coupe. Maintenant, prenant son temps avant de l'avaler, il regardait dans le soleil, devant lui, un gros carré de chocolat au lait qu'il tenait à distance entre ses doigts. « C'est beau le chocolat », dit-il, au monde et à sa mère. Elle lui sourit : « Tout est beau pour toi, enfant de la guerre. » Elle lui a dit ces mots avec une drôle d'intonation, un mélange d'ironie, de grande tendresse et d'attristement.

Elle laisse traîner sur le paysage du lac, sur son échappée d'eau et de nuages entre les montagnes, ses bateaux blancs à roue à aubes, sur l'aigrette balancée du jet d'eau dans le vent, un regard vague ; puis, revenant à elle, se secoue de sa rêverie : « Tu sais, je crois que cette guerre m'a tuée. Peut-être ne devrais-je pas te le dire, mais si je le fais, c'est parce qu'il ne faudrait pas que toi aussi elle te fasse mourir. Alors, quoi qu'il arrive, il faudra que tu penses à ton bonheur. Tu vas être seul, bien seul. Il faudra te battre. Il faudra que tu penses à toi. »

Quelques mouettes venaient de se poser sur l'eau, et flottaient sur le clapotis des vagues. Des pigeons, à petits sauts, s'approchèrent des tables du marchand de glaces.

« Je suis lasse, très lasse, tu sais. » Nade continuait, sur le même ton, monotone et bas. « La guerre, je crois, a aussi tué la famille que nous aurions pu être. Quelque chose me rend absente. J'ai beau lutter : absente. J'aurai encore à peine quelques forces pour ta sœur. Et encore, je ne sais pas, peut-être. Tu comprends ? Il faudra me pardonner mon absence. Par moments, j'ai l'impression d'être déjà de l'autre côté, au royaume des morts. J'aimais trop Dad. Trop. Toutes mes nuits sont pour me cacher pour pleurer. Toutes. Bien sûr nous allons rester ensemble, je ferai tout mon possible pour vous, mais pense à toi, occupe-toi de ta vie. Toi. »

Son regard quitte le lac, revient sur lui, ses yeux brillent, elle le regarde, se met à lui caresser les cheveux. Pourtant ce fut dans les yeux de Jeannot que les larmes montèrent. Qu'il écrase, qu'il chasse. Il dégage sa tête de dessous la caresse. Comme sa mère le lui avait dit, il était seul. Autant commencer tout de suite.

Il lança des restants de gaufrettes aux pigeons. Le chocolat suisse, les glaces, la chantilly, écœurants, remontèrent dans un renvoi de son estomac brusquement serré. Il avait mal au cœur. Mal. Nausée et serrement.

Un cygne s'approcha. Hautain, solitaire, blanc sur le ciel bleu, il glissait sur l'eau froide du lac.

Quand Jeannot s'est dégagé de la caresse de sa mère, celle-ci a enfoncé ses mains dans sa jupe entre ses jambes. Un peu voûtée, silencieuse, elle regarde de nouveau le lac. Au bout d'un moment, Jeannot lui demande : « Et maintenant qu'est-ce qu'on fait ? » Sa mère ne répond pas. Il la contemple. Fixant le paysage, elle avait de nouveau ce regard qui l'inquiète. Presque un regard de folle, pensa-t-il. Il se dit que peut-être, un jour, quand elle serait vieille, il la sortirait d'un asile d'aliénés où elle aurait été enfermée parce que ne possédant plus toute sa tête. Parce que se perdant, parce que trop absente. Quand elle le verrait venir vers elle, peut-être qu'elle ne saurait même plus qui il était. Et peut-être qu'elle lui dirait, égarée dans son monde sans repères, cherchant à lire sur son visage, ne le reconnaissant plus : « Bonjour, monsieur. » Son regard d'alors serait lié à ce regard devant le lac d'aujourd'hui. Personne ne le saurait, sauf lui.

Oui, le regard éteint, égaré, vaincu, qui faisait mal à surprendre dans ses yeux, resurgissait, s'emparait d'elle de plus en plus souvent. Depuis juillet ; depuis — après trois longs mois d'attente, de fausses espérances, de voyages à Paris à l'hôtel Lutetia où étaient arrivés les derniers convois de déportés de retour des camps, et où elle était allée, cherchant encore une ultime illusion – qu'il lui avait bien fallu se rendre à l'évidence, surtout après cette annonce officielle un matin parvenue. Regrets. Votre époux. Mort. 23 décembre 44. Au camp de Mauthausen. Pourtant, malgré tout, de brusques espoirs fous, irrationnels, comme des douleurs sauvages, l'épuisaient et au fond d'elle jaillissaient encore. Mais l'évidence, plus forte, plus lourde, têtue, de nouveau la courbait : il était mort, disparu dans la grande nuit de l'Allemagne. Nuit froide, glauque, comme l'eau d'un immense lac.

Jeannot secoua sa mère, qui revint de son vide. « Oui ? » lui dit-elle.

Et ils quittèrent la Suisse, trop sucrée, trop riche, trop écœurante. Trop injustement abritée de tout.

CHAPITRE XXXVI

« Mais je finis mon histoire. Je leur récitais des poèmes. Aussi incroyable que cela puisse paraître. Des poèmes. J'avais cette chance d'en connaître beaucoup par cœur. Dans le block, ils l'avaient vite compris. Ça a commencé la nuit. Serré entre deux autres déportés du châlit. Pour survivre, pour remonter à la surface, pour ne pas devenir la bête écrasée que nos gardiens voulaient que l'on devienne, je m'étais mis à m'en réciter à moi-même, à mi-voix. Quelqu'un, un soir, dans le noir, dans le châlit d'à côté, alors que je venais de m'arrêter, m'a demandé doucement : Continue, s'il te plaît. C'est ainsi que ça a commencé. Des poèmes comme — vous ne connaissez pas ? :

> Les fleurs aux balcons de Paris
> Penchent comme la tour de Pise
> Soirs de Paris ivres du gin
> Flambant de l'électricité

d'Apollinaire, vous savez,

> Les cafés gonflés de fumée
> Crient tout l'amour de leurs tziganes
> De tous leurs siphons enrhumés

De leurs garçons vêtus d'un pagne
Vers toi toi que j'ai tant aimée

Oui, quand j'en avais encore l'énergie, je m'efforçais de leur dire un poème chaque soir. J'en avais fait mon devoir de résistance aux SS du camp. Du Baudelaire, du Laforgue, du Proust, oui du Proust,

Sombre chagrin des ciels uniformément gris
Plus tristes d'être bleus aux rares éclaircies
Et qui laissent alors sur les plaines transies
Filtrer les tièdes pleurs d'un soleil incompris

et même du Mallarmé, vous ne pouvez pas savoir comme les mots changeaient de force, de sens, dans la nuit glacée du baraquement :

— Sur les bois oubliés quand passe l'hiver sombre
Tu te plains, ô captif —

Ah oui : " Une veille t'exalte à ne pas fermer l'œil. " Vous savez c'était ça, la nuit, dans nos corps épuisés. Plus la langue française devenait musicale, douce, précise, parfaite, plus elle devenait notre revanche, notre apaisement, l'infime tendresse du jour qui n'avait pu nous être arrachée. »

L'homme continuait, volubile, à voix douce légèrement teintée de préciosité, la tête penchée, le regard liquide derrière ses grosses lunettes d'écaille, devant Nade et Jeannot impressionnés, étonnés, qui n'osaient rien dire. Incapables de quoi que ce soit, si ce n'est de faire semblant d'acquiescer, eux pour qui Proust, Mallarmé et les autres n'avaient aucune réalité. Ils l'écoutaient donc avec la plus grande des attentions, essayant de rester au moins poliment dans le sillage de ses propos. Jeannot eut envie de lui demander s'il connaissait des poèmes de *Toi et Moi* de monsieur Paul Géraldy qu'avait lu tout un hiver sa mère, mais il pressentit qu'il allait commettre une bourde qui risquait d'engager Nade, et se tut.

Sur sa chaise, quelque peu endormi par le voyage matinal en auto, il luttait pour rester éveillé, bercé par le flot des paroles de l'éditeur et la chaleur du petit appartement sous les toits, sur lesquels tapait en cette fin de matinée un soleil lyonnais sans faiblesse. Deux pièces tout en longueur, emplies de livres, de papiers, de dossiers. Grâce aux indices que leur avait donnés le Polonais du chantier, ils avaient pu retrouver son adresse.

Pendant leur recherche, dans le même temps, ils avaient reçu une lettre de l'oncle Jean. La guerre l'avait entraîné jusqu'à, avait-il écrit, et le nom était difficile à lire, à prononcer... Berchtesgaden ; puis en Indochine, puis au Japon. Comme disait Nade, « il a voulu mourir à la guerre pour oublier ton ex-tante Yvonne, ce qui était le meilleur moyen de rester vivant ». Toujours tête nue ou en calot, à la tourelle de son char, il était monté de bataille en bataille, de galon en galon, jusqu'au repaire d'Hitler. Puis son régiment, la 2e DB, l'avait envoyé en Indochine, où ça bougeait, leur précisait l'oncle Jean. Volontaire, il avait été parachuté en mission spéciale dans l'arrière-pays. Ici non plus, la mort n'avait pas voulu de lui. Officier dans l'équipe du général Leclerc, il l'avait accompagné à Tōkyō, où, dans la rade, il avait assisté sur le pont du *Missouri* à la reddition du Japon. Tōkyō, le Japon, les mots tournaient dans la tête de Jeannot. Parti des monts du Beaujolais, l'oncle Jean menait sa guerre jusqu'au bout du monde. Il avait droit à une permission d'un mois en France avant de repartir pour l'Indochine. Quand il était arrivé avec les premiers soldats français dans le « nid d'aigle » d'Hitler, il avait profité de ses galons pour s'adjuger, grappiller quelques trophées-souvenirs dans les pièces abandonnées : des livres, des assiettes, des babioles. Qu'il avait fait charger dans un camion. Ces trophées de guerre l'attendaient dans des caisses à Lyon. Ça intéresserait Jeannot ; d'ailleurs, il avait envie de revoir son filleul avant son nouveau départ. Il proposait donc un déjeuner tous ensemble dans l'appartement de sa chère mère. L'oncle Henri s'occuperait de tout. Enfin, et ça ne serait pas la moindre des choses, on mangerait dans les assiettes d'Hitler !

Une telle proposition ne pouvait se refuser. Nade se rendit d'autant plus facilement aux pressions de son fils qu'elle devait aller voir sa sœur à Lyon, qui avait eu depuis peu un bébé, et se retrouvait seule aussi en cette fin de guerre. Lorsque l'adresse de l'éditeur, qui avait été déporté à Mauthausen et avait sans doute connu Dad, leur parvint, la mère de Jeannot décida d'aller passer trois ou quatre jours à Lyon, avant que son fils ne reprenne le chemin du lycée.

Après avoir déposé la sœur de Jeannot chez la sœur de Nade, ils s'étaient retrouvés là, dans cette petite rue ingrate du quartier des Brotteaux, sous les toits bas de l'appartement de l'éditeur, dans la chaleur étouffante de son salon étroit bourré de livres. Jamais Jeannot n'avait encore vu autant de bouquins.

Ils avaient retrouvé son nom sur la boîte aux lettres cabossée, dans un couloir qui sentait la poussière, la chaleur et la pisse de chat : Henneuse. Il s'appelait Henneuse. Armand. A. H. Comme Adolf Hitler, avait plaisanté Jeannot.

Monsieur A. H., tassé dans un vieux fauteuil à oreillettes, parlait d'une voix douce, attentif à Nade, et à ses réactions. Prenant des élans, ménageant des attentes. Mais voulant avancer fermement dans ce qu'il voulait dire. Comme : « La mort, madame, était tellement présente à chaque instant de chaque jour que nous ne pouvions plus faire attention à tous ceux qui mouraient. Songez qu'en deux jours, à la veille de la libération du camp, le 4 mai, ils ont encore tué mille cinq cents d'entre nous. »

Ou bien : « Il faut bien que par fragments, peu à peu, quelques-uns d'entre nous, les revenus, ou les revenants — on hésite à choisir —, fassent l'effort de la parole, quoi qu'il en coûte. »

Il en vint plus précisément à Dad : « Votre mari couchait sur le bat-flanc en dessous du mien. Il a été un de ceux qui m'ont dit merci, la nuit, pour les poèmes. Je vais vous dire aussi ce qui m'a lié à lui. Un jour, j'ai été blessé assez grièvement à la jambe. Une plaie ouverte. C'était la mort assurée. Il était assez rare qu'on ressorte de l'infirmerie. Des déportés m'ont ramené au block en me soutenant plus ou moins. Les détenus du block, pour m'éviter l'infirmerie, ont décidé de me cacher, de tenter de me cacher, le plus longtemps possible, jusqu'à ce que ma plaie à la jambe aille mieux, que je récupère un peu de force. Pourquoi ? Pour que je leur dise encore des poèmes le soir. Chaque jour gagné, chaque poème gagné était une éternité et une petite victoire. Mais il fallait me nourrir. Aussi ont-ils décidé, et votre mari était de ceux qui prirent cette décision, de prélever un peu sur leur ration, une petite bouchée de pain noir, un morceau de patate, d'épluchure, une cuillerée de bouillon. Ils ont pris sur leur peu de vie pour que je reste en vie. Votre mari était de ceux-là, madame. De ceux qui enlevaient encore où l'on ne pouvait plus rien enlever, dans cette ombre de nourriture où chaque gramme comptait, afin que je reste vivant et leur donne encore, un soir, puis un autre soir, en échange, un poème. L'espérance de se sentir encore un homme, traité en homme. Malgré, et contre cette proclamation sur le portail central qui leur enjoignait, en entrant, de laisser ici toute espérance. Je n'oublierai pas le merci de votre mari ; je n'oublierai pas sa cuillère dans sa gamelle, prélevant, cherchant, dans une nourriture déjà réduite à rien, encore quelques fragments de pomme de terre à donner. Nous qui étions, au sens littéral, des " mourants de faim ", pour qui la vie entière du camp était faim, nous savons ce que ce geste surhumain signifiait. Voilà ce qui m'a lié, et me lie encore, à votre époux. »

Jeannot contemplait le visage rond, blafard, aux joues comme soufflées d'une mauvaise graisse, qui distinguait, ces derniers temps, d'une manière presque certaine, ceux qui revenaient de déportation. Monsieur Henneuse transpirait, essuyant d'une grande pochette colorée son front et son cou. Il roula la pochette dans sa main. L'enfonça dans sa poche :

« Mais comment il est mort, quand exactement, je ne peux pas vous le dire. Tellement des nôtres disparaissaient, comme ça. Votre mari avait le triangle rouge. Déporté politique. Moi aussi.

Avec nous, ils étaient impitoyables. Mais j'avais été arrêté par la Gestapo, ici, à Lyon, plus tard que votre mari, peut-être est-ce pour cela aussi que j'ai pu revenir. Les déportés qui avaient un an de plus de détention ont été beaucoup plus touchés, vous comprenez. Et puis, cette présence de la mort, à chaque instant, autour de nous. On perdait si facilement les traces, vous comprenez ? Souvent, on devait demeurer tête baissée, sans lever le regard, on ne savait pas qui tombait. Je me souviens, ça peut sembler épouvantable de le dire, mais je le dis parce qu'il faudra qu'un jour on finisse par tout savoir, les SS nous avaient fait aligner dans la cour centrale. Le commandant du camp est arrivé accompagné de son fils. Je suis d'origine belge, peut-être le savez-vous, aussi ai-je une assez bonne connaissance de l'allemand. Le commandant a donné son pistolet à son fils, qui avait à peu près l'âge du vôtre, treize, quatorze ans. Il lui a dit : " C'est ton anniversaire, mon cher fils, il faut t'entraîner à tirer sur des cibles vivantes. Allez, tire. " Il a obligé son enfant, obligé. Et l'enfant a tiré. Il l'a contraint à recommencer le long des rangs, et à recommencer. Quand les coups de feu ont cessé, quarante déportés, pris au hasard, gisaient au sol, une balle dans la nuque. Ce jour-là, de ces quarante, j'aurais pu en être. Votre mari a été peut-être l'une de ces victimes. Peut-être. Ou à l'infirmerie. Ou ailleurs encore. Peut-être. Cela nous échappait, vous comprenez ? Mais nous devons tous nous approcher un peu de la vérité. Tous. Vous aussi. Votre fils. Tous. Le tout sera de tout dire. »

La matinée s'approchait de midi. La chaleur devint encore plus étouffante. Un moment, l'éditeur se leva, ouvrit la fenêtre qui donnait sur la rue. D'un appartement, quelque part, parvinrent des bribes de chanson, qui disaient que Hop, on s'en sortira, on s'en tirera, comme toujours en France, et hop. Monsieur Henneuse se retourna avec un pauvre sourire, en hochant la tête, les prenant comme à témoin de la tristesse de cette chanson qui se voulait joyeuse. « Et hop ! dit-il, je ne sais pas si ça se fera comme ça... Ça sera tellement plus difficile. Tout va être empoisonné. »

Nade voulut prendre congé. Jeannot s'était déjà levé. L'éditeur chercha, sur un rayon, parmi ses livres. Après quelques efforts, il réussit, d'une rangée serrée, à en dégager un. « Permettez-moi de l'offrir à votre fils, dit-il. C'est une anthologie des nouveaux poètes. Elle est un peu usagée. Elle est parue en 1924 — il souffla la poussière sur la tranche — mais c'est encore la meilleure. C'est la Simon Kra. Elle sera une bonne base pour votre fils. » Jeannot vit les mains de monsieur Henneuse qui lui tendaient le livre. Il entendit, derrière les mains, la voix de l'éditeur lyonnais qui ajoutait : « Lis des poèmes, va, jeune homme, parce que la vraie grandeur de l'homme, c'est la poésie. » À l'instant où Jeannot prit le livre, il eut l'impression, brève, très forte, très évidente, que les mains de monsieur Henneuse étaient les mains de Dad. Que c'était Dad qui lui transmettait le livre.

Jeannot remercia, considéra l'ouvrage à la couverture orange, Éditions du Sagittaire, chez Simon Kra, 6, rue Blanche, Paris. Il eut peur de salir le bouquin précieux. Son deuxième livre. Il le posa sur la table pour essuyer la sueur possible de ses mains. Sur la table de l'éditeur, plusieurs dossiers étaient déposés. Le plus proche de Jeannot portait sur sa couverture : Francis Ponge, *Liasse*. Jeannot se pencha et tourna un peu la tête pour mieux voir. Monsieur Henneuse aperçut son mouvement de curiosité. Pour y répondre, il lui précisa que c'était l'ouvrage d'un poète qu'il allait publier dans quelque temps, lorsqu'il aurait trouvé les fonds. Il ajouta, avec un très gentil sourire, presque complice, pour Jeannot : « C'est un très bizarre et très rare poète. Je crois même qu'il a été journaliste au journal local de la ville où vous m'avez dit faire vos études de lycéen. Il parle de lessiveuses et de pommes de terre. Son poème *La pomme de terre* a été publié pour la première fois pendant la guerre dans une revue à Lyon. Les pommes de terre ! Il a raison, je connais leur valeur maintenant. " Ce bloc friable et savoureux. " » Et le pouce et le majeur de sa main droite, dans l'air, délimitèrent l'ovale imaginaire du tubercule.

Ils se quittèrent. En descendant l'escalier pour rejoindre le couloir sombre odorant et la rue poussiéreuse, Jeannot serrait contre lui son anthologie Kra. De plus, ce matin, il venait de découvrir que la poésie, de l'amour chez Musset à la pomme de terre chez monsieur Ponge, régnait où elle voulait. Et c'était sa puissance. Même dans la nuit des camps. Apollinaire, Baudelaire, Mallarmé : soudain devant lui la forêt s'ouvrait profonde.

Il repensa à ce qu'avait dit l'éditeur, et à Dad, dans sa nuit, qui avait dit merci.

CHAPITRE XXXVII

Jeannot lança la sonnette de laiton doré, qui s'activait de la main d'un mouvement circulaire, comme on remonte un réveille-matin. On entendit des pas. La porte s'ouvrit. L'oncle Jean en uniforme, souriant de son grand sourire carnassier dans ses lèvres pulpeuses, se tenait debout dans l'encadrement de la porte. Jeannot ne put compter d'un seul coup d'œil les barrettes dorées à ses épaulettes. Il y en avait. Une rangée de chaque côté. « Salut filleul ! » Tout le monde s'embrassa. Nade avait déjà rosi. Pendant qu'ils passaient à la cuisine constater les prouesses culinaires de l'oncle Henri qui s'agitait, tablier de ménagère noué à la taille, Jeannot s'éclipsa tout de suite du côté du salon. On les attendait : la table était mise. La grande fenêtre de la salle à manger était ouverte sur le Rhône et la colline de Fourvière. La lumière du jour tombait sur les assiettes. A. H., en lettres gothiques, c'était bien marqué. Or et noir. Une seule fois. Sur le sommet du rebord de l'assiette. Armand Henneuse. Pensa Jeannot pour se moquer du maître du monde. Mais c'était bien Adolf H. L'oncle Jean était derrière lui : « Eh oui, direct de chez Hitler ! » Ses lèvres, un peu comme des babines, se relevèrent de plaisir dans son sourire. « Jamais nous n'aurions pu croire cela il y a deux ans, hein mon vieux filleul ! » Jeannot resta fasciné à contempler la porcelaine qui luisait, blanche et bleutée, sous la clarté du ciel de Lyon de cette fin de mois de septembre. Dans ces assiettes, Hitler avait mangé. Un vent léger, se levant sur les vastes eaux vertes et puissantes du Rhône, fit frémir le sommet des platanes des quais et de la petite place d'en bas. L'oncle Jean était en train de lui parler du vent de l'Histoire qui déplace si vite les choses. Les palais, les murs, les empires, tout s'écroule si vite ! Ses babines carnassières souriaient de plus belle.

Il fallut prendre l'apéritif. Nade était de plus en plus rose, remarqua Jeannot. Il fallut voir les trophées. Sortis des cantines militaires, montés de la cave, ils avaient été déposés sur une longue table de chêne cirée dans la chambre de la grand-mère. « Vivement que mon lieutenant-colonel de fils nous débarrasse de ces cochonneries, minaudait-elle d'un air sérieux, je dors en face, ça me donne des cauchemars. » On regarda les livres, dédicacés, à mon cher Führer, à mon cher Führer ; une photo dans son cadre, du gros Goering, blanc, béat, soufflé, grotesquement martial, à mon cher Führer ; des cendriers, des coupe-papier ; et partout, sur tout, l'araignée de la croix gammée qui gigotait des pattes, en relief, en doré, en noir, en rouge, comme une ivrognerie. On regarda longtemps une canne, en bois ancien patiné, l'araignée en argent au sommet du pommeau, et tout autour du pommeau, incrusté, en lettres fines d'argent gothiques : Himmler. L'oncle Jean l'avait trouvée, traînant dans les vestiaires du repaire, ou dans une chambre, il ne se souvenait plus. Jeannot s'amusa un moment avec, la fit claquer et rebondir de son extrémité fine sur le parquet ciré, et la redéposa, craintif, à plat sur la table. La canne. Du chef suprême de tous les camps. Peut-être avait-il passé avec cette canne à la main dans le camp de Mauthausen, devant Dad épuisé, la tête baissée ?

Le déjeuner fut une fête. Délices et revanche. Sa grand-mère, vieille Lyonnaise, possédait toujours son réseau, dans la ville, de commerçants amis. Elle aimait maintenir les traditions, qui lui avaient fait tenir, comme elle aimait le rappeler, le dîner de baptême de Jeannot chez Point. L'oncle Henri s'était surpassé. Ou ce qui semblait à Jeannot pouvoir s'appeler surpasser : sa mère n'aimant guère cuisiner, les points de comparaison lui faisaient défaut. Dans une excitation presque irréelle, de petits Français de rien faisaient crisser leurs fourchettes jouisseuses dans les assiettes de celui qui avait cru écraser la France...

Au « deux doigts de liqueur ? » on repoussa les chaises. L'oncle Jean parla du Berghof, de Berchtesgaden, du *Missouri*, dans un certain brouhaha, mêlant les horizons, les Alpes bavaroises à la baie de Tōkyō. Les mouettes viraient et criaient sur le Rhône. Les grandes feuilles des platanes parfois s'agitaient. On parla de l'Indochine où l'oncle Jean allait bientôt repartir. Des Indochinois avaient cru bon de la déclarer indépendante. Un monsieur Hô Chi Minh. Depuis que les Japonais étaient partis. Comme sa mère et l'oncle Henri mélangeaient tout, à propos de bombes tombées sur le Japon, l'oncle Jean précisa : celle d'Hiroshima, à l'uranium ; celle de Nagasaki, au plutonium. Atomiques, les bombes. Un cauchemar. Un enfer. Ces mots nouveaux se mêlèrent aux propos sur la mort d'un monsieur Valéry. L'écrivain de France, paraissait-il. Mais non, personne n'avait rien lu. « Il doit être dans le livre qu'on t'a donné ce matin », glissa l'oncle Jean. Jeannot chercherait. Encore un nom de plus. La poésie française était infinie, tissée aux rumeurs du monde. Monsieur Valéry entraîna Paris. Paris entraîna l'oncle Henri vers ses histoires. Son temps glorieux de théâtre dans la capitale. Des histoires d'escaliers à descendre avec sa grande théâtreuse. « Je vais vous montrer. » Tout le monde riait. On repoussa cette fois tables et chaises, on dégagea le salon. L'oncle Henri disparut, puis revint vêtu d'une veste cintrée, avec ses cheveux crantés bien remis en place, et la canne d'Himmler, qu'il présenta dans un déhanché. Il se mit à imiter une descente, une marche, Jeannot ne savait quoi, s'appuyant élégamment sur la canne ou la faisant tourner. « Prends garde à la canne », dit l'oncle Jean. « Fais attention aux vases », dit la grand-mère. Ils riaient tous. Nade était rose vif. Les pieds de l'oncle Henri, sur le parquet ciré, se mirent à claquer. « Claquettes », dit-il. Il se mit à faire des figures, se servant de la canne. « Fred à s'taire », dit-il ; ou « à cet' heure » ; ou quelque chose comme ça, Jeannot ne savait pas.

Par moments, bras tendu, canne en l'air, il s'offrait dans une brève pose à son grand public familial. Les applaudissements furent nourris. Mais la réalité ! Mais la vaisselle ! Mais non. Mais si. On va vous aider. Il fallait la laver, la vaisselle.

Jeannot reste seul au salon. Il entend sa mère, ses oncles, sa grand-mère parler et blaguer dans la cuisine. Le temps où sa mère et l'oncle Henri étaient allés à la Gestapo dans l'avenue Berthelot est loin. Loin. La guerre est morte. Sauf peut-être là-bas, au Tonkin, à Saigon, où son oncle va repartir. Il regarde par la fenêtre. Il aime cette colline de Fourvière sous le soleil qui commence à descendre. Ses appels de départ. Ce ciel vaste par-dessus les fleuves. Là-bas de l'autre côté du Rhône, de l'autre côté de la Saône, on devine, découpé sur le ciel, l'archange. Avec sa lance brandie, son bras levé, dans un élan qui semble stoppé au milieu de l'espace, on dirait un danseur.

On dirait l'oncle Henri, avec la canne d'Himmler.

CHAPITRE XXXVIII

Les deux femmes, dans la chaleur de cette journée de fin d'été, avaient de longs moments de silence dans leur conversation. Quand elles se taisaient, les deux sœurs, veuves toutes les deux maintenant, d'un regard détourné qui s'évitait l'une l'autre, regardaient couler, en contrebas, à travers les branches des arbres, la Saône lente et jaune. Dans le parfum tenace, la touffeur de miel des tilleuls, des voix montaient jusqu'à eux, un bruit d'eau remuée par des rames paresseuses, jusqu'à la pelouse chaude de la maison ; jusqu'à leurs chaises longues sous l'ombre mouvante du grand cerisier.

La guerre était finie. Elles parlaient de leurs maris disparus, de la tourmente de ces années. La France entière était en liesse ; elles se retrouvaient seules, plus assez jeunes, pas assez vieilles, la mise de leur vie raflée. Elles parlaient de l'injustice des fins de guerre : Pourquoi celui-ci, pas celui-là ? Pourquoi ?

Blandine, la tante de Jeannot, avait, comme retenue de parler, des silences plus longs, plus troubles. Peu loquace, comme absente de ce qui se disait, elle se contentait de regarder son bébé qui s'endormait en finissant de la téter ; et demeurant penchée sur lui, tentait, de deux doigts écartés qu'elle appuyait sur son sein rebondi, d'en dégager le bout durement aspiré. De la vie, aujourd'hui, elle ne voulait pas voir plus loin que le bout de ses seins.

Son mari avait été ingénieur d'une grande usine. Il n'était pas parti à la guerre : son entreprise, d'intérêt national, avait besoin de lui. Puis, avec prudence, il s'était tenu à distance des histoires de la Résistance. Et pourtant malgré tant de précautions, un jour d'été, au milieu des années d'Occupation, lors d'une partie de boules dominicale en plein soleil et qui avait duré trop longtemps, son Jules, c'était son prénom, avait pris une insolation. Une vraie. En deux jours, il avait été emporté. Victime des boules et non des balles, certes, mais quand même mort pendant la guerre. Blandine, aux frontières de la quarantaine, avait été précipitée dans le veuvage. Elle avait aussitôt vendu la voiture de son mari à Dad et à Nade, qui savait conduire ; une Renault noire, une Celta Quatre, à l'avant de barque, aux flancs rebondis, aux freins anémiques. Que Nade, de garage en cachette, avait sauvée du chaos des représailles, et avec laquelle elle et Jeannot, pour leur première sortie d'après-guerre, avaient atteint le bout du département afin de rencontrer le travailleur polonais retour de Mauthausen, et puis, de là, pleins de ce qui leur avait paru une audace folle à oser franchir ainsi une frontière, avaient poursuivi jusqu'à Genève.

La sœur de Nade n'avait connu, jusqu'à la mort de son banal mari mort au champ des boules, que la rigueur des cirages de parquets, la traque pointilleuse de la poussière, la cuisine à faire rutiler, et les patins obligatoires en embuscade, dès l'entrée du couloir. Elle avait découvert que c'était avec un certain soulagement, puis un assez grand plaisir, qu'elle pouvait s'éloigner peu à peu, sans remords, de ces austérités ménagères. La période de la Résistance avait même été pour elle, finalement, une assez belle période. C'était, au fond, la vraie cause de cette gêne tue entre les deux sœurs : Nade et ses malheurs, Blandine et ses bonheurs. Elle avait eu une maison, de l'argent. S'y était ajoutée la liberté. Une liberté neuve et totale. Durant cette période trouble, tout, dans Lyon, était nuit, mystère, rendez-vous secrets, étreintes exaltées. Elle avait donc connu un homme, un amant, l'air impénétrable et un doigt baroudeur, un journaliste de Paris replié à

Lyon et qui s'y ennuyait à mourir. Blandine avait tout, des avantages et des appas. Il lui prit les deux. Il lui fit bien ce que son mari sans doute lui faisait mal. Mais son viril amant, l'abandonnant sans prévenir, disparut un beau soir vers d'autres rivages, d'autres fleuves, l'allégeant au passage d'une bonne partie de ses économies. Elle s'était retrouvée enceinte, à moitié ruinée et avec, depuis peu, au bout des seins, ce bébé mâle et vorace dont il fallait taire le nom du père.

Presque toujours seule, elle habitait maintenant sa maison trop vaste, sur cette colline qui dominait la Saône, aux portes de Lyon, dans les tilleuls et les cerisiers, et qu'elle hantait, d'un pas traînant, de ses blessures et de ses fragilités languissantes de récente accouchée. Il régnait dans ces murs, on ne savait comment, mais si perceptible, un air de péché provincial, de fruit défendu, d'amour raté, de chair pantelante par la force abandonnée. De chair laiteuse aussi, puisqu'elle donnait le sein qu'elle avait lourd et plein. Aux différentes heures de la journée, à la cuisine, au salon, au jardin, à l'extérieur sur le banc du perron, Blandine allait, allaitait, changeant de sein pour son bébé, sein qu'elle allait chercher à pleine main dans son corsage pour le présenter enfin, veiné, tendu, si voyant et proclamant si fort la femme, qu'il fallait toujours à Jeannot en détourner le regard. Elle s'avançait dans les couloirs, charnelle, légèrement balançante, l'enfançon collé à sa poitrine. Depuis trois jours que Jeannot était arrivé chez sa tante avec sa mère, il ne voyait que ça, dans l'ombre des pièces, dans l'ombre des arbres : les seins blancs et bleutés de Blandine. À la contempler à la dérobée chaque fois qu'il le pouvait, il s'était souvenu d'un texte étudié en classe, du petit vicomte breton, du jeune Chateaubriand, errant exalté des landes et des dunes, tourmenté par les « " blandices " des sens ». Tante ou pas, bébé ou pas, Jeannot trouvait que ça commençait à lui tarauder la chair, la douceur offerte des maternités. Les blandices de Blandine.

Et là, dehors, sur la pelouse, dans l'ombre vaste des tilleuls et du cerisier du dimanche après-midi, dans le flottement de la conversation, le bruit des rames et des barques qui glissent, nouveau tableau, et tout recommençait ! L'omniprésent bébé, enfin endormi, bouche ouverte, dans l'apaisement des béatitudes, venait juste de lâcher le téton maternel. Qui brillait, allongé par la succion, obscène par la taille, sous les taches dansantes du soleil dans les feuilles. Une mouche hésita à se poser sur les lèvres lisses et sucrées du bébé ou, si proche de leur bord, sur le grand téton tendu de la tatan. Tante Blandine, toujours aussi lasse, la chassa d'un revers de main, sans rien modifier de sa pose. Le bout pointait de toute sa longueur vers les frondaisons.

Jeannot, couché à plat ventre sur la pelouse, faisait semblant de s'intéresser à la Saône, aux barques des rameurs ; mais il sentit avec effroi qu'il se mettait sérieusement à bander. Ça promettait : comment se relever ? Il était urgent plus que jamais de faire semblant de dormir. Faire semblant : violence au ventre, paix dans le dos. Penser vite fait à autre chose. Cesser de regarder les blancheurs de Blandine, leurs fleurs levées. Provocatrices. Qui parlaient du corps entier des femmes. D'ailleurs, il était comment ce corps entier des femmes ? Mystère. Et le cours des jours avec une femme, un être en vie à vos côtés ? L'amour, le grand amour, qui, apparemment, autour de lui, les faisait tous pouffer ? Tourmentant. Il enfonça sa tête dans la saignée de son bras. Mimer sans faille la sieste. Attendre que ça se calme, se dégonfle, ce truc. La barre. L'arc. La lance. Le braquemart. Ça braque et ça se marre. Pourquoi cette envie de rire ? Il pensa à cet olibrius qui enfilait son sexe en érection par le trou d'encrier, en étude, au lycée. Criant, triquant, vive la France ! au plafond. Quand pourrait-il se lever, descendre faire un tour vers la Saône ? Fuir d'abord les nichons fleurissants de Blandine. C'était compliqué d'être un garçon. Vive la barre, vive la vie ! Mais la vie, dans quels bras la pétrir, l'écraser ? Dans quels bras l'oublier ?

Les fins de phrases des deux sœurs s'effilochaient dans l'air : « ... la vie ne nous a pas gâtées », venait de conclure Nade à la fin de l'une d'elles. Puis, « la triste vie », compléta-t-elle. « C'est la vie », résuma Blandine, qui n'avait sans doute rien d'autre à dire, ni à penser, et dont le ton de voix, si paresseux et songeur, fit supposer à Jeannot qu'elle devait sûrement avoir encore son gros sein à l'air. Ce que Jeannot, malgré sa récente décision, ne put s'empêcher de vérifier en douce d'un coup d'œil éclair parfaitement hypocrite. Il remporta dans la nuit de son œil aussitôt refermé l'image du sein épanoui dans sa nudité tranquille, les rayons mouvants du soleil sur ses courbes illuminées. Dans le silence de sa tête il entendit avec précision l'humide bruit de la Saône lisse qu'ouvrait l'étrave des barques. Le sein, la Saône, la douceur.

La guerre était finie, vraiment finie. Rien que pour contredire dans sa tête la mélancolique litanie sororale des veuves familiales, il s'affirma, dans son noir, que la vie était belle. Belle comme le sein de ma tante, se murmura-t-il. Cela lui fit penser à ceux de Josette, et à ceux entrevus dans la cabine d'essayage de sa tante corsetière ; puis au maquisard avec son institutrice ; et avant qu'il ait pu seulement y penser, la tête de l'instit était là sur sa planche, les yeux mi-clos, le visage sanglant. La juxtaposition brutale de visions de seins et de la tête coupée dans la lumière de la scierie lui lança dans le corps un trouble qui le raidit encore davantage.

Serait-il toujours poursuivi par les cadavres, le sang ruisselant, la souffrance ? Il s'était dégagé des pièges de la mort, des odeurs de la mort, des débris de la mort. La vie seule devait l'atteindre, l'attendre. Il en avait assez du malheur, même de celui de chez lui, même de son pays. Une patrie toujours gémissant dans la douleur et les pleurs. Il se concentra sur la vision des seins de sa tante Blandine, et l'imaginaire vision de ceux de l'avenir qui l'attendaient quelque part dans le monde. Il ferma plus fort les yeux, plus étroitement collé à plat ventre à l'herbe chaude du gazon. Ça sentait la terre, la vie, la chaleur. Plus que jamais il fallait faire semblant de dormir. Urgent. Chauffage extrême. Il eut même peur que ça se termine en catastrophe. La fameuse carte. Le bouquet, devant sa mère et sa tante !

Mais c'était bon de bander. D'être un être bandant. Scandaleusement bandant dans le grand champ des morts de leur guerre finie. Bandant, en vie, vivant. « *Ich* " bande " *also bin ich.* » Il étouffa son envie de rire, qui montait de plus en plus fort, dans son bras replié, enfonçant plus profondément son visage dans la manche de sa chemise. Tout était bien noir, la lumière ne perçait pas. Il vérifia. Noir. Mais dans ce noir sans faille fit irruption le souvenir du jeune philosophe dévoré par les mouches au pied des hortensias. Il repensa aux conseils qu'il lui avait donnés sur la terrasse pour choisir le cours de sa vie.

Il savait maintenant qu'en toute chose il choisirait, d'abord, avant tout, la vie. La puissance de la vie. Son rythme. Son arc tendu. L'avancée dans la vie. Loin des morts, des moitié-morts, des étouffeurs, des seigneurs, des donneurs de mort, de mots morts, de leçons. Des malins, des petits malins pourrisseurs. Des pourvoyeurs clandestins de la mort. Dans sa vie, il ne se laisserait pas manger par la mort. Ni par ses nourrisseurs. Les partisans des luttes à mort. Poing tendu. Main tendue. Massacreurs. Menteurs. « *Ich denke also bin ich. Ich* " bande " *also bin ich.* » Les deux à t'opposer, camarade camarde. Debout !

Sur la surface de la Saône lisse monta et résonna, moqueur, vengeur, le beau rire d'une femme en vie.

CHAPITRE XXXIX

Ils avaient à traverser le tunnel. À pied. Ce serait la première fois depuis la réouverture partielle de la voie. Au moment des grandes batailles de l'été, devenu dans la bouche de tous « l'été dernier », le maquis, pour défendre sa portion de territoire libérée, avait fait sauter le viaduc qui enjambait la vallée. Profonde, entaillée dans le plateau, elle séparait les montagnes des grandes plaines descendant doucement vers la Saône. Pour aller de Miyonnas à la préfecture, le train, depuis, ne passait plus. L'état trop délabré des voies ferrées ne le permettait pas. Pendant un an il avait fallu se débrouiller avec des navettes de voitures et de cars, ou bien emprunter un brinquebalant tramway départemental qui n'en finissait pas d'allonger le parcours par de longs et lents détours. On montait et descendait des montagnes dans un grincement de roues et de freins, des balancements perpétuels propices aux rêveries, sur d'étroites banquettes de bois vernies.

Les premières réfections de la ligne enfin achevées, le service ferroviaire avait repris, et cela bien que le viaduc n'eût pas encore été reconstruit. Le trajet, depuis peu, s'effectuait en deux tronçons. D'abord jusqu'à l'entrée du viaduc dynamité, où la voie s'interrompait, suspendue au-dessus du vide. Une navette de cars conduisait alors de l'autre côté de la vallée, descendant les lacets du flanc de la montagne ; puis elle franchissait la rivière sur un petit barrage qui n'avait pas été touché et situé plus en amont, avant de remonter le flanc opposé de la vallée par de nouveaux lacets escaladant un aplomb de hautes falaises qui formaient, sur des kilomètres, le dernier rebord de l'ultime plateau à franchir avant la grande plaine bressane. Après une bonne demi-heure de route cahotante, les cars atteignaient l'autre extrémité du viaduc dynamité dont les blocs éparpillés et les rails tordus, au fond, en bas, obstruaient toujours le lit de la rivière. À la fin du transbordement, tout le monde était déposé sur une plate-forme aménagée, au pied de l'entrée d'un tunnel. Long, environ, d'un petit kilomètre, il s'élevait légèrement sur une moitié de son profil avant de redescendre en pente douce, vers sa sortie, au-dessus de la plaine. C'était ce tunnel que les passagers devaient traverser à pied, transportant eux-mêmes leurs bagages dans l'obscurité. Le tunnel franchi, un train à la locomotive sous pression les attendait, à quelque distance de la sortie, le long d'un quai pour les conduire jusqu'à la préfecture. Ce système fonctionnait depuis peu, vaille que vaille, malgré les inconvénients. C'était la seule communication possible, un an après les villages brûlés, les routes coupées, les ponts explosés. Ce transbordement — qui, prévenait-on, demandait un certain effort — ajoutait au voyage, et surtout à ce premier voyage de la rentrée d'octobre, un dernier parfum de guerre, une dernière pincée d'inquiétude et de chaos. De peur aussi, puisque certains passagers se mirent à parler de mines et de détonateurs encore oubliés. Quelqu'un, un employé, demanda aux passagers de rester groupés pour la traversée du tunnel sans trop s'égailler à l'arrière ou sur les bords de la voie.

Le groupe s'ébranla. Les passagers, encombrés de valises et de paquets, arrivèrent devant l'entrée du tunnel. Dans la paroi abrupte de la haute falaise, elle s'ouvrait, impressionnante. Auparavant, personne n'avait jamais prêté attention à la hauteur de cette bouche, de cette béance taillée dans le roc et s'enfonçant, sombre, muette, dans les entrailles de la terre. Au sol, sous les pieds, les traverses de la voie se succédèrent, noires, glissantes, poisseuses, patinées de graisse et de suie. La marche, déjà difficile à cause des caillasses instables et tranchantes du ballast, fut rendue encore plus incertaine par les traverses trop espacées pour s'adapter à l'écartement normal des enjambées. À peine les premiers mètres avaient-ils été franchis que chaussures, ourlets de pantalons étaient déjà maculés, et les précieuses chaussinettes blanches des lycéennes et des lycéens striées de traces de graisse noire. Pendant un moment, les passagers, encore vaguement éclairés par la lumière du ciel à l'entrée du tunnel, s'efforcèrent de plaisanter à haute voix, ou continuèrent leurs conversations commencées à la descente du car, leurs propos résonnant sous la voûte. Peu à peu, avec la pente montante et la distance, la pénombre s'épaissit. Il devint de plus en plus difficile de distinguer ses pas et ses pieds. La marche se fit aveugle. Les poignées des bagages commençaient à scier les doigts gourds, et les mains se firent douloureuses. Les voix s'espacèrent. Les conversations se réduisirent à des interjections craintives qui, dans le noir, sonnèrent plus fort sous une voûte maintenant tout à fait invisible. Lorsque certains se retournèrent pour voir l'entrée du tunnel d'où ils étaient partis, on entendit une voix, plus basse cette fois, habitée d'angoisse : « Regarde l'entrée, là-bas, ce n'est plus qu'un petit point. » Dans cette marche, le temps s'était dilaté.

Les minutes se mirent à devenir plus que des minutes. Le moment qui parut le plus long et le plus difficile fut quand le noir total s'installa. Jeannot, depuis le départ de Miyonnas déjà, avait repéré, parmi les passagers et les quelques lycéennes qui rejoignaient leur lycée de filles, Lilette, celle qui avait été, trois ans auparavant, la petite « fiancée » de ses prévenances pendant les vacances dans la montagne, au début de la guerre, et avant son entrée au lycée. Ils avaient grandi chacun de leur côté. Leurs mères se connaissaient. Ils se rencontraient et se parlaient, un peu au hasard des congés. Mais chaque fois qu'il était à côté d'elle, son sang, sa tête s'affolaient de timidité. Il lui avait, pourtant, un soir de retour au pays, avoué qu'il avait commencé à écrire des poèmes, à Lilette. Dans le noir du tunnel il entendit sa voix de jeune fille. Son rire se détacha et sonna, un bref instant, sous les pierres, dans ce noir boyau, et encore bien davantage au creux de son obscure peur adolescente de se trouver si près d'elle dans la nuit. Une autre voix cria : « Regardez, là-bas, devant ! » Il accéléra le pas.

Un point lumineux était apparu. Plus blanc, presque éblouissant, dans tout cet obscur où ils trébuchaient, butant aux caillasses, aux traverses ou aux rails. Quelques minutes plus tard, le point, qui avait grandi, se fit lumière, cercle minime, soleil. Les voyageurs hâtèrent le pas. Les gens voulaient en finir de ce noir, en sortir de ce tunnel qui semblait ne plus avoir un kilomètre mais bien dix. Et se libérer de leurs bagages ficelés et de leurs misères à traîner. Dans la hâte nouvelle, quelqu'un trébucha, s'étala. Retentit sous la voûte un magnifique « merde ! ». « Mets devant toi ta canne blanche », plaisanta une voix. Après des rires qui rassurèrent, les propos reprirent, des mots, des blagues, des bribes de conversation, comme un moteur qui réussirait enfin, par à-coups, à repartir. Là-bas, devant eux, le ciel redevenait visible, et leurs visages, émergeant à chaque pas davantage de l'obscurité, reprenaient lentement les traits d'hommes et de femmes auxquels leurs jours les avaient liés.

Il entendit distinctement dans son dos : « Bientôt, finies la merde et la panade ! » Il reconnut la voix. C'était le fils d'un industriel que Miyonnas, un bon joueur de rugby dans l'équipe du lycée, sympathique au reste, et qui se trouvait deux classes au-dessus de lui. Bientôt finie la panade. Ici, et partout, d'ailleurs ! Il expliquait à un autre lycéen de son âge que son père venait juste d'acheter une Ford d'occasion, presque neuve, une vraie américaine, à une famille bourgeoise dont le fils déporté n'était pas revenu de Buchenwald. « Avec mes parents, pour l'essayer, on a même fait une virée à Lausanne. La vache ! C'est beau la Suisse, et on s'est fait une de ces bouffes dans un restaurant ! Ça change un peu des restrictions, j'te l'dis ! »

Jeannot songea à sa mère au bord du lac de Genève, à son regard immobile et si las sur le lac, à Dad disparu, tué, peut-être, pour s'amuser, par un fils de SS fêtant son anniversaire. Alors ce fils d'industriel, avec son père vivant, sa Ford chromée, son estomac tendu, l'agaça au-delà du supportable. Non seulement la guerre était cruelle, mais il fallait encore en effet qu'elle fût injuste, comme disait sa mère. Tout en marchant avec une espèce de rage contenue vers cette sortie de tunnel qui s'agrandissait, cette boule incandescente de vie qui remontait vers eux, il comprit brutalement ce qui les attendait, par-delà cette sortie aveuglante de ciel bleu où ils allaient dans un instant déboucher ; par-delà même le lycée, les diplômes à venir, et cette plaine bleutée devant eux descendant vers les brumes chaudes d'un début d'automne et de lendemains boiteux. Il le sut dans une vision d'éclair, dans sa lucidité sans faille de jeune adolescent cruel. Oui, il le sut : les hommes allaient vivre, bouffer, produire, se reproduire, s'agiter dans leurs comptes, loin du regard glauque, vitreux, oublié, de la tête de l'instituteur déposée sur sa planche ruisselant de sang ; loin du philosophe le cul en l'air, loin des scalps, loin des gants de peau, loin de la blancheur des seins de Josette étoilés par les trous sanglants des balles, de ses cheveux moutonnants flottant sur l'eau du lavoir. Le Polonais, couvert d'une poussière blanche qui silicoserait sans pitié ses poumons épuisés, fracasserait encore longtemps, saison après saison, les pierres des bâtisseurs de barrages, après avoir porté, sur son dos zébré par les coups des SS, celles de l'escalier de Mauthausen. L'éditeur lyonnais éditerait de moins en moins, pour des gens qui liraient de moins en moins, ce genre de poèmes que les déportés avaient parfois trouvé plus important pour leur vie que les épluchures de pommes de terre, qui, pourtant, seules, les maintenaient en vie. Les hommes, reprenant des forces, dresseraient leur queue, mettraient en avant leurs couilles, pour ressasser leurs souvenirs, leurs gloires enfuies, leurs amis décomposés et leurs colères mortes. Par les femmes des camps, par les femmes tondues, les cheveux de femme, tondus, maudits, traqués, tomberaient sans fin dans leur nuit et, n'étant plus tranchés, finiraient bien un jour, toujours aussi parlants, toujours trop provoquants, par disparaître sous des voiles. Les bavards allaient monter sur des tribunes, des cageots, des tonneaux, des colonnes de journaux, pour faire leur numéro national de penseur-guide et assommer de mots truqués tout ce qui vit. Les maîtres, les malins, redeviendraient des maîtres, des malins. Le petit peuple reprendrait son chemin de damné, d'amusé roulé. Dans sa marche dans le noir, Jeannot eut une bouffée de rage. Après tout ce qu'il avait vu, compris, il se demanda s'il ne commençait pas à détester tout simplement l'espèce humaine.

L'humanité, bien que chaque jour plus oublieuse, traînerait longtemps ses douleurs et son odeur de sang. L'eau de ses soifs ayant été empoisonnée, ses soifs seraient mortelles. Un avenir de sauvages violents s'étendrait devant elle, et leurs grimaces, caricaturales, rattraperaient les grimaces déchirantes des morts. Les dettes, surtout de sang, sont longues à payer.

Après la marche au fond de cette nuit de ventre de montagne, ce cercle incandescent qui se rapprochait et flambait au bout des rails, là-bas, vers le jour, vers le ciel doré de ce début d'automne qui les attendait sur la plaine, faisait mal aux yeux. Jeannot protégea son regard en baissant la tête, puis se contenta de surveiller ses pas et ses souliers butant dans les silex du remblai. Il repensa à la voie du chemin de fer de Lorraine où Dad avait jeté, depuis son wagon à bestiaux qui l'emmenait vers l'Allemagne et la nuit, sa dernière lettre sur un bout de papier chiffonné, retrouvé par hasard sur des traverses semblables à celles-ci, qui le ramenaient vers cette lumière de la sortie et même, tout simplement, vers sa vie qui l'attendait. Dad était poussière maintenant, jetée après le four crématoire, sur des glaces fondues qui avaient conduit par de longs fleuves ses cendres impalpables vers d'autres mers, d'autres lumières. En fait, Dad n'était même plus poussière. Il n'était plus rien. Un vide banal, comme le trou du placard d'où il avait été tiré, quand il avait été arrêté. Jeannot sait maintenant que pour lui, enfant seul, aucune aide ne lui viendra du monde, que tout dépendra de lui. Il continue de marcher, la tête baissée. Il pense au regard de sa mère, à ce qu'il est devenu, depuis cet été mémorable, presque celui qu'elle avait devant le placard après l'arrestation, mais un regard qui devient de plus en plus étrange, absent d'ici, des autres, des mots échangés, des nourritures, et même de sa fille dans ses bras tenue. Un regard qui s'éloigne, qui la sépare du monde de ses enfants. Il pense aussi à Josette dont le corps, réclamé par personne, est resté finalement couché dans la terre froide du minuscule et rude cimetière du village de Chatonnex où l'eau du lavoir met toujours, sur le mur, des reflets mouvants d'algues lumineuses comme sa longue chevelure dorée. Il se promet qu'au moins, au moins pendant deux ans, il lui portera des fleurs. Et après, qui saura même son nom sous les orties voraces ? Il pense à elle, quand elle marchait dans le couloir. Alors il pense aux premiers poèmes qu'il a osé écrire, qui parlaient un peu d'amour et de guerre, et qu'il a ensuite osé montrer à Lilette. Il la revoit lorsqu'elle lui rend du bout de doigts légers ses poèmes, et qu'elle lui dit, moqueuse comme toujours : « C'est pas mal pour du mauvais Prévert. » Elle lui dit aussi : « C'est un poète. Je l'ai lu cet hiver. » Elle lui dit encore : « C'est ce qu'on lit à Paris. » Prévert, il ne sait pas qui c'est. Il n'a jamais rien lu de lui. Lilette joue sa reine et a grandi.

L'autre bouche du tunnel est cette fois franchie. Franchie aussi la vallée. Franchi l'été. Franchie la mort. Ils sont sortis. Il s'en est sorti. Il est encore en vie. Il se dirige vers Lilette qui parle avec un groupe de ses amies. Elle fait semblant de ne pas le voir. Elle parle, attendant de monter dans le compartiment. La fumée de la locomotive tourne parfois en panaches lumineux autour d'elle et sur le quai. Il la trouve de plus en plus belle. Il ne peut s'empêcher de porter son regard sur elle. Quand elle surprend ce regard, tout en faisant mine d'être à sa conversation, elle a un brusque sourire cruel. À regarder comment la lumière tourne autour d'elle, transperce le vert de rivière de ses yeux, comment ses dents menacent entre ses lèvres ironiques, il eut envie, pour elle, pour une femme, pour des femmes, d'écrire des poèmes. Demain, oui, il en écrirait. Sur la vie, sur la vie puissante, sur la vie dégagée des cadavres et des ruines.

Le train va partir et les emporter vers leurs internats, lycée de garçons, lycée de filles ; vers les cris des garçons, Cuisse ! Cuisse !

quand leurs promenades du jeudi se croisent. Le train de la rentrée souffle, siffle. Il faut monter. Il faut partir. Il s'approche. Comment parler, comment faire pour vivre et séduire léger, sans trembler ? Il est attiré par les longs cheveux blonds de Lilette. Son visage net et précis, ses grands yeux d'un vert très clair. Vert oui, comme l'eau de la rivière franchie. Comme l'eau des yeux fixes de la jeune morte.

Avant de rentrer dans son internat, son déportanat, avec ses appels, ses soupes, ses sifflets, sa gymnastique, son infirmerie, ses punitions, ses mises en rang, ses latrines puantes, modèle de société cher aux hommes, il faudra qu'il achète ce soir, sans faute, un bouquin de Prévert.

*Composé et achevé d'imprimer
par la Société Nouvelle Firmin-Didot
à Mesnil-sur-l'Estrée, le 30 mars 1998
1er dépôt légal : mars 1998
Dépôt légal : octobre 1998
Numéro d'imprimeur : 42559*
ISBN 2-07-075238-0/Imprimé en France.